A Jo[illegible]

pour [illegible]

de [illegible]

sur la même [illegible]

Très amicalement

J. L[illegible]

CHRONIQUE DE PLATINE

Du même auteur

Les Amours paysannes :
amour et sexualité dans les campagnes de l'ancienne France
XVIe-XIXe siècles
Gallimard, 1975

Le Sexe et l'Occident :
évolution des attitudes et des comportements
Le Seuil, 1981

Un temps pour embrasser :
aux origines des la morale sexuelle occidentale
VIe-XIe siècles
Le Seuil, 1983.

Le cuisinier françois
(avec P. Hyman et M. Hyman)
Montalba, 1983

Familles :
parenté, maison, sexualité dans l'ancienne société
Le Seuil, 1984

JEAN-LOUIS FLANDRIN

CHRONIQUE DE PLATINE

POUR UNE GASTRONOMIE HISTORIQUE

ISBN : 2-7381-0159-3

15, RUE SOUFFLOT, 75005 PARIS

D'honnête volupté *

La gourmandise est un vilain péché, à l'égal de la luxure : parmi les damnés que l'on va admirer au porche des cathédrales, il en est qui ont le diable au ventre – un masque démoniaque qui grimace, ou ricane, à hauteur de l'estomac – comme d'autres l'ont au bas-ventre. Néanmoins, ce sont les organes sexuels et non les organes digestifs qu'on appelait « parties honteuses », et c'est aux femmes que les ecclésiastiques devaient faire vœu de renoncer, non pas au boire et au manger. Sur les dix livres que Battista Platina, bibliothécaire du pape Sixte IV, a consacrés à l'*Honnête volupté*, ne nous étonnons donc pas qu'aucun ne concerne celle que prodigue Vénus, et que neuf, au contraire, traitent des plaisirs de la table.

Volupté à quoi tend Nature

En bonne théologie, cependant, l'honnêteté d'un plaisir dépend moins du sens qu'il flatte que de son intensité, de la délectation avec laquelle on le reçoit, et de sa conformité

* Cette chronique a paru pour l'essentiel dans *L'Histoire*, de 1978 à 1988.

à la Nature. « *Je sais bien,* écrit Platina, *que plusieurs personnes malveillantes vont m'attaquer et dire que je veux enseigner à vivre en délices et voluptés* [...]. *En vérité, Dieu me garde de parler de cette volupté que les gens déréglés, dissolus et libidineux tirent du luxe et de la variété des mets, et des titillations de la chair. Ce dont je parle, c'est de la volupté à quoi tend la nature humaine, qui est tempérance et mesure. Que les malveillants, donc* [...] *se taisent et ne me reprennent plus* [...]. *Lorsque j'écris des mets, je fais comme Caton, Varron, Columelle, Caelius Appicius, gens de grand savoir et autorité, que j'ai pris pour modèles* [...]. *J'ai fait ce petit livre pour l'honnête homme soucieux de sa santé et d'hygiène alimentaire, plutôt que de luxe ; et pour montrer aux générations futures les inventions faites de notre temps, lesquelles, si elles ne peuvent nous égaler aux Anciens, témoignent au moins qu'on s'est efforcé de les imiter et de leur ressembler.* »

Que les malveillants se taisent

Taillevent, maître queux de Charles V, n'avait pas eu à se justifier d'écrire un livre de cuisine ; les médecins de l'école de Salerne, au XIIe siècle, ou Arnaud de Villeneuve au XIIIe siècle, avaient pu le faire en restant dans leur rôle de diététiciens ; mais de la part d'un humaniste historien, appliquer sa culture et son intelligence à ces arts du bien-vivre qui font la joie du commun des mortels pouvait attirer de malveillants commentaires. Ce risque aurait-il disparu aujourd'hui, dans une société que l'on dit volontiers hédoniste ? Depuis une vingtaine d'années on a multiplié les études sur l'histoire des espèces cultivées ou du régime alimentaire ; sur la ration calorique qu'absorbaient quotidiennement nos ancêtres ; on a dévoilé les codes socio-politiques qui sous-tendent nos préférences gourmandes, et « démystifié » la gastronomie. Dans tous les cas, cependant, l'alimentation reste un objet dont l'histoire, la sociologie, l'anthropologie ou la sémiologie s'emparent pour leur propre bien. Suivre l'exemple de Battista Platina, mettre son savoir au service des arts du bien-vivre, demeure suspect et peu pratiqué. C'est pourtant de cela qu'il s'agit dans cette chronique.

Pour une gastronomie historique

La cuisine d'aujourd'hui, comme la science d'aujourd'hui, est bien éloignée de celle du XVe siècle ou même du XVIIIe. Et pourtant, les apôtres de la « nouvelle cuisine » et autres arbitres de nos plaisirs alimentaires en restent implicitement, lorsqu'ils théorisent, à la *Physiologie du goût* de Brillat-Savarin – à moins qu'ils ne se jettent dans ces révoltes excessives qui ne font que conforter les autorités établies. Je suis d'avis qu'entre la vieille doctrine physiologique et le libéralisme outrancier il faut dégager les principes d'une gastronomie culturelle, historique, et trouver les règles – provisoires sans doute – qui conviennent à notre personnalité. Il y a certes, dans notre goût, une composante naturelle, physiologique, stable : noix sur raisins, cela pique, on n'y peut rien. Mais si nous n'apprécions guère l'usage lapon de mettre en guise de sucre de la graisse de renne dans le café, ce n'est pas que les Lapons soient des sauvages ignorant les règles du bon goût, ni que nous soyons obtus : c'est que nous sommes conditionnés différemment par notre milieu naturel et par nos traditions. Ces conditionnements, il importe de les connaître, de les analyser, de comprendre comment ils se modifient. Il faut discerner le stable du mouvant, le naturel du culturel, savoir quelle latitude notre culture nous permet d'accorder à la fantaisie culinaire, et donner ainsi une assise nouvelle à la gastronomie d'aujourd'hui.

Premiers pas

Cette perspective une fois dessinée, qu'on ne s'attende pas à trouver dans cette chronique un exposé suivi des nouveaux principes. Nous n'en sommes encore qu'à rassembler le matériau historique qui devrait permettre de les formuler un jour. En attendant, et pour notre plaisir commun, voici des textes et des images, des analyses, des réflexions ou sentiments personnels et des discussions – je l'espère – autour de vos lettres, des expériences culinaires et des enquêtes auprès de ceux – grands cuisiniers, viticulteurs, cultivateurs ou boulangers – qui tentent ou ont tenté de ressusciter des recettes anciennes. Aujourd'hui, je soumets à votre gourmandise quelques recettes italiennes du XVe siècle empruntées à notre ancêtre éponyme, le vrai Platine.

Platine

Platine l'ancien

Battista Platina – de son vrai nom Bartolomeo Sacchi – est né en 1421 près de Crémone. Le nom sous lequel il s'est illustré ne doit rien au platine, métal qui n'a été découvert qu'un siècle plus tard : c'est la forme latinisée de *Piadena*, nom de son village natal. Après avoir suivi quatre ans la carrière des armes, il s'adonna à l'étude des lettres à Mantoue. Entré au service du cardinal de Gonzague, il le suivit à Rome. Là, il obtint du pape Pie II une charge d'abréviateur, c'est-à-dire de clerc de la chancellerie pontificale. Lorsque Paul II, son successeur, supprima le collège des abréviateurs, Platina le menaça d'en appeler à un concile, ce qui le fit jeter en prison. Libéré au bout de quatre mois, il devint ensuite membre de l'académie fondée par Pomponius Laetus. Celle-ci ayant été dénoncée comme une réunion d'incrédules conjurés contre l'Église, Platina fut de nouveau arrêté, mis à la torture et détenu pendant un an. Relâché en 1469, ce n'est cependant qu'à l'avènement de Sixte IV, en 1475, qu'il retrouve la faveur pontificale et devient bibliothécaire du Vatican. Il est mort dans sa charge, en 1481.

Historien, philosophe et gastronome

Battista Platina est l'auteur de nombreux ouvrages latins, dont la plupart traitent d'histoire. Parmi les plus connus, il faut citer son histoire des papes, l'histoire de la ville de Mantoue, et sa vie de Victoria de Feltre. Mais il a aussi touché à la rhétorique et à la philosophie, comme en témoignent son *De flosculis quibusdam linguae latinae* et ses dialogues *Contra amores* et *De falso et vero bono,* dialogues à rapprocher du traité de Laurent Valla sur la volupté et le vrai bien. C'est dans ce contexte autant que dans la tradition des traités culinaires antiques qu'il faut replacer son *De honesta voluptate.* Ce livre, écrit vers 1470, a été imprimé à Rome dès 1473. C'est la première œuvre publiée de Platine, et le premier texte gastronomique à avoir été imprimé. Il connut, jusqu'à la fin du XVIe siècle, de nombreuses rééditions en latin, en italien, en français et en allemand : le catalogue de la Bibliothèque nationale, fort incomplet pourtant, en indique vingt. Platine y mêle à une réflexion diététique des recettes de cuisine presque toutes empruntées à Maître Martino, cuisinier du patriarche d'Aquilée.

La version française a été augmentée de moitié par le traducteur, Didier Christol, prieur de Saint-Maurice près de Montpellier. Entre 1505 et 1588, elle a eu au moins cinq éditions lyonnaises et sans doute autant ou plus d'éditions parisiennes. Depuis la fin du XVIe siècle, en revanche, cette œuvre de Platine n'a pas été rééditée. Cela s'explique-t-il seulement par l'arrivée d'une nouvelle génération de livres de cuisine aux XVIIe et XVIIIe siècles et par le triomphe des cuisiniers français sur les italiens ?

Cette désaffection n'a cependant pas nui à la cote de Platine auprès des gastronomes bibliophiles. Le *Platine en françoys*, devenu l'un des volumes les plus rares de la bibliographie gastronomique, est aussi le plus recherché et le plus cher. Il y a déjà plusieurs années, l'édition de 1505 atteignait 32 000 francs dans le catalogue des livres de gastronomie en vente chez les deux grands spécialistes français, Daniel Morcrette (à Luzarches) et Edgar Soete (à Paris). Il est aujourd'hui introuvable et sans prix.

Recettes

• **Jus ou potage de courge.** *Tu cuiras la courge découpée dans du jus ou de l'eau, avec un peu d'oignons, et puis la feras passer par une cuiller percée dans ton pot où y ait bon jus gras*[1]. *Lorsqu'elle aura un peu bouilli, tu l'ôteras du feu. Et quand elle sera quelque peu refroidie, tu y ajouteras deux roux* [jaunes] *d'œufs battus ensemble, et un peu de fromage vieux gratusé* [râpé], *et tu remueras souvent ta potée* [ce qui est dans ton pot]. *Finalement, lorsque tu l'auras versée dans les écuelles, tu mettras par-dessus des épices.*

1. Il s'agit en fait de bouillon de viande ou de fumet de poisson. En essayant cette recette, j'ai utilisé le court-bouillon de la tête de veau.

• **Tête de veau.** *Tu raseras la tête du veau ou du bœuf en de l'eau chaude, ainsi que celle du pourceau. Puis, si tu veux ladite tête bouillie tu la mettras, quand elle sera cuite, en une sauce d'aillée. Et si tu l'aimes mieux rôtie, tu la feras cuire au four remplie d'épices, d'aulx et de plusieurs herbes odorantes.*

• **Aillée de noix ou d'amandes.** *Aux amandes ou noix à demi pilées, tu ajouteras ce que tu voudras d'aulx bien mondés, et après tu pileras très bien ce qu'il t'en faudra, en mélangeant continuellement un peu d'eau afin qu'il ne* *se forme pas d'huile. Et quand tout sera pilé, tu ajouteras de la miette de pain trempée en jus de viande ou de poisson*[1] *et derechef pileras tout ensemble. Si c'est trop dur, tu pourras dissoudre commodément avec ledit jus. Cette sauce peut se conserver longtemps, ainsi que nous avons dit de la moutarde. De cette sauce notre* [*ami*] *Pompée est très friand, encore qu'elle ne nourrisse*[2].

1. Voir note 1 page 12.
2. Résistez à l'envie de rafraîchir cette sauce par l'adjonction de vinaigre ou de citron. Ce n'est qu'en l'absence d'acidité que l'ail devient un grand seigneur, au contact de l'huile d'olive ou, ici, de la noix pilée.

• **Pour appareiller un cochon ou petit pourceau.** *Tu occiras un pourceau de lait, puis ôteras tous les poils qui sont sur la couenne. Après tu le fendras tout au long par l'échine et ôteras* [par cet orifice] *tout ce qui est dans le ventre, et toute la courée* [entrailles] *découperas menument avec du lard, des aulx et herbes odorantes, et mêleras ensemble les choses susdites avec du fromage râpé, des roux d'œufs bien battus, du poivre pilé et du safran réduit en poudre. Tu mettras, tout ceci dans ledit pourceau, renversé le dedans dehors, et le dehors dedans, puis le cloras à fin que ladite farce n'en puisse sortir, et très bien le cuiras ou en broche ou sur le gril, à beau petit feu afin que tout soit bon à manger. Et pendant qu'il cuira, souventesfois le mouilleras d'un jus expressément fait de vinaigre, poivre, et safran mêlés ensemble, et ce avec des rameaux de sauge, de romarin ou de laurier.*

Tout ainsi peut-on faire des oies, cannes, grues, chapons et poulets. Et cette viande dudit pourceau est malsaine, elle nourrit peu, est de arde concoction, nuit à l'estomac, à la teste, aux yeux, et au foie ; elle engendre oppilations [elle bouche les canaux], *et la gravelle, augmente la flemme et les catharres, et lâche le ventre.*

Chapitre 1

Cuisiner comme autrefois

Cuisine médiévale

Venant du Québec, *Pain, vin et venaison*[1] a été publié en 1977. Aux maîtresses – ou aux maîtres – de maison qui manquent d'imagination, il propose d'abord quelques formules de menus adaptées aux éventualités d'aujourd'hui : « dîner simple mais élégant pour 4 à 6 personnes », « repas de gourmet », « dîner pour 8 à 12 personnes », « banquet pour 20 personnes » ou « pour 30 personnes environ ». Tous ces menus sont exclusivement composés de plats dont on trouvera la recette dans le corps de l'ouvrage, parfois même avec plusieurs variantes. La seule différence avec les livres de cuisine dont vous avez l'habitude, c'est que ces recettes sont médiévales.

Une cuisine fade

Dans l'introduction qu'elles ont donnée à leur recueil, Constance Hieatt et Sharon Butler avancent en une quinzaine de pages quelques thèses historiques originales sur la

---

1. Constance B. Hieatt et Sharon Butler, *Pain, vin et venaison. Un livre de cuisine médiéval*, Montréal, Éditions de l'Aurore, 1977 (traduit et adapté en français par Brenda Thaon). Distribué en France par Montparnasse Édition (1, quai de Conti, 75006 Paris).

cuisine médiévale. La plupart des historiens ont affirmé *« qu'au Moyen Age on préférait les mets riches et épicés, préparés avec des sauces exotiques, et que les aliments simples, surtout les légumes et les salades, étaient réservés aux pauvres ». « Ces affirmations,* écrivent-elles, *se révèlent tout à fait inexactes. »*

Elles observent en effet que, selon les livres de comptes de l'époque, les quantités annuelles d'épices achetées étaient minimes ; que les banquets les plus fastueux... comptaient plus de rôtis et de viandes bouillies au naturel *« que de ragoûts épicés »* ; que, certes, les menus aristocratiques *« ne nous donnent que peu de références précises quant aux légumes et ne font jamais mention des salades »*, mais que *« bon nombre de légumes devaient cependant entrer dans la composition des potages et autres mets ».* Elles fondent cette impression sur le fait que *« les traités de jardinage mentionnent des douzaines de variétés de légumes et précisent souvent lesquels doivent être cuits et lesquels peuvent entrer dans la composition des salades »* ; que d'ailleurs les nombreuses *« mises en garde contre la consommation de salades et de fruits frais »* prouvent que l'on en consommait ; et *« les traités culinaires qui prétendent tirer leur origine des cuisines royales ou de celles de la haute noblesse contiennent beaucoup de recettes de légumes simples ».* Elles concluent que *« les prétendus changements révolutionnaires en ce qui concerne la saveur des mets et la façon de les préparer, qui auraient pris naissance après l'époque médiévale »*, sont imaginaires ou se réduisent à *« la disponibilité de nouveaux produits alimentaires ».*

Il faut distinguer

Ces thèses, qui s'appuient sur nombre de faits exacts, me paraissent néanmoins contestables. On pourrait soutenir, pour pousser encore plus loin le paradoxe, que la cuisine médiévale était beaucoup moins épicée que la nôtre, puisque les paysans constituaient l'immense majorité de la population et qu'ils ne consommaient vraisemblablement pas d'épices exotiques du tout. Mais est-ce bien à eux qu'il faut se référer lorsqu'on parle de la cuisine médiévale en tête d'un livre de recettes ? N'est-ce pas plutôt aux bourgeois et, mieux encore, aux princes et autres grands personnages dont quelques festins nous sont connus et dont les cuisiniers nous ont laissé leurs carnets de recettes ? Sur l'alimentation de chacun de ces groupes sociaux, nous ne possédons, à vrai dire, que des renseignements partiels, incomplets. Mais rien ne nous permet de supposer qu'ils participaient à la même culture, mangeaient les mêmes aliments, les cuisinaient de la même façon, et avaient les mêmes goûts. Bien au contraire : tout nous porte à croire que, d'un groupe social à un autre, il existait des différences et même des oppositions caractéristiques du système socio-alimentaire de l'époque.

Si les élites sociales, au Moyen Age, ont fait grand cas des épices – comme on le dit généralement et comme je continue de le croire –, c'est entre autres raisons pour distinguer leur alimentation de celle du peuple. Aujourd'hui, le vrai luxe c'est de manger des produits naturels, cuisinés intelligemment – c'est-à-dire de manière à utiliser au maximum leur goût propre – parce que la plupart des gens, dans nos pays industrialisés, sont condamnés aux poulets de batterie, aux cochons ou aux veaux bourrés d'antibiotiques et d'aliments artificiels, aux fruits traités, gonflés, mûris dans la chambre à gaz, et aux légumes cultivés aux engrais chimiques. Je laisse aujourd'hui la caille, la pintade, la truite, la dinde chantées par les gourmands du XIXe siècle, aux gougnafiers : je leur préfère l'honnête saucisse qu'un charcutier du Gers m'expédie par la poste, je rêve de poulets kabyles et je m'empiffre des oies à chair noire qu'on m'apporte parfois de Pologne. C'est cette recherche du naturel, du « comme autrefois », qui caractérise, selon moi, la gastronomie nouvelle, parce que le naturel est aujourd'hui exceptionnel. De même, je croirais volontiers que la gastronomie médiévale mettait les épices au-dessus de tout, parce qu'elles provenaient d'un Orient mythique et étaient hors de portée du commun.

Une révolution culinaire

N'en restons pas aux raisonnements : examinons les faits. Des 131 recettes et variantes qu'ont recueillies Constance Hieatt et Sharon Butler, 92 utilisaient des épices exotiques, soit plus de 70 %. Ces épices sont au nombre de 15 : le poivre et le poivre long, le cubèbe, le garingal, la graine de paradis [1], le clou de girofle, le gingembre, la muscade et le macis, la cannelle, la coriandre, le cumin, le safran, le cèdre vermeil et le mystérieux pygurlac. On mentionne en outre des mélanges : « menues épices » qui, en France, comprenaient généralement le clou de girofle et la graine de paradis ; une vague « poudre » dont je ne sais pas la composition ;

1. Contrairement à ce qu'écrivent C. Hieatt et Sh. Butler, la graine de paradis n'est pas la *cardamome*, mais, selon tous les auteurs français, la maniguette ou malaguette, *Amomum malaguetta* des botanistes.

la « poudre forte », qui contenait sans doute du poivre, et la « poudre douce », qui contenait sûrement de la cannelle. Compte tenu de ces mélanges, la cannelle apparaît dans 27 % des recettes, le poivre rond ou long dans 21 %, le clou de girofle dans 18 %, la graine de paradis dans 11 %. Les épices les plus employées, à cette époque, sont le gingembre et le safran, qu'on utilise respectivement dans 31 % et 37 % des plats. Donc quinze épices dont six interviennent chacune dans plus de 10 % des formules.

Comparons ces résultats à ceux d'une enquête semblable menée dans *Le Cuisinier royal et bourgeois* de Massialot à la fin du règne de Louis XIV : du safran, il n'est plus question, non plus que du macis, de la graine de paradis, du garingal, du cumin, du pygurlac. Le gingembre n'intervient plus que dans 1 % des recettes, la coriandre dans 4,5 %, la cannelle dans 8 %. Il n'y a plus que six épices mentionnées au lieu de quinze, et trois seulement sont citées dans plus de 10 % des recettes : le clou de girofle (22 %), la muscade (27 %) et le poivre (49 %). Malgré les progrès de ces trois aromates et ceux de la coriandre qui reste cependant mineure, il est clair que la gamme des épices exotiques s'est considérablement restreinte et transformée : ce n'est plus elles qui font la splendeur d'un plat, d'autant que la Compagnie des Indes orientales en a inondé le marché. Entre la fin de la guerre de Cent Ans et le règne de Louis XIV, une révolution s'est accomplie dans la gastronomie française, que nous examinerons plus complètement une prochaine fois.

Plaisirs de table

Plus qu'un ouvrage d'histoire, je l'ai dit, *Pain, vin et venaison* est un livre de cuisine. Il peut intéresser le cuisinier avide d'exotisme aussi bien que l'historien ayant ou n'ayant pas de pratique culinaire. En haut de chaque page, on présente une recette médiévale authentique, extraite du *Viandier de Taillevent*, du *Ménagier de Paris*, ou de divers manuscrits anglais des XIVe et XVe siècles, dont l'un, publié en 1780 sous le titre *The Forme of Cury*, serait dû au maître queux de Richard II. Après chaque recette, un bref commentaire aplanit les difficultés d'interprétation de la formulation médiévale, ou tente de dégager l'esprit du plat compte tenu de ses variantes d'un traité à un autre et de son éventuelle postérité. *« La sauce verte*, remarque-t-on par exemple, *est la sauce qui accompagne le plus souvent le poisson tant à l'époque médiévale que par la suite. Il y a un grand choix de recettes allant du plus simple (persillade à base de vinaigre, sel et pain) au plus compliqué. Indépendamment des ingrédients mentionnés ci-dessus dans une recette du XIVe siècle, on trouve d'autres herbes telles que la sauge, l'oseille, la dictame, le pyrèthre, la balsamine et d'autres épices telles que le girofle. On peut modifier au goût de chacun la recette qui suit, selon les herbes dont on dispose et les épices que l'on désire essayer. »* Après le commentaire vient l'adaptation moderne : d'abord la liste des ingrédients tels qu'on peut les trouver aujourd'hui chez les commerçants, la quantité de chacun d'eux, puis les procédés et les temps de cuisson, enfin la présentation sur table.

« Évoquer [...] *le plaisir de la table est moins difficile que ne le croient la plupart des spécialistes et moins désagréable aux palais modernes qu'on ne peut le supposer. »* De fait, toutes les questions que pourrait se poser le cuisinier amateur sont examinées. On attire son attention sur les ressources de l'électro-ménager, à juste titre généralement. J'atteste, par exemple, l'incomparable « lissé » qu'on obtient au mixer, pour les liaisons au pain, et je doute que nos ancêtres, fussent-ils maîtres queux du roi, aient pu en réussir de telles, dans leurs mortiers. Il est clair que Constance Hieatt et Sharon

Butler – deux universitaires canadiennes anglophones – ont longuement mis la main à la pâte avant d'écrire leur livre, et qu'elles ont rendu aisée pour la ménagère la préparation de ces plats extravagants au premier abord.

Leurs conseils, cependant, me paraissent parfois contestables. Le recours à des colorants artificiels, par exemple : il fait déjà problème lorsqu'il s'agit de remplacer un colorant médiéval comme le cèdre vermeil, difficile à trouver aujourd'hui ; mais pour les plats qui n'en requéraient aucun – par exemple la « Venaison de chevreuil aux soupes » –, il me paraît franchement condamnable. De même l'utilisation de Viandox ou de produits similaires pour remplacer le sang de chevreuil dans la même recette.

Plus justifiables du point de vue du gastronome, d'autres adaptations s'éloignent des formules médiévales sans raison suffisante ou sans raison du tout. Ainsi, pourquoi remplacer le clou de girofle et la graine de paradis – épices existant chez les bons commerçants – par du gingembre, de la cannelle, du macis et du raisin de Corinthe ? Pourquoi mettre du gingembre et une pincée de « toute épice » dans la « Purée d'épinard » alors que la formule médiévale n'en comporte pas ? Pourquoi remplacer la tanaisie [1] – herbe certes introuvable dans les supermarchés mais commune au bord des chemins – par des épinards qui n'auront pas son goût très caractéristique, même si on les assaisonne de muscade, de gingembre, de chapelure et de crème fraîche ! On pourrait multiplier les exemples [2]. Ils donnent l'impression que les auteurs ont eu pour but d'offrir aux maîtresses de maison le moyen d'épater leurs invités à peu de frais plutôt que de

1. La *tanaisie* est une plante à fleurs jaunes, à la saveur amère, utilisée comme vermifuge. On l'appelle vulgairement barbotine, herbe aux coqs, herbe aux mites.

2. La version française multiplie les infidélités apparentes en remplaçant souvent les recettes anglaises de la version originale par des recettes françaises, sans que les auteurs aient changé leur adaptation.

faire progresser la connaissance du passé ou l'art culinaire contemporain [1]. En un temps où l'exotisme de pacotille est aussi menaçant pour la gastronomie européenne que les industries alimentaires, il faut réagir contre de telles tendances, si discrètes soient-elles.

Platine

Recettes

• **Maquerel à la menthe.** *Prenez des maquereaux et coupez-les. Mettez-les dans de l'eau et du verjus* [1]. *Faites cuire à petit feu avec de la menthe et d'autres herbes. Et faites que le bouillon soit vert ou jaune et dressez.* (The Forme of Cury, 106.)

1. Faute de verjus, on prendra un vin blanc très vert, du jus de citron, voire du vinaigre de vin blanc.

• **Rosée de poisson.** *Prenez du lait d'amandes, de la farine de riz, du sucre et du safran. Faites bouillir. Puis prenez des roses rouges et pilez-les dans un mortier avec du lait d'amandes. Et prenez des loches* [1] *que vous ferez frire à la farine. Mettez-les dans un plat. Mettez de la poudre d'épices dans la sauce* [2] *et versez sur les loches et dressez.* (Harleian Ms. 279, 100.)

1. Les loches sont des poissons de rivière à corps allongé, atteignant 15 à 30 cm.
2. C. Hieatt et Sh. Butler la remplacent par une bonne pincée de gingembre.

• **Saulce verte.** *Broyez percil, mente, aulx, serpolet, sauge et un peu de cannelle, gingembre, poivre, vin, pain, sel et saffran et mettez dessus votre poisson.* (Le Ménagier de Paris.)

---

1. Alain Senderens, dont nous reparlerons bientôt, a pour sa part montré que le recours au passé peut faire progresser l'art culinaire d'aujourd'hui.

La main à la pâte

Le témoignage des vieux livres n'est pas tout : il y faut ajouter celui de nos modernes palais. Animées d'une ardeur véritablement scientifique, les équipes de recherche de l'Académie Platine se sont mobilisées autour des fourneaux et de la table. C'est d'une de leurs expériences que je vous entretiendrai aujourd'hui.

Nous fûmes dix-sept à tester la cuisine italienne du XVe siècle, représentée par le menu suivant : d'abord « jus ou potage de courge » et « fèves fraîches en potage » ; puis « tête de veau bouillie en sauce d'aillée », « chair salée ou jambon de pourceau » et « poulets au verjus » ; enfin beignets de fleurs de sureau. Avant les beignets, nous avons pris la liberté de servir un plateau de fromages qui, pour être tous traditionnels et bien à point, n'en étaient pas moins étrangers au Quattrocento et auraient dû être mangés en fin de repas. Après les beignets, nous nous sommes amusés à ces confitures sèches dont les héros de Boccace ou des romans de chevalerie étaient restaurés dans les demeures princières : autrement dit à des fruits confits assortis venus de chez Hédiard et Fauchon, princes d'aujourd'hui.

La guerre des soupes

Chaque plat ou presque a posé des problèmes. Pour la soupe à la courge[1] nous n'avons trouvé que du potiron : était-ce ou non une trahison de la recette ? Au reste, fallait-il cuire cette « courge » en bouillon de bœuf et l'assaisonner de parmesan – seul fromage à râper authentiquement italien dont nous disposions –, ou fallait-il user de bouillon de poule et de comté pour ne pas violenter la douceur de la cucurbitacée ? Di Rosa soutenait cette solution contre Mostacci ; l'un parlait d'harmonie des saveurs, l'autre de rigueur historique ; mais sur aucun de ces terrains les arguments développés n'emportaient la conviction. Deux soupes concurrentes furent donc élaborées – trois même puisqu'au dernier moment Formagio imagina de râper sur une des écuelles un reste de vieux cantal. A la dégustation, les trois interprétations eurent des partisans. A toutes d'ailleurs, il fut trouvé du charme, à condition toutefois qu'elles soient mangées en début de repas. Comme épices, on s'était accordé, par timidité peut-être, à n'user que d'un peu de poivre noir broyé.

De l'avis général, le potage de fèves fraîches fut estimé supérieur. Au lieu d'être pilé au mortier, il le fut au mixeur. Les oignons et les pommes, coupés en lamelles fines, furent cuits dans de l'huile d'olive. Il ne fut pas question de figues puisque aussi bien ce n'en était pas la saison. Et personne ne réclama de ces épices dont quelques amateurs saupoudraient autrefois leurs écuelles. Telle quelle, l'alliance de la fève nouvelle, de l'oignon et de la pomme, frits en huile d'olive, fut une des découvertes de ce repas.

---

1. Recette donnée à la suite de notre première chronique.

La tête de veau en sauce d'aillée[1] suscita plus d'enthousiasme encore. Dominant le cliquetis des cuillers et des fourchettes, des ah ! d'admiration et de volupté, dûment enregistrés au magnétophone, en portent témoignage. Je l'avais achetée désossée mais non roulée et l'avais fait cuire selon une méthode classique aujourd'hui[2], avec une poignée de farine, en un court-bouillon frémissant. Platine ne s'en offusquera pas : le résultat était une viande d'une rare tendreté et onctuosité. Quant à l'aillée, elle aussi mieux réussie qu'à ma première tentative, je l'avais pilée au mortier, puis grossie et allégée, au mortier encore, de tranches de pain de campagne détrempées dans un bouillon de pot-au-feu dégraissé.

Douceurs du lard et du jambon

La recette suivante offrait deux possibilités qui furent toutes deux explorées. Mostacci partit d'une poitrine demi-sel dessalée quelques heures à l'eau fraîche, puis coupée *« à belles lesches »* ; Españo de tranches de jambon cru, comme pour une piperade. Dans les deux cas le sucre, la poudre de cannelle, le vinaigre (ou le jus de citron) furent mis dans la poêle en fin de cuisson et non pas dans le plat de service comme le prescrit Platine. Cela afin d'obtenir une sauce plus homogène et de volatiliser l'esprit de vinaigre, contraire à l'appréciation des vins. Par hasard, peut-être, la sauce du lard fut un peu plus longue et un peu moins sucrée, celle du jambon plus courte et nappant bien chaque tranche. A la dégustation, l'un et l'autre plat ont été loués de tous,

1. Recette donnée pp. 12-13.
2. Plus précisément, j'ai suivi la recette donnée par Denis dans son livre *La Cuisine de Denis*, Paris, Robert Laffont, 1975, p. 153.

mais il m'a semblé que le lard avait des admirateurs plus nombreux – ou plus enthousiastes – que le jambon, celui-ci ayant eu tendance à sécher à la cuisson pour être moins gras et tranché trop fin. Quoi qu'il en soit de ces préférences, l'association du vinaigre avec le sucre et la cannelle, très caractéristique des cuisines du Moyen Age finissant, a le grand mérite de combattre ici l'excès de sel du lard ou du jambon frits. Les Américains d'aujourd'hui ne l'ont oublié qu'à moitié : ils sucrent leur bacon en usine, mangent leurs saucisses matinales avec des crêpes noyées de sirop d'érable, et leur jambon en épaisses tranches transversales poêlées avec du sucre et de l'ananas. Ces douceurs qui surprennent nos palais cartésiens ne doivent pas être méprisées sans réflexion. Mais elles sont loin de valoir, selon moi, ce que nous avons dégusté en hommage à Platine.

C'est des poulets au verjus que chacun d'entre nous attendait le plus, et nous avons été, pour cela sans doute, un peu déçus. Il est vrai que le condiment essentiel – le raisin aigre dont le verjus est fait – nous manquait. Il faudra procéder à de nouveaux essais en temps propice, fin juillet ou début août, lorsque les raisins auront atteint une taille suffisante mais seront encore d'un vert agressif et d'une totale opacité. Dans l'immédiat, nous avons eu recours à deux types de sophistication : d'une part, à du jus de citron – dont nos ancêtres usaient volontiers comme d'un verjus de luxe – et, d'autre part, à un mélange de gros-plant aussi vert et jeune que possible – du 1977 – et de vinaigre de vin blanc. Emelina et Pedrone utilisèrent ce mélange pour braiser leur poulet après l'avoir fait revenir en cocotte avec des lardons. Di Rosa et Martina Valli qui, pour varier, traitèrent le leur en fricassée dans une sauteuse, l'arrosèrent de jus de citron.

Les deux versions plurent. On se battit pour y goûter. Je

garde particulièrement souvenir de la fricassée, dont chaque morceau emportait sa sauce ; de l'étonnante rencontre du citron, du safran et du poivre, soutenus par des parfums plus discrets du persil et de la menthe. L'histoire doit conserver le souvenir de cette ligue. Néanmoins son alliance avec un irréprochable poulet de grain – peut-être aussi le mariage du poulet avec le cochon salé – fait problème. Par contraste avec la sapidité de ces ingrédients, la chair du volatile paraît fade ; malgré tout elle ne l'est pas assez pour leur servir d'un simple support matériel : sa personnalité, dominée, se rebelle. J'ai souvent déploré cet effet dans d'autres plats, communs aujourd'hui, comme la daurade au four. Et pourtant les viandes blanches, de saveur discrète, peuvent s'accommoder d'épices violentes : à preuve le « poulet tandoori » qu'on mange à l'Annapurna [1], le merveilleux restaurant indien de Paris ; ou encore les « poulets du chef » que j'ai plus d'une fois dégustés au n° 1 de Mott Street, chez ce Chinois qui fait courir tout New York, avec leurs piments agressifs embusqués sous chaque morceau d'une viande « empéguée » de sauce caramélisée. A la réflexion, c'est l'élément acide que je soupçonne de faire tort à la saveur de la volaille. Pardonnez-moi, mères lyonnaises et vous grands chefs, restaurateurs du poulet au vinaigre : ma plainte, je n'en disconviens pas, mérite un supplément d'enquête.

Le miracle des beignets

Les beignets, en fin de repas, ne furent qu'un demi-succès. Là encore l'ingrédient essentiel, les fleurs de sureau, faisait défaut ; les huit autres herbes, d'ailleurs, n'avaient pas été

1. Annapurna, 32, rue de Berri, 75008 Paris.

hachées assez fin, elles étaient trop abondantes pour les six ou sept œufs prévus ; la chapelure et le comté râpé, au contraire, ne l'étaient pas assez ; de sorte que notre pâte à beignets avait plutôt l'air d'une salade gluante. Pourtant, une fois jetée par petites cuillers dans l'huile d'olive fumante, elle s'est miraculeusement mise à gonfler. Ce sont des presque-beignets que nous avons disposés sur le grand plat d'argent et saupoudrés de sucre et de cannelle mêlés. Deux ou trois d'entre nous ont fait la fine bouche sur cet entremets. Les autres ont aimé : il n'en est pas resté.

Dive bouteille

Cette cuisine aromatique, intelligente et simple, de style méridional, ne m'a pas paru propice à la dégustation de grands crus. Des potages jusqu'aux poulets, nous nous sommes contentés d'un 9,5° de pure syrrah expédié en fût par la coopérative de Tain-l'Hermitage : il avait le mérite de rappeler les petits vins ordinaires d'avant la chaptalisation. Sur les fromages, nous avons essayé un Château Moulin de la Rose, Haut-Médoc de 1970, et un Châteauneuf-du-Pape de 1973, deux vins qui dormaient dans ma cave et qu'il me pressait de tâter. Impression très favorable ; mais à revoir en plus petit comité, à tête reposée. Sur les beignets un Sainte-Croix-du-Mont, le Château Laurette 1970, fit merveille. Quant aux confitures sèches, elles appelaient l'hypocras, une longue tradition littéraire l'atteste. La clairette[1] que nous avons goûtée concurremment, était plus légère, moins sucrée, rendue amère par un soupçon de bois d'aloès : elle rappelait certains vermouths italiens et eût mieux convenu en apéritif. L'hypocras, élaboré à partir d'un

---

1. La recette de cette clairette est donnée p. 255 ci-dessous.

gigondas 1975 selon une recette somptueuse[1] était plus à sa place, mais un peu lourd. Nous en serions volontiers restés au Château Laurette, n'eût été l'ascétique devoir de vous informer.

Platine

Recettes

• **Fèves fraîches en potage.** *Mets ta fève fraîche bien nettoyée*[1] *et lavée auprès du feu, et quand elle commencera à bouillir, exprimes-en l'eau et mets-la hors du pot, et mets-y en derechef de fraîche, qu'elle surmonte ta fève de quelque deux doigts, et y mets du sel à ton avis, et fais bouillir ta potée*[2] *bien couverte et loin de la flamme, pour cause de la fumée, et ce jusqu'à ce que ta dite potée sera bien cuite et rédigée en forme de pâte. Après, tu la mettras au mortier et l'agiteras et la mêleras très bien et la réduiras en un corps puis derechef la retourneras à son dit pot, et la feras chauffer. Et quand tu voudras faire tes plats ou écuelles, tu confiras ta viande*[3] *en cette compote qui s'ensuit. Tu cuiras premièrement des oignons découpés bien menu en huile fervente*[4] *dans un pot, y mettras de la sauge, des figues ou des pommes découpées bien menu à petits lopins. Et cette confection toute bouillante et fervente infondiras et mettras dedans tes plats ou escuelles où sont tes dites fèves, et présenteras sur table. Aucuns y veulent par-dessus inspargir des épices.*

1. Il faut non seulement écosser les fèves mais les débarrasser de leur peau, dont l'âcreté ruinerait votre potage.
2. Ce qui est dans ton pot.
3. On appelait « viande » toute nourriture. Il s'agit ici des fèves.
4. Très chaude.

---

1. Il s'agit de la seconde des recettes d'hypocras données ci-dessous pp. 253-254.

• **Beignets de sureau appelés sabrit**[1]. *Il te faut avoir une bonne poignée de persil, une demie de menthe, un peu d'hysope et de marjolaine. Et, si tu veux, tu mettras cinq ou six feuilles d'épinards, plus de bourrache et autant de blettes, et semblablement du serpolet si tu peux en trouver, et toutes ces herbes découperas menuement et chapleras avec tes couteaux. Et quand elles seront bien découpées menuement, tu y ajouteras du pain gratusé*[2] *et autant de quelque bon fromage gratusé et mêleras tout ensemble dedans quelque catin*[3]. *Finalement tu y mettras les fleurs du sureau bien nettes et entières, et infondiras parmy VI ou VII œufs, les roux*[4] *principalement, et mettras tout ensemble. Et quand les voudras cuire auras la poêle avec de l'huile, du beurre ou de l'auve*[5] *largement, et mettras sur le feu. Quand ledit huile ou beurre sera bien chaud et bouillant, avec quelque petite cuiller d'argent ou de bois, tu prendras de ladite composition appelée sabrit, et en mettras dedans ta poêle à forme de beaux petits pains de grandeur d'une petite cuiller, et les feras bien cuire d'un côté et d'autre, et puis les mettras en un beau plat, et par-dessus inspargiras du sucre et de la cynamone ensemble, si tu veux, ou du sucre simplement, et présenteras à table. Est fort bonne viande, saine et agréable à manger.*

1. Cette recette du *Platine en français*, de Didier Christol, ne se trouve pas dans le texte du *De Honesta voluptate*.
2. Râpé.
3. Plat creux.
4. Les jaunes.
5. Saindoux ou autre graisse animale fondue.

• **Poulets au verjus.** *Tu cuiras les poulets avec quelque chair salée, et quand ils seront demi-cuits, tu mettras dans ton pot des raisins passis*[1] *après en avoir enlevé les grains et semence. Après, tu découperas menuement du persil et de la menthe, et pileras du poivre et rédigeras* *du safran en poudre. Et quand lesdits poulets seront cuits, tu mettras tout et infondiras dedans ledit pot, et feras après tes plats. De cette viande Poge souvent me convie et non sans cause, et si en mange avec moi pource qu'elle est saine grandement et salutaire au corps, et nourrit grandement, est de facile concoction, et convient surtout à l'estomac, au cœur, aux reins et au foie : et aussi elle réprime la colère.*

1. On appelait « raisins passis » les raisins secs. Mais Didier Christol, traducteur de Platine, est ici fautif : le texte latin ne parle que de raisins. Et comme il s'agit de faire un « poulet au verjus », ce raisin est du bourdelas ou verjus, gros raisin qui, dans sa plus grande maturité, reste aigre et dont le jus est aussi appelé « verjus ». Ce jus de raisins aigres, très utilisé dans l'ancienne cuisine, se faisait souvent avec du raisin ordinaire avant qu'il ne soit mûr.

• **De la chair salée ou jambon de pourceau.** *La chair salée du pourceau, entrelardée de gras et de maigre, couperas à belles lesches ou pièces déliées, puis les friras à la poêle, non pas grandement ; et, une fois cuites, qu'elles soient mises sur un plat, et tu inspargiras par-dessus icelles du vinaigre, du sucre, de la cynamone*[1] *et du persil découpé bien menu. Et tout ainsi peut-on faire du jambon ; mais celui-ci désire avoir du jus de citron ou d'orange*[2]*. En cela Bibule contredit et affirme qu'il doit être dévoré sans aucun jus, pour avoir appétit de mieux boire.*

1. Les érudits ont beaucoup discuté sur ce qu'avait été la cynamone des Anciens. Mais dans le français médiéval comme dans l'anglais d'aujourd'hui, le mot désignait couramment la cannelle.
2. Il s'agit d'orange amère, qu'on trouvera seulement en janvier et février.

Margaridou et les Troisgros

Margaridou et les frères Troisgros : c'est le mariage de l'année ! Les amateurs de littérature gastronomique et les amoureux du folklore connaissaient déjà le livre de Suzanne Robaglia, écrit dans l'entre-deux-guerres, *Margaridou, journal et recettes d'une cuisinière au pays d'Auvergne*[1]. Mais cette quatrième édition – élégante et abondamment illustrée – nous offre, pour la première fois, les commentaires de deux champions de la « nouvelle cuisine » en marge des recettes de ce héraut du traditionalisme qu'est Margaridou. Confrontation d'autant plus intéressante que les frères Troisgros sont depuis toujours attentifs aux traditions gourmandes régionales et qu'ils ne mâchent pas leurs mots. Voyez-les réagir, face à la sauce au loup que Margaridou servait avec le gigot d'agneau sur purée de lentilles : *« Cette sauce, ainsi présentée, est indigeste, bat en brèche la technique culinaire et, telle quelle, apporterait un mélange de goûts des plus disgracieux. »*

1. Suzanne Robaglia, *Margaridou, journal et recettes d'une cuisinière au pays d'Auvergne*, préface d'Henri Pourrat, avec des recettes « relevées » par les Troisgros, 63340 Nonette, Éd. Créer, 4e édition, 1977, 240 p., illustrées.

L'Ancienne et la Nouvelle...

Leur jugement est-il incontestable ? Je n'en suis pas sûr. Car les goûts sont divers de par le monde et ils évoluent. Il semble même que tel peuple digère sans problème tel de ses plats traditionnels qui peut être fort dangereux pour ceux qui n'y sont pas habitués : Amundsen, le vainqueur du pôle Sud, est mort d'avoir participé à une orgie de phoque cru faisandé dont ses hôtes esquimaux ne paraissent pas avoir été incommodés. Je doute qu'on prenne tant de risques à manger une sauce au loup telle que la préparait Margaridou, et je me propose d'en faire un jour l'expérience.

Les adaptations des frères Troisgros sont évidemment conformes aux principes de la nouvelle cuisine : proscription de la farine dans les sauces et réduction draconienne des temps de cuisson en constituent les tendances majeures. Du ragoût de morilles que Margaridou faisait cuire plus d'une heure, ils disent : *« Dix minutes de cuisson sont suffisantes ; au-delà, les champignons durcissent. »* Et des chanterelles qu'elle laissait sur le feu une quarantaine de minutes avant de les servir avec du confit d'oie : *« Les chanterelles seront bien largement assez cuites avec les quinze minutes de la première cuisson. Ensuite, elles perdraient de leur fermeté et de leur craquant moelleux pour devenir élastiques. »* Quant au râble de lièvre à la crème, il mérite *« d'être servi rosé, presque saignant : c'est alors qu'il conserve le mieux les effluves sauvages de ce coureur de liberté »*. Margaridou le faisait au contraire rôtir jusqu'à ce qu'il soit « bien cuit », puis elle le mettait encore à mijoter deux heures dans la sauce. Or ces cuissons longues qui constituent une des caractéristiques les plus nettes des cuisines traditionnelles en Europe, n'étaient pas dépourvues de mérites puisqu'elles éliminaient les éventuels parasites de la viande et la toxicité de champignons comme la morille, justement. L'intériorisation de ces principes d'hygiène a façonné le goût ancien ; et il survit assez en nous pour que nous puissions prendre plaisir à déguster les ragoûts bien mijotés de Margaridou. Du point de vue diététique, la nouvelle cuisine frôle donc, parfois, le précipice où des adeptes mal informés risquent de tomber ; et du point de vue du goût elle livre un combat qu'elle n'a gagné que dans certaines fractions de la société. Il fallait en somme aimer le paradoxe pour marier Margaridou avec les Troisgros.

Une vraie cuisinière

Entre eux, pourtant, l'opposition n'est pas systématique. En marge de son pâté de foie du pauvre monde – une mousse de foie de porc –, ils écrivent, par exemple : *« La cuisson au bain-marie est celle que nous utilisons pour notre mousse de grives. Voilà qui fait plaisir* [...] *La Mémé de Margaridou était une vraie cuisinière. »* Et, au sujet du râble de lièvre à la crème : *« Voici une recette sans marinade, qui annonce la cuisine moderne. »* Au-delà de ces rencontres, ils s'intéressent à la cuisine paysanne – comme d'autres à la cuisine ancienne ou aux cuisines étrangères – parce qu'elle a inventé ou conservé des formules ignorées ou oubliées depuis longtemps par la grande cuisine. Presque toutes les recettes « relevées » par les Troisgros sont dans ce cas. Même les plus critiquées comme la sauce au loup, dans laquelle *« l'idée de lier la sauce avec de la purée de lentilles est, disent-ils, originale et intéressante ».* Il faudra faire, un jour, l'histoire des relations de la grande cuisine française avec les cuisines paysannes et bourgeoises. Il est sûr, en tout cas, que c'est une histoire déjà longue : depuis longtemps, les grands

« chefs » empruntent aux recettes populaires comme les grands compositeurs s'inspirent des airs du folklore.

En quête d'authenticité

Si toutes les modifications suggérées par les Troigros vont dans le sens de la nouvelle cuisine, certaines vont aussi dans celui d'une plus grande authenticité. A propos du bœuf de la Saint-Jean, *« plat très appétissant, nerveux, haut en goût »*, qui tenait du bœuf bourguignon et du cassoulet, ils remarquent, par exemple : *« L'utilisation d'herbes fraîches, qui à la Saint-Jean sont à l'apogée de leur parfum, lui gardera sa verdeur, plutôt que l'apport poussiéreux de poudres d'herbes séchées »* qu'utilisaient Margaridou et sa sorcière de grand-mère.

Ces herbes, nous dit-on, étaient ramassées par la Mémé, puis séchées, soigneusement broyées au mortier et enfermées dans de vieux pots de moutarde vides, de sorte que leur emploi, aussi contestable puisse-t-il être, n'est pas une concession au modernisme. Le livre, pourtant, malgré un traditionalisme bien haut proclamé, n'est pas exempt de telles concessions. J'en ai trouvé une – une seule, mais d'autant plus inacceptable – dans la recette de la truite farcie des monastères, dont la farce aurait nécessité, entre autres ingrédients, *« une boîte de queues d'écrevisses, ou, à défaut, de langoustines »*. Bon saint Flour, qui devez bien exister puisqu'une ville d'Auvergne porte votre nom, préservez-nous du mal ! *« Cette recette,* explique l'auteur, *était écrite en vieux francais* [...] *En ce temps-là, les écrevisses abondaient. Le mot langoustine dépare la recette, mais je l'ai fait exprès, comme disent les enfants. »* Puérile excuse. La vieille truite française – je parle de la fario, animal totémique des antipollutions, et non de l'arc-en-ciel dont l'Amérique a peuplé nos viviers – ne consent à vivre que dans l'onde pure et froide : ne lui imposez pas, dans son voyage aux rives du Styx, la compagnie fétide de langoustines ammoniacales ni d'écrevisses au fer-blanc. S'il n'est plus d'écrevisses dans les torrents d'Auvergne, servez la truite en plus simple appareil, faites votre deuil de l'antique farce des monastères, mais conservez-en pour nos rêves l'authentique recette.

Maisons bourgeoises

« Peut-être était-on tenté de faire un peu chargé, un peu lourd, autrefois », reconnaît Henri Pourrat dans sa préface au journal de Margaridou. C'est que *« dans les grandes occasions, on tenait à montrer qu'on ne plaignait rien »*. Attitude logique en des siècles où la disette rôdait aux portes des villages. Aujourd'hui que la suralimentation chronique nous menace, il est légitime de simplifier, de dégraisser les vieilles recettes, comme les Troisgros nous y convient. Mais non pas de les abâtardir. *« Ne faites pas,* dit Margaridou, *comme Mme Mirador, qui transforme le feuilletage en pâte brisée, remplace les quenelles par des morceaux d'escalope et les morilles par des champignons de couche. »*

« Il ne faut pas viser où on ne peut pas. Les nouilles, c'est excellent, mais il faut les laisser être nouilles. » Et elle conclut : *« Lorsque je porte à table un beau vol-au-vent, doré, solide, fumant, qui ne laisse pas couler la sauce et embaume la morille, je ne peux m'empêcher de penser aux maisons bourgeoises de Murat, de Salers, d'Aurillac, de Saint-Flour, de Riom ou de Brioude où servait ma grand-mère : au-dehors elles ne font pas d'embarras, et dedans, elles sont riches de bonnes choses, honnêtes et souvent raffinées et délicates. Elles sont meilleures qu'elles n'en ont l'air. »*

Moi qui les ai fuis, lorsque je revois les murs sévères de ma ville natale, j'avoue rêver aussi des vols-au-vent d'autrefois.

Platine

Recettes

• **Choux en gratin.** *On fait blanchir deux choux avec du lard et on ne conserve que les feuilles blanches des choux* [...]. *Il faut que les feuilles blanchies soient déjà à moitié cuites.*

On beurre alors un plat à gratin, on le couvre d'un lit de feuilles de choux, d'une légère couche de fromage râpé, d'une couche de crème épaisse parfumée au poivre et à la noix muscade, puis on remet une autre couche de choux et ainsi de suite pour terminer par la crème que l'on saupoudre de chapelure et de noisettes de beurre. Çà et là, en mettant les choux, on glisse quelques lardons de lard maigre ou quelques dés de gras de jambon.

Ces choux sont extrêmement délicats, tout à fait en contradiction avec la réputation que l'on fait généralement à ce légume. Mais pour qu'il conserve sa renommée, il faut employer des choux de Planèze qui sont les meilleurs que je connaisse, et fondent sous la dent. (*Suzanne Robaglia,* Margaridou, journal et recettes d'une cuisinière au pays d'Auvergne.)

Commentaire des Troisgros : *« Pour la saison où les légumes se font rares, c'est un plat original et attrayant qui utilise le bon vieux robuste chou. Mais il faut un bon assaisonnement en poivre et muscade, et notablement de fromage râpé : le gruyère est le plus fin, le parmesan plus relevé et le cantal plus paysan ; vous pouvez donc choisir. Un peu de jambon cru à l'intérieur est du meilleur effet. »*

• **Pommes de terre en gargaillou.** *Il faut faire dorer à peine une dizaine de lardons, les laisser juste blondir, y jeter alors une feuille de laurier et une cuillerée de farine, mouiller avec un verre d'eau et un peu de bouillon, ajouter deux petits oignons blancs tout ronds. Lorsque le tout bout, mettre dans la casserole six ou sept pommes de terre moyennes, pelées, coupées en carreaux, et essuyées dans un linge blanc.*

Saler, poivrer et laisser cuire après avoir soigneusement couvert la casserole. Les morceaux ne doivent pas être trop démolis, mais simplement un peu amenuisés comme les pierres des torrents dont les angles sont usés par l'eau.

Pour moderniser, sans faute de goût, on peut ajouter dans la casserole, avant de verser en légumier, une cuillerée de crème épaisse, un léger hachis de persil et une goutte de citron, mais c'est presque mettre une robe des dimanches à l'humble pomme de terre. (*Suzanne Robaglia,* Margaridou, journal et recettes d'une cuisinière au pays d'Auvergne.)

Commentaire des Troisgros : *« Une vraie recette, comme beaucoup d'hommes voudraient en trouver à midi dans leur assiette. On peut aussi rajouter une pointe d'ail, et si la cuisson paraît un peu trop claire, on peut la lier en écrasant une ou deux pommes de terre, ce qui nous épargne la farine, mais il ne faut surtout pas laisser réduire. »*

Gastronomie à l'université

Reconnaissons qu'en ce domaine les Américains nous avaient ouvert la voie : dès le début des années soixante, un spécialiste bien connu de Chaucer, d'ailleurs gastronome et œnologue distingué, avait consacré une année de cours à la cuisine médiévale, cours qui s'était terminé, sur le campus de Berkeley, par un pantagruélique repas. Bien d'autres professeurs l'ont imité, outre-Atlantique. Cette année même un cours est donné, à l'université de Cornell, sur l'alimentation d'autrefois, par un spécialiste de l'histoire du pain ; tandis qu'en Allemagne c'est un spécialiste de civilisation française qui enseigne notre cuisine, à l'université de Hanovre.

« On s'étonnait que les universitaires français n'aient pas encore manifesté d'intérêt pour le sujet », me disent les deux enseignants qui l'ont mis au programme à l'université de Vincennes. *« Il a suffi qu'un hebdomadaire mentionne en trois lignes notre enseignement pour que des États-Unis, d'Angleterre, d'Allemagne, de Pologne, d'Italie, d'Espagne et, bien sûr, de France, des universitaires, des chercheurs, des étudiants intéressés par la psychologie du goût ou par l'histoire de la cuisine française nous écrivent, cherchent à nous rencontrer, ou viennent assister à notre cours. »*

Agapes à Vincennes

J'ai été récemment invité à Vincennes, pour un repas de fin de semestre qui permit de juger « sur table » du profit que les étudiants avaient retiré de quatre mois d'enseignement. Les « auteurs au programme », pour ce dîner franco-italien, étaient un anonyme vénitien du XIVe siècle, Platine, et deux Français du XVIIe siècle, La Varenne et Pierre de Lune. On attendait des étudiants, pour la circonstance, qu'ils fassent preuve de flair dans le choix des recettes, et ils en eurent, à une exception près, celle de poires aux oignons qui n'étaient peut-être pas adaptables à notre goût. Peut-être, car la réalisation péchait incontestablement : remplacer, pour la friture, la traditionnelle huile d'olive par une huile sans goût était une infidélité d'autant plus impardonnable qu'elle ôtait tout relief à ce plat. D'autres erreurs sont parfois venues d'une connaissance insuffisante du vocabulaire culinaire en ancien français, en latin ou en vieux vénitien : ainsi, pour avoir ignoré le mot « succrosté », deux étudiants présentèrent-ils une tourte d'anguille sans croûte – et d'ailleurs sans anguille pour n'avoir pas su qu'elles étaient introuvables en cette saison. Ils réussirent pourtant à cuisiner, avec de vulgaires mulets, un plat fort comestible et peu banal.

Les lecteurs de cette chronique savent que les recettes anciennes comportent rarement les proportions et les temps de cuisson. Cela laisse au réalisateur une grande latitude : il peut rechercher l'exotisme ou, au contraire, un équilibre des saveurs conforme à notre goût actuel. Prenons l'exemple de la « gelée de poissons » qui fut l'un des chefs-d'œuvre de ce repas. J'aurais – si j'avais eu à réaliser cette recette – choisi un poisson « bien médiéval », comme l'anguille ou la carpe, j'aurais donc utilisé du vin rouge, et je n'aurais pas ménagé les épices. C'est le parti contraire qu'adoptèrent les réalisateurs, et on ne saurait le leur reprocher : pour poisson, des truites ; pour vin, un blanc sec ; quant aux épices, nombreuses et savamment choisies, ils en usèrent très discrètement. Leurs truites en gelée auraient pu paraître sur les plus grandes tables et les plus classiques ; je n'en ai jamais mangé d'aussi bonnes et je n'imaginais même pas qu'il en pût exister.

Autre exemple, j'aurais traité la « gelée de citron » en entremets sucré, et forcé sur le citron. Les deux étudiantes qui la réalisèrent la traitèrent au contraire en entrée froide, mêlant à leur gelée le blanc de leur volaille et usant avec discrétion du sucre et du citron – ce qui nous permit d'apprécier, sur ce plat, un excellent vouvray demi-sec de 1975.

Parmi les autres succès du repas, puisqu'on ne peut parler de tout, il faut citer le « potage de pommes Platine » – une merveille d'intelligence et de simplicité, que je connaissais déjà mais dont je n'avais pas encore trouvé l'occasion de vous entretenir –, et puis un « potage de chair » du même auteur, et un *brodo di pesce* vénitien, qui n'avait de bouillon que le nom. Ces trois plats, nettement plus exotiques que les deux précédents, peuvent, pour cela, nuire à l'appréciation des vins : le troisième toléra, ce jour-là, un bon bourgogne rouge de propriétaire, mais il ne le toléra plus lorsque j'entrepris, quelques jours plus tard, d'en refaire à ma table l'expérience.

Enfin, à l'heure du dessert, une jeune fille belle à croquer nous apporta, dans un petit panier d'osier, des pâtes de pomme de sa fabrication qui furent peut-être la plus grande révélation de ce dîner : elles avaient autant d'acidité que des pâtes de coing, mais le grain en était plus fin et surtout elles dégageaient un extraordinaire parfum de miel que quelques épices bien choisies venaient exalter sans se manifester autrement.

Si le grain ne meurt...

Étudiants, enseignants, invités, nous nous demandions : « Quand de telles merveilles ont existé, comment a-t-on pu en perdre le souvenir ? Pourquoi s'en est-on privé si longtemps ? Pourquoi rien n'a-t-il été fait, jusqu'à présent, pour restaurer cette part de notre patrimoine culturel ? »

J'aime que l'institution universitaire tente de prendre en charge cette culture technique et sensuelle que la famille transmettait autrefois et que, dans notre société de consommation, elle laisse à l'abandon. Et j'aime la manière libérale et fort peu scolastique dont elle a commencé à le faire. Il y avait là des étudiants de tous âges, de toutes professions : des jeunes, frais émoulus des lycées, des barbus, des chevelus, de dix ans plus âgés, des militants écologistes ou féministes, des mères de famille, des grand-mères, des chômeurs, des retraités. Il y avait des cuisiniers émérites quoique amateurs, des œnophiles étonnamment savants, malgré leur jeune âge, des professionnels de l'alimentation, et puis d'autres qui ignoraient tout de la cuisine, des vins et des bons produits. Mais, « le fort portant le faible », comme disent les vieux textes, tous paraissaient animés d'une même passion pour la recherche en gastronomie historique et d'un même enthousiasme pour les joyaux qu'ils venaient d'arracher à l'oubli. Cela créait une atmosphère chaleureuse, dans cette salle de cours qui m'avait d'abord paru un peu froide pour un festin.

Si, comme on le dit, l'université de Vincennes doit être détruite au cours de l'été, Dieu veuille que le grain ne meure et qu'il trouve ailleurs un terroir aussi chaud[1].

Platine

Recettes[2]

• **Gelée de poisson.** *Prends du bon vin avec un peu de vinaigre ; écume lors de l'ébullition ; mets dedans le poisson ; quand il est cuit retire-le. Fais bouillir le vin de sorte qu'il réduise au tiers. Mets du safran et autres épices, avec du laurier. Verse le vin. Mets de la lavande, et laisse refroidir. Mets-le sur le poisson, dans le plat.*

• **« Brodo di pesce ».** *Du poisson convenablement lavé, fris-le à l'huile, largement ; laisse refroidir. Prends des oignons taillés en rouelles ; fris-les dans l'huile restante. Prends des amandes épluchées, des raisins secs, des pruneaux et fris-les avec les oignons, tout ensemble. Enlève l'huile qui reste, prends du poivre et du safran et d'autres épices choisies : de la cannelle, pas trop mais bien pilées. Délaie ces oignons dans du vin et du vinaigre ; une fois délayé, mets à bouillir sur le feu. Retire du feu, mets dans un autre récipient et mets-le en couches alternées avec le poisson. Si tu le désires sucré, mets-y du vin cuit ou du sucre.*

---

1. Le *Centre d'études supérieures de la Renaissance* a organisé à Tours, du 21 au 23 mars 1979, un colloque sur le thème « Pratiques et discours alimentaires au XVIe siècle ». J'y ai entendu vingt-trois communications traitant de sujets les plus divers, de la diététique ancienne aux peintures d'Arcimboldo, et du premier traité français du cidre au cannibalisme.

2. Ces trois recettes sont tirées du *Libro di cucina del secolo XIV*, éd. Forni, 1970, pages 28, 29 et 71.

• **Pâte de pommes.** *Prends les pommes, épluche-les, réduis-les en purée. Prends garde que les pépins n'aillent dans la purée. Laisse sécher pendant deux jours. Le jus que fait la pomme, laisse-le avec la pomme. Prends la purée de pommes, et pour trois livres de pommes, mets trois livres de miel et laisse reposer deux jours, les pommes avec le miel. Puis, fais bouillir en tournant, avec des épices, jusqu'à ce que les pommes soient cuites. Rappelle-toi que les épices doivent être mises quand la pâte est presque cuite. Étends-la sur une table ou sur une pierre mouillée, fais en sorte que ce soit comme une feuille épaisse de moins d'un demi-doigt. Laisse refroidir, et coupe en petits dés. Mets-les dans une boîte avec des feuilles de laurier dessous et dessus, alternant pâte et feuilles. Si tu veux mettre des épices entre les feuilles, ce sera très bon. Rappelle-toi qu'il faut faire bouillir au moins une bonne heure, peut-être deux, en tournant toujours et en évitant la fumée.*

Comme épices on a employé de la cannelle, très peu de cardamome et d'anis étoilé. Choisissez des pommes acides : j'ai eu des résultats décevants avec des canadas qui ne l'étaient pas suffisamment. En outre, comme le miel chauffé a tendance à rester liquide, j'ai eu beaucoup de difficulté à solidifier la pâte. Je soupçonne l'étudiante qui l'a si bien réussie d'avoir utilisé un mélange de miel et de sucre.

De la recette au plat

Cuisiner c'est inventer

Plusieurs lectrices et lecteurs se plaignent que « mes » recettes soient impossibles à réaliser faute de donner les proportions et les temps de cuisson. Je regrette de les décevoir, mais je n'entends pas changer de principes. Ces recettes sont miennes en ce sens que j'ai choisi de les publier, parce que, généralement, elles avaient allumé ma gourmandise. Mais elles ne sont pas de moi et constituent des documents historiques que je continuerai à livrer tels que je les reçois, en modernisant seulement quelques mots par-ci par-là, pour les rendre compréhensibles sans multiplier les notes. Parfois j'ai fait part d'expériences personnelles, heureuses ou malheureuses, concernant telle d'entre elles : ce ne peut être que simples avis d'un chercheur ou d'un gourmand à ses semblables ; je n'ai nulle autorité pour légiférer en cuisine et laisse cette gloire aux chefs célèbres. Je ne cherche, dans cette chronique, qu'à ouvrir un champ nouveau à l'historien – et à l'amener à faire de l'histoire avec ses mains, sa bouche, son palais, son nez, voire même les douleurs de son estomac et de ses intestins – et, d'autre part, à donner des idées aux cuisiniers et aux gastronomes avides d'expériences nouvelles.

Quel plaisir ceux-ci trouveraient-ils à suivre à la lettre des recettes où rien n'est laissé à leur initiative ? Pour ce qui me concerne, en tant que cuisinier amateur, je n'en prends qu'à retrouver des plats que j'ai mangés ailleurs et dont je ne connais pas la recette. Ou à inventer un plat nouveau à partir des ingrédients que j'ai sous la main. Ou à chercher ce qu'on peut tirer de bon ou d'étrange d'une recette ancienne. Ou à réaliser un de ces rêves gastronomiques qui, à certaines époques, peuplent mes nuits et me réveillent, dégouttant de salive, sur les trois heures du matin. De toute façon, la cuisine est comme la peinture : cela prend forme peu à peu. Il doit y avoir jusqu'au bout empoignade entre la logique de ce qui est déjà sur la toile – ou dans la marmite – et l'inspiration de l'artiste. Plutôt que de suivre à la lettre des recettes où rien n'est laissé au hasard, donnez-les à faire à une machine.

Le brouet d'anguilles d'Alain Senderens

« Si la cuisine est un art, le cuisinier doit, comme tout artiste, être tourné vers le futur », dit Alain Senderens. Pourtant ce futuriste, l'un des chefs de file de la nouvelle cuisine, est aussi l'un des hommes qui ont le plus pratiqué les recettes anciennes, et certainement celui qui a su en tirer le maximum.

« L'histoire de la cuisine, explique-t-il, *c'est un bouquin de cent mille pages. On n'en conserve que les cinquante dernières, et le reste a été totalement oublié. Il suffisait donc de lire pour trouver de vieilles recettes, et de les adapter au goût du jour pour apporter quelque chose de nouveau. C'est ce que j'ai fait dans la première période de ma vie. »*

Ce n'est pas en historien qu'Alain Senderens s'est tourné vers le passé, mais en cuisinier d'aujourd'hui. Il n'est donc pas – comme je suis – déchiré entre un impératif d'authenticité et le désir de faire bon. *« Je n'ai jamais été très fidèle à une recette ; il y en a peu que j'aie suivies en diminuant les quantités d'épices ou autre chose de ce genre, comme le font la plupart des adaptateurs. Ce qui m'intéresse, ce n'est qu'une idée. En lisant une recette, je me dis " tiens, il y a quelque chose ", et je pars de là. »*

De ces quelques choses, il a fait des merveilles. Mais il n'est pas donné à tous de discerner dans n'importe quel livre de recettes anciennes des idées intéressantes. Nous, amateurs, nous serons en sympathie de goût avec certains auteurs, certains pays, certaines époques, et pas avec d'autres. Pour moi, par exemple, je salive à presque toutes les recettes du *De honesta voluptate*, dix me tentent quand j'en cherche une, tandis que rien ne m'inspire beaucoup chez les Français ou les Anglais des XIVe et XVe siècles. Senderens, lui, a trouvé des idées partout. *« Je n'ai pas vraiment de préférences, parce que des idées il y en a eu à toutes les époques. »* Puis il concède : *« A chaque période de ma vie, j'ai eu une époque de prédilection, effectivement. J'ai adoré le Moyen Age, ensuite j'ai adoré le début du siècle avec les ouvrages de Nignon*[1]*. Mais maintenant que je ne cherche plus d'inspiration dans les vieux livres de cuisine, quand j'analyse tout ce que j'ai lu, appris, ressorti, adapté, transformé, je n'ai plus de préférence pour aucune époque. »*

J'aurais souhaité obtenir, pour les lecteurs de cette chronique, deux adaptations de recettes anciennes qu'ils auraient pu venir déguster à l'Archestrate[2]. Mais allez commander à

1. Edouard Nignon, chef et propriétaire d'un restaurant fameux de l'entre-deux guerres.

2. L'Archestrate était le restaurant où Alain Senderens est devenu célèbre. Il a aujourd'hui émigré chez Lucas Carton. Retenez un mois à l'avance, soyez très riche, un peu blasé et pas trop gros mangeur. La légèreté et l'intelligence de sa cuisine vous enchanteront.

Picasso un tableau de l'époque bleue quand il en est au cubisme ou à l'art nègre ! *« Des recettes anciennes à l'Archestrate ? il n'y en a plus ; c'est fini. Par contre, je peux vous donner une recette que j'avais trouvée dans le* Ménagier de Paris *et que j'ai adaptée il y a quelques années. C'est un brouet d'anguilles, une matelote d'anguilles au vin rouge, et c'est une des recettes que je n'ai pas trop modifiée. J'ai d'abord voulu diminuer la quantité d'épices, et je ne suis arrivé à rien : qu'à une cacophonie de goûts tellement horrible qu'il n'y avait aucune raison que j'insiste. Or, je ne sais pourquoi, j'ai cherché pendant six mois en refaisant ce plat au moins une fois toutes les semaines. Et un jour, je suis arrivé à quelque chose d'admirable : chaque fois qu'on buvait un vin différent sur ce plat, c'était une épice différente qui ressortait. Jamais toutes les épices en même temps. Une fois on trouvait le genièvre ; une fois on trouvait la cannelle ; une fois on trouvait la coriandre. Bref, l'équilibre était parfait. Et cela, croyez-moi, ce n'est pas par hasard qu'on pouvait le trouver. »*

J'aurais aimé que Senderens me confie la formule ainsi « retrouvée ». Je l'aurais souhaité pour mon plaisir et pour le vôtre, mais je ne suis nullement convaincu que c'était « la » formule des cuisiniers du XVe siècle. Car rien ne prouve qu'ils aient eu le même goût que nous, ni la patience de Senderens, ni enfin qu'ils se soient souciés de l'accord des vins avec les mets.

Prenez garde aux vieux grimoires

L'autre jour, à l'herboristerie du Palais-Royal, une dame demandait de l'aloès. *« Nous n'en tenons pas,* lui répond l'herboriste, *car c'est un produit dangereux : six ou sept grammes suffisent pour tuer un chien, huit grammes pourraient tuer un homme. »* Je me mêle à la conversation car une vieille recette de clairette – celle, justement, que j'ai publiée dans ma seconde chronique – en contenait je ne sais quelle quantité. L'herboriste me rassure : personne ne pourrait, par plaisir, boire une liqueur aussi amère que celle qui contiendrait une dose dangereuse d'aloès. Rentré chez moi, je vérifie pourtant : la recette prescrit une once et demie de bois d'aloès, c'est-à-dire quarante-cinq grammes. De quoi faire mourir plusieurs personnes d'un horrible flux de ventre. A moins que sous sa forme brute le produit n'ait été beaucoup moins concentré que sous celle qu'on trouve actuellement dans le commerce, l'imprimeur a fait une coquille, ou le traducteur. Ou alors l'auteur du *Thresor de santé* dit n'importe quoi. Ce n'est pas impossible. N'ai-je pas lu dans un recueil de secrets du XVIe siècle que pour faire les yeux bleus à un nouveau-né qui les avait noirs il fallait y verser quelques gouttes *« d'huile de vitriol »* ? Et l'auteur ajoutait : *« Recette expérimentée. »*

Pour aggraver aussi mon cas, j'ai raconté dans ma troisième chronique un dîner de l'Académie Platine où nous avions bu « cette » clairette. J'aurais dû préciser qu'elle n'était pas en tous points conforme aux indications du *Thresor de santé*, puisqu'il me manquait deux ingrédients – le nard indien et le musc – et que j'avais adapté les proportions à mon goût. C'était d'autant plus raisonnable, en l'occurrence, que je savais l'amertume de l'aloès, sinon le danger qu'il présentait. Mais je crains soudain qu'il n'y ait quelque part dans le monde un lecteur assez respectueux de la chose imprimée et assez passionné de vérité historique pour avoir appliqué à la lettre les indications de l'auteur, bu cet « historique » breuvage et en avoir attendu curieusement les effets. Une seule chose me console, c'est que ce lecteur-là ne pourra pas écrire à la rédaction pour se plaindre de mes recettes.

Platine

Recettes

• **Potage fait de chair.** *Bouilliras pour dix convives* [...] *une livre de tétine grasse de truie, ou de la graisse de rognons de veau, ou du sain de pourceau et quand sera cuite et découpée, y ajouteras une demi-livre de fromage vieux, tant gras que pourras, et avec ce des herbes odorantes bien découppées, poivre, gingembre et girofle pareillement, et mêleras tout ensemble. Certains y ajoutent la poitrine d'un chapon pilée, laquelle y est bien convenable. Tout ceci involuiras* [envelopperas] *en bonne farine qui ait été pétrie et rédigée déliément en forme d'une feuille de papier, et ce à la grandeur d'une châtaigne. Et quand sera tout involui et couvert, le cuiras avec le jus gras coloré de safran. Ne veut guère cuire mais veut estre bien inspargi* [saupoudré] *sur le plat de fromage gratusé* [râpé] *ensemble des épices douces. Cette viande se peut faire pareillement de la poitrine d'un faisan, d'une perdrix ou d'autres oiseaux.*

J'ai utilisé, pour ce plat, de la graisse de rognon de veau, en proportion moindre que ne le prescrit la recette, du fromage de Fribourg, et le blanc de la poule dont le bouillon m'a ensuite servi à cuire mes boulettes. Comme herbes, j'ai mis des épinards, du persil, un peu de sauge, je ne sais quoi encore. Faites à votre goût et selon ce que vous aurez sous la main. Comme épices, j'ai usé largement du poivre, très modérément du clou de girofle, et du gingembre moyennement. Pour cela aussi, faites à votre goût. Pour la pâte, je l'ai faite avec de la farine, de l'eau, du sel et un œuf. Enfin, après avoir cuit mes boulettes recouvertes de pâte dans le bouillon de poule, je les ai saupoudrées d'un mélange de cannelle et de sucre – les épices douces –, de fribourg râpé, puis je les ai arrosées de quelques cuillerées de bouillon chaud. Certains convives ont préféré ce « potage » sans épices douces.

• **Gelée de citron.** *Mettez deux rouelles de veau et un vieux chapon, les faites cuire dans un pot avec eau et le tiers de vin blanc ; faites que la chair soit bien blanchie dans l'eau ; écumez-la bien, quand elle sera consommée de la tierce partie et que la chair sera cuite, passez dans un linge et la remettez bouillir. Battez le blanc d'une douzaine d'œufs pour la clarifier, et assaisonnez de cannelle, clous entiers, poivre concassé, un peu de sel, jus de citron et sucre, puis la laissez un peu reposer, la passez dans la chausse ou linge, avec un grain de musc.* (Pierre de Lune, *Le nouveau cuisinier...*, 1656, p. 55.)

• **Potage de pomme.** *Feras cuire les pommes avec le jus de chair et quand seront presque cuites, en icelui même pot mettras un peu de persil et de menthe menuement découpés. Et si tu veux le jus plus épais, le feras facilement avec la miette de pain... Et quand tu auras faict tes écuelles tu mettras par dessus des épices. (Platine en français)*

On obtient d'excellents résultats avec le bouillon de bœuf et le bouillon de poule. Dans le premier cas l'épice dominante doit être la cannelle ; dans le second le bulbe de gingembre râpé. J'ai apporté deux légères modifications à la recette : d'une part, plutôt que d'épaissir ce potage à la miette de pain, je le passe au mixer – une fois cuites les pommes que j'avais d'abord pelées, débarrassées de leurs cœurs et coupées en lamelles. D'autre part je retire de plusieurs expériences la conclusion que le persil et la menthe sont meilleurs crus que cuits. Je les mets donc tout à fait à la fin avec les épices. Enfin goûtez et regoûtez, pour déterminer les proportions.

Les brigades de l'Académie Platine

J'ai déjà fait allusion à l'Académie Platine dans le numéro 3 de *L'Histoire*, à propos d'un de ses premiers banquets. Les lecteurs de cette chronique savent donc déjà qu'il s'agit d'un groupe d'historiens qui est aussi club de gastronomes et école de cuisine. Mais je voudrais aujourd'hui préciser ses buts, sa philosophie et ses nouvelles orientations.

Au point de départ il y avait – et il y a toujours – l'idée d'élaborer une histoire du goût. Dans quelle mesure le goût alimentaire est-il tributaire de la biologie ? Dans quelle mesure est-il culturel, donc objet d'histoire ? Comment une culture s'empare-t-elle des pulsions humaines pour en faire des désirs structurés s'assouvissant en des comportements spécifiques de cette culture ? Peut-on mettre en évidence une diversité ethnique des appétits, des répulsions et des conduites alimentaires ? Leurs transformations historiques au sein d'une même société ? Et par quoi s'expliquent-elles ?

Mais faire une histoire du goût – les réactions de ceux qui en réprouvent l'idée le montrent – c'est aussi réagir contre des structures mentales que nous ont léguées la philosophie antique, puis le christianisme, et que notre culture scolaire et bourgeoise a durcies jusqu'à l'absurde. Bien que nous soyons en principe plus conscients qu'autrefois de l'indissociable imbrication de la chair et de l'esprit dans tout ce qui est humain, jamais, peut-être, notre culture n'a autant privilégié les deux sens « élevés » que sont la vue et l'ouïe, et jamais les autres sens – goût, odorat, toucher – n'ont été aussi délaissés, aussi abandonnés à l'inculture. Liés aux premiers, des arts nobles comme la peinture, la sculpture, la musique, tendent à constituer la culture à eux seuls, tandis que les arts « utilitaires », comme la cuisine, en sont exclus parce que liés aux sens « bas », à l'animalité. Les uns, veut-on nous faire croire, ne ressortissent qu'à l'art, les autres qu'à l'économie.

On sacralise les « œuvres d'art » au point de les enfermer dans des temples – les musées – et de les présenter au public comme le saint-sacrement. On désacralise les autres en les envoyant à l'usine. De sorte que donner une histoire à ces sens et à ces arts méprisés, c'est les réintroduire dans la culture et, par là, les réhabiliter.

A contre-courant

Cette conception hiérarchisée des arts et cette vision de la culture ont, du reste, des conséquences aussi nocives pour la société que pour l'individu. Toute acculturation, dans ces conditions, ne peut en effet être qu'un endoctrinement des « manuels » par les « intellectuels » producteurs ou possesseurs de la culture.

Lorsque au contraire il apparaît qu'une activité intellectuelle comme l'élaboration d'une histoire du goût a besoin d'un savoir-faire manuel, qu'elle a pour fin de perfectionner ou d'enrichir un « art utilitaire » comme l'art culinaire et d'affiner un « plaisir charnel » comme le plaisir gourmand, alors intellectuels et manuels peuvent réellement se rencontrer, discuter et s'acculturer réciproquement. Aussi l'Académie Platine se félicite-t-elle de ce que l'histoire du goût ne peut pour l'instant se faire ni s'enseigner sans une histoire et une pratique de la cuisine. Et tient-elle à conserver ses trois dimensions : intellectuelle, sensuelle et technique.

La dévalorisation des arts mécaniques, notons-le, était nécessaire au triomphe des objets de série, au développement de l'industrialisation, autrement dit à l'emprise du capitalisme privé ou d'État sur notre vie quotidienne. Aujourd'hui, de même, le développement de l'agriculture moderne et des industries alimentaires implique une détérioration de la sensibilité gustative et une destruction du savoir-faire culinaire. En mettant cette sensibilité et ce savoir-faire au centre de ses préoccupations, en tirant de l'oubli les bonnes recettes de l'âge préindustriel, en soulignant les pertes très sensibles dans le nombre et la qualité des produits alimentaires, qui constituent le revers du « Progrès », l'Académie Platine se trouve à contre-courant de ce qu'on appelle « le sens de l'histoire ».

Il n'y avait dans sa démarche initiale aucune intention politique. Et elle n'a, aujourd'hui encore, aucun projet politique précis : les historiens que nous sommes savent qu'on ne peut revenir purement et simplement au passé, et ils sont en outre bien informés de ce que les sociétés anciennes avaient d'inadmissible pour les hommes d'aujourd'hui. Mais ils ont aussi plus de raisons que d'autres de se méfier de notions comme « le sens de l'histoire » et « le Progrès ». Ils savent que rien n'est écrit de ce que sera notre avenir, que le futur n'est pas totalement défini par le passé, qu'il dépend largement de nous qu'il soit ceci plutôt que cela, et que des valeurs longtemps oubliées peuvent resurgir et servir à construire l'avenir. Voyez la Renaissance : l'inspiration que les hommes de ce temps ont puisée dans l'Antiquité pour se détacher – et nous détacher – du Moyen Age. Nous refusons donc de nous couper le bras lorsqu'on nous dit que l'avenir est aux manchots. Nous refusons de nous arracher la langue et de nous cautériser le palais pour faciliter la marche de l'histoire et le développement « inéluctable » du capitalisme industriel. Et nous n'admettons pas de réfréner notre curiosité pour les plaisirs gourmands de nos ancêtres, ni de taire les délices qu'ils ont inventées.

Tout au contraire, après avoir retrouvé nombre de chefs-d'œuvre de l'art culinaire ancien, l'Académie Platine s'est mis en tête de les faire connaître et aimer aussi largement que possible. D'abord en admettant à ses banquets périodiques des invités de plus en plus nombreux. Puis en acceptant de participer à des manifestations publiques et d'y présenter des festins plus importants : festin Renaissance de plus de cent couverts au festival *« Eat Art »* de la Maison de la Culture de Chalon-sur-Saône en mars 1980 ; banquets intégrés à la « mise en fête » du *Bourgeois gentilhomme* par la troupe de l'Unité et Compagnie, au théâtre d'Élancourt, en avril 1981 ; festin du Quattrocento donné à Sienne, en septembre de la même année, dans les locaux de la Contrada della Selva, pour cent cinquante convives. Voyez les menus de quelques-uns de ces festins publics (cf. pp. 57-59, « A vos fourneaux »).

Enfin – et c'est ici que les lecteurs de cette chronique sont directement concernés – l'Académie Platine accepte désormais de mettre ses brigades de cuisine au service des particuliers qui souhaitent offrir à leurs amis un repas à l'ancienne. Plusieurs styles culinaires sont dès maintenant réalisables : italien du XIVe ou du XVe siècle ; français des XVIe, XVIIe ou XVIIIe siècles. D'autres nous ont déçus. D'autres encore sont actuellement à l'étude et pourront peut-être vous être proposés plus tard. Mais quel que soit le type de repas que vous désirez offrir, écrivez aux responsables des brigades de cuisine[1], exposez-leur vos souhaits et vos pos-

1. Sylvano Serventi, 72, rue du Garde-Chasse, 92860 Les Lilas (Tél. 48.81.21.71) ; ou Élisabeth Deshayes, 26, av. Caffin, 94210 La Varenne Saint-Hilaire. (Tél. 48.89.19.85).

sibilités[1], discutez avec eux du menu qui vous conviendra le mieux. Il sera de toute façon plus fastueux que ce que, pour le même prix, vous auriez eu au restaurant, aussi fin ou plus et certainement plus enrichissant.

Faute de restaurateurs qui aient repris des mains de Senderens le flambeau de la cuisine ancienne[2], ceux de mes lecteurs qui ne sont pas familiers des fourneaux risquaient de ne jamais connaître les trésors gastronomiques du Moyen Age, de la Renaissance ou de l'âge classique. Grâce aux brigades de cuisine de l'Académie Platine, cela leur est maintenant possible.

Platine

Festin Renaissance

Entrée de table
Hypocras blanc
Pieds de pourceau sauce d'enfer
Teste de veau en sauce d'aillée
Chair salée de pourceau à l'aigre-doux
Salade d'oignons cuits entre deux cendres.

Potages
Potage de courge
Potage de pommes à la menthe
Fèves en potage
Chapon aux esses

Rosts
Becquet au beurre d'herbes
Anguilles rôties, à la sauce aigre
Petit pourceau farci
Pigeons confits

Issue de table
Papillon de pommes de capendu
Darioles
Tarte rouge
Poires, figues, dattes, raisin de carême
Noix, amandes, avelines

Boute-hors
Eau rose à laver mains
Pâte de pomme
Pignonat
Gingembre confit au miel
Hypocras clairet

1. Il s'agit non seulement de vos possibilités financières mais aussi des dimensions de votre salle à manger et de l'équipement de votre cuisine.
2. Si vous en connaissez d'intéressants, signalez-les-moi.

Les banquets du bourgeois[1]

SOUPER DU 24 AVRIL 1981

Potages
Potage de framboise
Potage de choux au lait
Potage à la Reyne

Entrées
Langue de bœuf en ragoût
Poitrine de mouton en haricot
Pieds de veau en ragoût

Relevés
Cochon à la daube
Membre de mouton à la logate
Chapon aux huîtres

Rosts
Un bassin de quatre dindons, quatre lapereaux, douze pigeons ramiers et six poulets de grain
Salades composées

Entremets
Champignons à l'olivier
Artichauts en culs
Asperges en ragoût
Jambon de pays cuit aux herbes
Poulets marinés
Tourtes de franchipane
Tourtes de poires et de pommes
Tourtes d'épinards

Fruit
Massepains
Petits choux à la royale
Pyramides de fruits de saison

SOUPER DU 25 AVRIL 1981

Potages
Potage de santé d'un chapon et d'un jarret de veau garni de chicorée blanche
Potage d'abattis de mouton

Entrées
Fricassée de poulets
Langues de mouton marinées frites
Compote de pigeons
Épaules de mouton à la galimafrée

Relevés
Grande pièce de bœuf tremblante salé de deux jours garnie de choux de Milan et de navets frits
Longe de veau marinée rôtie

Rost
Bassin d'un petit agneau, poulets de grain, pigeons et cailles
Salades figurées

Entremets
Jambon de pays cuit entier
Membre de mouton et poulets d'Inde à daube
Culs d'artichauts à la compote
Asperges en pois verts
Gelée
Tourtes de frangipane
Tourtes de beurre
Tourtes de pommes

Fruit
Massepains
Biscuits
Gâteaux fins de Milan
Fruits de saison

AMBIGU DU 26 AVRIL 1981

Cochon de lait au perdouillet
Jambon cuit entier
Pâté à la marotte
Œufs farcis
Gelées
Salades figurées

Tourtes de veau
Tourtes de citrouille

Tourtes d'épinards
Tourtes de pommes et poires
Tourtes de franchipane
Tourtes de beurre

Massepains
Gâteaux fins de Milan
Petits choux à la royale
Fruits de saison en pyramide

1. Académie Platine, *Le Banquet du bourgeois : cahier de recettes du* XVIIe *siècle.* Paris, Éd. Livraisons, 1981, 20 F (1, rue des Fossés-Saint-Jacques, 75005 Paris). Les Éditions Solin (même adresse) viennent de publier un numéro spécial de *Livraisons* intitulé *Nourritures* (80 p. ill., 30 F).

Carnets de recettes

L'histoire de la cuisine et l'histoire du goût alimentaire, lorsqu'elles ne sont fondées que sur l'analyse de contenu des traités culinaires, ressemblent aux histoires de la littérature ou de la musique : ni les unes ni les autres ne nous disent rien de la pratique de ces arts dans les divers milieux sociaux, comme si cuisiner, écrire ou jouer d'un instrument n'avait jamais été le fait que de professionnels patentés. Savoir ce qu'écrivaient les non-professionnels de la littérature n'est pas très difficile : leurs lettres et autres manuscrits abondent dans les archives privées et publiques. Mais ce qu'ils jouaient ou chantaient, et ce qu'ils cuisinaient n'a guère laissé de traces. Ou du moins les historiens ne se sont guère souciés de les retrouver.

Le témoignage des recettes manuscrites

Une amie me signale, en effet, des recettes de cuisine dans des livres de raison allemands des XVe et XVIe siècles. Et il existe vraisemblablement dans les archives quantité de carnets de recettes, qui n'ont jamais eu l'honneur d'être publiés. Quelques-uns, cependant, ont commencé à l'être au cours des dix dernières années.

J'ai parlé en son temps de celui de Margaridou, réédité en 1977 avec des commentaires culinaires des frères Troigros[1]. Mais il n'est pas facile de savoir ce qu'il y a de réel dans ce personnage de Margaridou, ni de distinguer ce qui est dû à cette éventuelle cuisinière auvergnate de ce qui revient à l'auteur du livre, Suzanne Robaglia.

En 1984 c'est un ensemble de plus de 400 recettes authentiques, écrites au XVIIIe siècle par une ancêtre de son mari, que l'historienne genevoise Lucie Bolens a publié avec quinze pages d'introduction, un glossaire, une bibliographie et des conseils d'utilisation pratique[2]. Je ne sais si d'autres ouvrages nous renseignent aussi bien sur l'ancienne cuisine de Suisse romande, mais, en existerait-il même, que celui-ci est seul à en enraciner sociologiquement les recettes.

A la table de George Sand[3], qui vient de paraître en 1987, décrit les pratiques plus éclectiques d'un milieu moins confiné.

A la table de George Sand

Ce très beau livre n'est pas seulement une source utile à l'historien de l'alimentation. Il enchantera ceux qui comme moi ont le culte des vieilles maisons de famille, et de leurs traditions ; ceux qui ont la nostalgie de la vie quiète mais animée qu'on y menait, et des grandes tables autour des-

---

1. Suzanne Robaglia, *Margaridou, Journal et recettes d'une cuisinière au pays d'Auvergne*. Éd. Créer, 4e édition, 1977, 240 p. Il en a été rendu compte dans *L'Histoire* n° 10, mars 1979.

2. Lucie Bolens, *Elixirs et merveilles. Un manuscrit inédit sur la cuisine bourgeoise en Suisse romande à la fin du XVIIIe siècle*. Éditions Zoé, Collection « Le Passé proche », 1984, 144 p.

3. *A la table de George Sand*, par Christiane Sand [assistée de Georges Lubin, Marie-Christine et Didier Clément, André Martin, et Esther Henwood], Flammarion, Paris, 1987, 240 p., 320 F.

quelles se rassemblaient parents et amis ; tous ceux, aussi, qui aiment le travail bien fait car Christiane Sand et ses coauteurs ont pleinement réussi, sans une faute, ce qu'ils avaient entrepris. Cela nous change du *n'importe-quoi* d'ouvrages concurrents.

Un lecteur du *Monde* s'est plaint récemment qu'il y soit bien peu question d'art littéraire. Certes, mais il y est question d'un art de vivre, qui n'a pas à mes yeux moins de prix. Soixante-quinze pages, magnifiquement illustrées, nous disent tout de l'histoire du château, du XVIIIe siècle à nos jours ; de ses propriétaires et de leur curieuse généalogie ; des parents, des familiers, des domestiques, des hôtes et des visiteurs ; et de la vie que tout ce monde y menait. Puis, sur plus de cent cinquante pages, il y a les recettes des dames de Nohant, excellemment commentées par Marie-Christine et Didier Clément, jeune couple qui a rendu tout son lustre à l'Hôtel du Lion d'Or de Romorantin.

Lui, jeune chef de grand talent, fournit aux apprentis cuisiniers d'aujourd'hui toute l'information technique nécessaire pour réussir ou améliorer les préparations qui enchantaient l'entourage de George Sand. Elle, historienne de la littérature gastronomique, m'a impressionné par la richesse, la justesse et la pertinence de ses commentaires. L'un et l'autre, chacun à sa manière, marquent bien les transformations de notre sensibilité alimentaire depuis un siècle.

Ces carnets de recettes d'une maisonnée sur trois générations nous ramènent à notre propos. Professionnelle reconnue de l'écriture, George Sand, par bonheur, est une sans-grade de la cuisine, de la pâtisserie et des confitures. Comme les autres dames de Nohant, qui grâce à sa célébrité littéraire sont elles aussi appelées à comparaître, elle porte témoignage des choix gastronomiques et de la pratique culinaire d'une certaine bourgeoisie française au XIXe siècle.

Quelques très vieux plats

Les Clément n'ont pas manqué de reconnaître, parmi ces recettes du XIXe siècle, quelques très vieux plats, comme le « Potage à la Reine » et la « Fromentée ». Ces plats, cependant, méritent quelques remarques supplémentaires.

La crème d'amandes dont Lina Sand parle à propos du « Potage à la Reine », pouvait paraître archaïque au XIXe siècle, mais elle était néanmoins bien différente de celle que préparaient les cuisiniers aristocratiques du XVIIe. Il n'y avait autrefois, ni lait dans le lait d'amandes, ni crème dans la crème d'amandes : seulement de l'eau ou du bouillon – et un roux, dès le milieu du XVIIe siècle, pour les transformer en « liaison d'amandes ». A cette époque le beurre était en train d'acquérir ses lettres de noblesse, mais la crème restait marquée de rusticité : je n'en trouve mention que dans l'un des traités culinaires les moins distingués – *Le Cuisinier méthodique* – à propos d'une recette normande de fricassée de poulets.

Au reste les Potages à la Reine étaient, au XVIIe siècle, fait de blancs de perdrix ou de chapon, tandis qu'à Nohant, au XIXe, on employait toute la chair – et la peau – d'une quelconque volaille. Archaïque par son appellation et l'utilisation d'une liaison d'amandes, ce potage, à la table de George Sand, m'apparaît décadent par rapport à celui que préparaient les cuisiniers aristocratiques du XVIIe siècle.

La « fromentée » est un mets encore beaucoup plus ancien que le potage à la Reine : il remonte vraisemblablement au néolithique, et des recettes nous en sont connues dès la fin du XIIIe siècle. A Nohant, comme au Moyen Age, on débarrassait les grains de blé de leur enveloppe de son, puis on les faisait longuement cuire en eau, et l'on terminait la cuisson au lait. Cependant ce n'est plus le même plat. Au Moyen Age on conservait les grains de froment entiers, on les liait au jaune d'œuf, on y ajoutait moult épices, et on mangeait le tout avec de la venaison bouillie, dont une partie du bouillon était parfois ajoutée à la fromentée. A Nohant, au XIXe siècle, il s'agit d'une bouillie sucrée, cuite jusqu'à éclatement des grains de blé, et dont on accentuait le caractère gélatineux par l'adjonction de farine. L'évolution, il est vrai, avait commencé dès le XVIe siècle, époque à laquelle les grains étaient déjà cuits *« jusqu'au crevé »* et sucrés, mais où subsistaient les œufs, des épices, et surtout du safran pour accentuer la couleur jaune.

Cuisine française ?

L'éclectisme des mets préparés dans la maison de Nohant s'accorde bien avec la personnalité de George Sand, mais ne lui est pas particulier. Les autres membres de sa famille étaient aussi curieux de spécialités étrangères, et, plus généralement, les bourgeois de leur temps semblent l'avoir tous été plus ou moins. Voyez, parmi les recettes copiées par sa petite-fille Aurore, celle du « Pilaf », du « Beurek de bœuf », du « Pudding de rumsteck », de la « Winter-Crème », celle du « Kouss-Kouss », celle du « Pourym » ou « Riz à la juive », celles du « Lièvre in agro-dolce » et du « Veau en Thon », d'inspiration nettement italienne, ou celle des « Natillas, entremets espagnol » transmise par la « señora Carmona ». De même parmi les quelques recettes copiées par Solange, la fille de George Sand, celle du « Pudding Exquis » ; celle de l'antique « Fromentée », selon une recette de 1782, copiée par son fils Maurice ; celles des « Carbonnades à la Flamande », de « la Trilée belge », du « Curry malais », des

« Langues de Renne de Laponie », des « Carottes sucrées » copiées par sa bru Lina.

Socialement éclectique

Caractériser socialement la famille de George Sand n'est pas plus facile. Faut-il souligner les origines aristocratiques des dames de Nohant (le maréchal de Saxe et sa fille Marie-Aurore, au XVIIIe siècle) ? Ou leurs origines bourgeoises (les Dupin et les Dudevant) ? Leur résidence à Nohant ou leurs relations avec la société parisenne ? Ou encore leurs voyages à l'étranger – dont les carnets de recettes manifestent abondamment l'influence, on vient de le voir ? Seule une comparaison minutieuse avec d'autres carnets de recettes de la même époque permettra de savoir sur quoi il est pertinent de mettre l'accent.

L'éclectisme social de la cuisine de Nohant est aussi manifeste que son éclectisme géographique : les recettes des « Casse-Museau », de la « Fondue au fromage », du « Gâteau de Gannat », des « Ramequins », du « Délicat » (soufflé au pâté de volaille), de la « Galantine ou Daube » de dindon, du « Civet de lièvre » servi avec « pommes vapeur », du « Ravioli », et même du « Soufflé au Thé et Tapioca », viennent de Nounou, la nourrice d'Aurore ; celle du « Beurre Blanc Nantais » vient du Dr Oks, un ami de Maurice et de Lina ; celles de la « Sole Normande », de la « Fricassée de Poulet », et du « Haricot de Mouton » – un *must* des traités culinaires médiévaux, qualifié de « Rata » par Lina –, viennent de Marie Caillaud, une des bonnes de la maison ; celles du « Poulet à la Richelieu », du « Filet de Bœuf à la Béarnaise », du « Mouton à la Turque » et des « Côtelettes de Veau en Papillotes » viennent de Rose Renault, l'une des cuisinières de George Sand ; etc. Le livre nous force ainsi à prendre conscience des échanges constants entre cuisine « française » et cuisine provinciale ; grande cuisine, cuisine bourgeoise et cuisine paysanne.

Je n'irai pas jusqu'à renoncer à ces concepts : quand on voit ce qu'à Nohant on faisait des recettes issues de la grande cuisine, ou cuisine aristocratique – par exemple du « Potage à la Reine » – le concept de cuisine bourgeoise est bienvenu. Et l'on peut supposer, de même, que les recettes d'origine paysanne n'étaient pas tout à fait les mêmes sur les tables bourgeoises que chez les paysans. Mais en même temps ces qualificatifs de « paysanne », « bourgeoise », « aristocratique », sont à pondérer, puisque tous les milieux semblent avoir fait des emprunts culinaires aux autres, et que, moyennant certaines adaptations, ils se sont approprié certaines de leurs recettes.

Bref, les carnets de recettes de la famille Sand nous renseignent comme nous ne l'avions encore jamais été sur la transmission des pratiques culinaires à travers le temps, l'espace et les milieux sociaux.

Platine

Recettes

FROMENTÉES

• **La fromentée au blé comme à Nohant.** *Vanner du blé nouveau. Bien le laver. Le mettre à tremper 1/2 heure à l'eau tiède. Puis le piler dans un vase pour enlever la balle, mais pas trop fort pour ne pas écraser les grains.*

Mettre à l'eau froide et cuire quatre ou cinq heures à petit bouillon comme pour le pot-au-feu. Les grains doivent absorber toute l'eau.

Ajouter de l'eau chaude si nécessaire. Retirer du feu, saupoudrer avec de la farine et délayer à froid avec un peu de lait. Verser ensuite du lait bouillant sur le blé et la farine bien mélangés.

Faire cuire à petit feu pendant 20 minutes en tournant doucement pour que cela ne s'attache pas au fond de la casserole.

Quand tout est cuit à point, il se forme une grosse bouillie qui devient une gelée épaisse en refroidissant. Servir tiède ou froid, jamais chaud.

• **Fromentée du XVIᵉ siècle.** *Pour faire fromentée, prenez votre froment & le faite cuire de longue main à petit feu jusqu'à ce qu'il soit crevé & bien cuit. Ce fait, auras lait de vache & passeras ledit froment avec ledit lait & quand sera passé le boutteras sur les charbons en un pot loin de la flamme, & quand commencera à bouillir tu boutteras dedans sucre & un peu de poudre de gingembre ensemble du safran battu et goûteras de sel ; puis quand verras qu'elle sera cuite & bien assaisonnée à ton goût, tu prendras des moyeux d'œufs selon la quantité que tu verras que tu auras de fromentée & les passeras par l'étamine, ensemble un petit de lait de vache, et jetteras dedans ton froment... »* (Livre fort excellent de cuysine, 1555, f. IX, vº.)

• **Fromentée du XIVᵉ siècle.** *Prenez froment et l'appareillez, et lavez très bien ; puis mettez cuire en eau, et, quand il sera cuit, si le purez, puis prenez lait de vache bouilli une onde, et mettez le froment dedans, et faites bouillir une onde, et tirez arrière du feu ; et remuez souvent, et fillez dedans moyeux d'œufs grand foison ; et aucun y mettent épices et safran, et de l'eau de la venaison ; et doit être jaunette et bien liante.* (*Viandier de Taillevent*, Ms. du Vatican, « Entremetz », p. 92 de l'édition Vicaire.)

POTAGES À LA REINE

• **Potage à la Reyne du XVIIe siècle.** *Vous desosserez quelques volailles, quelques perdrix même,... l'une et l'autre rôties un peu verdelets, dont vous ferez un hachis... qu'il faudra conserver fort chaudement... sur un peu de feu avec du meilleur bouillon, quelques champignons, tranches de bœuf à moitié rôties, battues et pressées pour en extraire tout le jus. Faites bien cuire le tout ensemble, & passez après ledit bouillon en étamine... que vous conserverez encore... dans un pot à part. Prenez ensuite des amandes douces, pelez-les, & les battez dans un mortier que vous mettrez cuire, & bouillir en un pot... avec du premier bouillon, peu de mie de pain, le dedans d'un citron, ou deux, peu de sel, deux ou trois girofles ; passez les aussi, & en conservez bien la liaison de même. Toutes ces choses composées de cette sorte, faites une bonne mittonade enrosée d'abord du suc que vous aurez pu tirer en pilant et broyant les os de toutes ces viandes en un mortier préalablement humecté avec du meilleur bouillon. Peu après, versez du coulis de vos amandes.*

Chapitre 2

Convivialité, gastronomie, fêtes

Les mangeurs de Rouergue

Je suis loin d'approuver tous les jugements à l'emporte-pièce dont Anne Merlin et Alain-Yves Beaujour ont assaisonné leurs *Mangeurs de Rouergue*[1] : il s'en est même fallu de peu que le livre ne me tombe des mains avant la fin de l'introduction. Mais je ne regrette pas d'avoir persévéré. Car ils nous ont donné la première enquête, à ma connaissance, sur la sensibilité alimentaire d'une population à qui la modernisation de l'économie et des mœurs n'a pas encore fait oublier son rapport traditionnel à la table.

Les sirènes de la modernisation

Bien des choses ont changé, certes, en Rouergue comme ailleurs, pour des raisons multiples et inextricablement liées. « *Nous, il y a trois ans qu'on a arrêté de tuer le cochon*, dit une meunière. *On ne trouve plus personne pour le faire ; ça me donne trop de travail.* » Et d'autre part : « *Personne ne fait la cuisine grasse comme dans mon jeune âge. La manière de manger a changé. Les filets qu'on mettait en bocaux, mon*

---

1. A. Merlin et A.-Y. Beaujour, *Les Mangeurs de Rouergue, cuisine paysanne contre gastronomie*, Paris-Gembloux, Éd. Duculot, 1978.

mari n'y tient plus. La graisse, on ne s'en sert pas. » Cette transformation du goût n'est pas sans rapport avec la tendance au moindre effort d'abord mise en avant : « *Le problème, pour nous,* dit une commerçante, *c'est que nous sommes des sédentaires. On n'en mange pas tellement ; on en avait trop. D'ailleurs, depuis qu'on ne tue plus le cochon, eh bien, on mange le porc plus frais et quand on en a envie. Mais évidemment, ça n'est pas si bon que quand on le faisait.* » Et elle évoque avec nostalgie son dernier cochon : « *Mustafa ! Il était élevé à la maison, par le grand-père, et alors, il était soigné, il fallait voir comme ! Châtaignes, pommes de terre, glands ! Aujourd'hui, pour trouver un bon cochon, il faut battre les campagnes.* »

Combien reste-t-il, dans cette province réputée archaïque, d'éleveurs qui nourrissent leurs porcs comme autrefois ? Combien qui n'ont pas prêté l'oreille aux sirènes du « progrès » et de la « rentabilisation » ? Et pourtant, dans un monde où la qualité est devenue exceptionnelle, elle pourrait être rentable. Il reste assez de gourmets, en Rouergue et ailleurs, qui rêvent aux savoureux cochons d'antan : ils seraient prêts à se compliquer l'existence pour en avoir, et à les payer leur juste prix. « *L'hiver dernier, beaucoup de gens qui n'habitent pas ici ont pris des vacances en février exprès pour tuer le cochon ! Aux vacances, ils ont dit : " Élevez le cochon pour nous, on vous le paiera et on viendra le tuer. " Voilà ! Alors ils font des conserves et ils emmènent des cartons pleins dans le train !* »

Paradoxe du « progrès » ! Pour se procurer des nourritures de qualité équivalente à celles qu'il trouvait avant-guerre chez son boucher ou son charcutier, le citadin d'aujourd'hui doit entreprendre de lointaines expéditions dans les campagnes. Encore sont-elles rarement fructueuses. Mais ne faut-il pas au moins essayer ? Alerter les producteurs qui se plaignent de la mévente de leurs produits actuels ? Se révolter, fût-ce sans espoir de vaincre, contre ceux qui tentent d'abolir en nous le sens du bon pour nous vendre leur camelote industrielle ? *« Celui qui n'aime pas ce qui est bon,* dit un citadin du Rouergue, *il ne comprend rien ! Si je ne trouvais plus du tout de bonne nourriture, à ce moment-là je me sentirais traqué, presque perdu. J'aurais peur de porter atteinte à ma propre personne. J'aurais l'impression de me dégrader, oui ! le mot n'est pas trop fort. Mal manger, c'est accepter n'importe quoi ! »*

Des plats de fête

Merci aux auteurs d'avoir noté ce propos et de ne pas l'avoir présenté comme une simple gasconnade. Mais l'ont-ils assez médité ? Ils ont découvert, au cours de leur enquête, ces terribles réalités de l'ancienne société que furent la faim, les fatigues excessives, les crises de mortalité, l'asservissement des pauvres. Elles les ont secoués et, me semble-t-il, désorientés au point qu'on les sent prêts à admettre que, pour les paysans d'autrefois et *« les deux tiers du globe »* aujourd'hui, *« l'important n'est pas ce qu'on mange, c'est d'avoir à manger »*. Pourquoi diable veut-on que l'un fasse disparaître l'autre ?

Pas plus qu'ils n'étaient que de la main-d'œuvre, les paysans d'autrefois ne se nourrissaient que de calories. Malgré de rares exemples contraires, ils préféraient mourir de faim en temps de famine plutôt que de devenir anthropophages. De même, les hindous d'aujourd'hui meurent d'inanition sans même saliver à la vue des vaches innombrables qui végètent à leurs côtés. Nous mourrons tous. Ce qui importe, c'est de vivre dignement, dans la fidélité à soi-même, à sa culture, au système de valeurs qui donne un sens à notre vie.

Ce système de valeurs n'était pas fait que d'interdits et des dégoûts qu'ils suscitaient : il structurait les désirs, donnant à certains aliments un prix sans rapport avec leur simple pouvoir calorique. Dans l'ancien Rouergue, les « racines », les châtaignes, le pain noir, puis la pomme de terre ont été les nourritures quotidiennes du paysan : il fallait être affamé pour y prendre plaisir. Le « salé », en revanche, même pour ceux qui pouvaient en mettre chaque jour un morceau dans la soupe, c'était déjà autre chose. Et autre chose encore l'orgie de viande et de sang cuit qui suivait le sacrifice du cochon. Au sommet de la hiérarchie des aliments, étaient la poularde, le dindon, l'oie avec ses grattons et son foie gras.

Une pauvre Rouergate avait, à la fin du siècle dernier, servi quelques années chez un fermier avare qui ne la nourrissait que de pommes de terre. Bien qu'elles aient été, chaque jour de la semaine, préparées différemment, elle en avait conservé l'affreux souvenir sa vie durant, comme d'autres ont gardé celui des tranchées de 14. Ce besoin de diversification vaut à peine d'être noté, tant il est ordinaire. Toutes les cultures traditionnelles, me semble-t-il, ont connu au moins ces trois catégories : celle de l'incomestible – à laquelle les gens simples ont tendance à renvoyer toutes les nourritures étranges ; celle des aliments quotidiens, plus ou moins divers ; et celle des mets de fête – car le festin est un élément nécessaire à la fête.

Gourmands et gastronomes

Ce qui est plus remarquable, chez les anciens mangeurs de Rouergue, c'est une attitude que je qualifierai de gastronomique, n'en déplaise à Anne Merlin et Alain-Yves Beaujours qui, d'un bout à l'autre de leur livre et jusque dans son sous-titre, s'acharnent à opposer leur « gourmandise paysanne » à la gastronomie. *« Maintenant, ça ne se fait plus, mais ce qu'ils faisaient, dans les campagnes,* dit un témoin, *c'était de se réunir chez l'un puis chez l'autre pour manger " le dindon ". C'était toujours un dindon. Mais c'était à celui qui le ferait le mieux ! C'étaient les maris et les fils qui allaient au repas. Et quand le mari rentrait, il fallait qu'il puisse dire [à sa femme] que son dindon était meilleur que l'autre ! Alors là, la femme elle était vraiment fière ! Et s'il avait le malheur de dire que le dindon de Mme Untel était meilleur que le sien ! Alors là, la femme, elle en avait pour l'année ! »* Aux yeux du témoin, non seulement ses anciens étaient de vilains phallocrates, mais l'esprit critique tuait en eux toute charité : *« Ils se jugeaient ! " C'est pas bon ceci, c'est pas bon cela, c'est pas des bonnes saucisses, il ne sait pas nourrir son cochon, le jambon est pas bon... " Et la réputation se bâtissait d'après tout cela ! Cette réputation allait loin, vous savez, parce que, quand il y avait des travaux, il y avait d'autres repas comme ça. Une maison qui faisait bien manger, vous aviez vingt types qui venaient aider à dépiquer ; une maison où on ne mangeait pas bien, les gens repartaient. Moi, je l'ai vu ça ! Quand ma mère parle des voisins, elle dit : " Du temps de la grand-mère, on mangeait mal ! " On se rappelle encore [...] Une famille où on mange mal, vous savez, c'est une famille presque déshonorée ! Et dans une maison où on mangeait mal, si arrivait une belle-fille qui reprenait bien la queue de la poêle, eh bé, la maison refleurissait ! »*

Entraide et gastronomie paysanne

Dans tous les pays où les petits paysans avaient coutume de s'entraider pour les gros travaux d'été, ceux-ci étaient l'occasion de repas de fête qui constituaient, dans l'immédiat, le seul salaire des ouvriers bénévoles. Les convives étaient d'autant plus exigeants qu'allant travailler successivement dans plusieurs maisons, ils étaient à même de faire des comparaisons. Les jeunes, qui, n'étant pas chefs d'exploitation, n'attendaient pas qu'on les aide en retour, fréquentaient de préférence les maisons où l'on mangeait le mieux. Reste à connaître l'idée que se faisaient les paysans français d'une bonne table : s'ils avaient partout un bon coup de fourchette et n'aimaient pas sortir de table sur leur faim, ils n'étaient peut-être pas partout aussi fines gueules qu'en Rouergue, et la cuisine n'a peut-être pas partout atteint les mêmes sommets.

Dans les campagnes de Rouergue, les émules de Grimod de La Reynière ne se recrutaient pas que parmi les hommes : les femmes, elles aussi, se constituaient parfois en véritables « jurys dégustateurs »[1], par exemple trois jours après le sacrifice des oies, lorsqu'on en retirait le foie gras. Comme l'ont bien vu nos deux jeunes enquêteurs : *« L'élan vers la perfection, que chaque civilisation oriente vers différents horizons, les Rouergats, durs à leurs corps qu'ils forcent et contraignent en de harassants labeurs, le canalisent vers la table. C'est là que leur raison et leur plaisir s'unissent en harmonie, qu'ils restaurent leurs forces en ranimant leur joie. »*

1. Voir Grimod de La Reynière *Écrits gastronomiques*, texte établi et présenté par Jean-Claude Bonnet, Paris, UGE 10/18, 1978.

Communion

Cette attitude demeure, aujourd'hui encore, dans les villes de Rouergue comme dans les campagnes. Et l'on continue à y trouver de la joie à cuisiner aussi bien qu'à manger. « *Faire la cuisine, pour moi, c'est une passion !* proclame une citadine. *J'aime plutôt mieux la faire que la manger, oui ! Plutôt ! Parce que je crois que c'est un don que j'ai reçu. Et c'est autant pour moi-même, pour le plaisir de la faire, que pour que les autres aient le plaisir de la manger. Que ce soit ma grand-mère ou ma mère, on a toujours fait la cuisine, chez nous.* » Il y a quelque chose de miraculeux dans l'art culinaire, et je crois aussi qu'il exige une grâce, une sorte de don comparable, dans un autre domaine, à la sensualité. En Rouergue, apparemment, cette grâce n'a pas cessé de se transmettre héréditairement, de mère en fille. Mais comme toute grâce, il dépend aussi des hommes qu'elle s'épanouisse. « *Les gens qui mangent, généralement, sont contents, ils sourient* », dit l'heureux mari de cette cuisinière heureuse. « *La cuisine rapproche les gens qui communient.* » Il bute sur ce mot, encombré de connotations chrétiennes, et s'explique : « *Le mot communion n'a pas de sens religieux là-dedans. C'est partager quelque chose que nous aimons, que nous avons aimé faire.* »

Pas de sens religieux ? Est-ce si sûr ? J'ai envie de dire que ce citadin de Rouergue a retrouvé, sans y prendre garde, le sens primitif de l'*agape* chrétienne. Faire la cuisine et la manger ensemble, entre amateurs, cela tient du sacrifice religieux et de l'acte d'amour. Cela vous lie les uns aux autres par le plaisir partagé et par la conscience d'avoir en commun participé à un miracle. Malheureusement, il ne dépend pas de Dieu seul que ce miracle se reproduise éternellement. Il y faut aussi la bonne volonté et l'éducation des convives, de l'officiant – ici, la cuisinière – et, hors de l'intimité de leur cercle, de tous ceux qui ont pris part à l'éclosion de l'aliment.

Platine

Un Festin en paroles

C'est plutôt bon signe, pour un livre, qu'on l'ait écrit pour le plaisir. Particulièrement lorsqu'il traite des plaisirs de la table. Cependant, à trop présenter son *Festin en paroles* comme une œuvre de récréation, Jean-François Revel risque de faire oublier au lecteur son intérêt historique [1].

Tout ce qu'il dit n'a pas emporté ma conviction, et je suis même sûr que, sur certains points de détail, il se trompe [2]. Mais l'essentiel est ailleurs : cette histoire littéraire de la sensibilité gastronomique est la première, à ma connaissance, qui tienne les promesses de son titre. Combien d'autres n'ont été que compilations des sommes érudites d'Alfred Franklin ou de Le Grand d'Aussy [3], truffées d'anecdotes piquantes et lardées de recettes choisies pour leur extravagance ! Et combien d'historiens se sont obstinés, par facilité, sectarisme ou manque de culture, à ne commencer qu'avec Carême l'histoire de la grande cuisine, qu'avec Gri-

---

1. J.-F. Revel, *Festin en paroles*, Laffont-Pauvert, Paris, 1979.
2. En particulier pour ce qu'il écrit de Taillevent et de ses prédécesseurs, au Moyen Age.
3. Alfred Franklin, *La Vie privée d'autrefois*, t. III, *La cuisine* (1888) ; t. VI, *Les repas* (1889) ; t. VIII, *Variétés gastronomiques* (1891) ; t. XIII, *Le café, le thé, le chocolat* (1893). Le Grand d'Aussy, *Histoire de la vie privée des Français, depuis l'origine de la nation jusqu'à nos jours* (Paris, 1782, 3 vol.) ; et 2e édition avec notes, corrections et additions par J.-B.-B. de Roquefort (Paris, 1815, 3 vol.).

mod de La Reynière ou Brillat-Savarin celle de la gastronomie, renvoyant dans le non-être ou la préhistoire tout ce qui les a précédés !

Avant Carême

Revel, lui, n'ignore ni Menon, ni *Le Cuisinier gascon*, ni Marin, ni La Chapelle, ni Massialot, ni l'anonyme *Art de bien traiter*, ni Pierre de Lune, ni La Varenne, bref aucun des créateurs de cette cuisine française qui, dès le XVIIe siècle, a prétendu régir les grandes tables de l'Europe. Carême est le dernier de cette lignée, le plus beau fleuron de la cuisine princière, non pas le fondateur de la cuisine de restaurant qui occupe le devant de la scène depuis les débuts du XIXe siècle. Et pour avoir ressassé les principes de ce cuisinier des rois, le XIXe siècle n'a pas plus démontré son excellence en cuisine qu'il ne l'a démontrée en architecture par la multiplication des églises néogothiques.

A-t-il au moins vu naître le personnage du gastronome ? Pas davantage : les XVIIe et XVIIIe siècles ont été pleins d'aristocrates gourmands qui ont discuté les cuisiniers célèbres de leur temps, les ont forcés à épurer leur style, leur ont suggéré des plats nouveaux auxquels ils s'honoraient de donner leur nom, en ont eux-mêmes inventé, parfois, la mode s'étant répandue parmi eux – au moins depuis la Régence – de mettre la main à la pâte. Témoins Mme du Sablé qui censurait La Varenne, Hercule de Rohan, le marquis de Mauregard, premier président à la cour des Aides et mécène de Pierre de Lune, le financier Béchameil qui a laissé son nom à une sauce célèbre, le président Hainault, le maréchal de Richelieu, le comte de Laplace, Mme de Pompadour, inspiratrice de tant de plats « à la Beaulieu », la duchesse de Berry, les ducs de Villeroy et de Soubise, enfin le prince de Dombes en qui Revel voit le véritable auteur du *Cuisinier gascon*. Les gastronomes du XIXe siècle n'eurent pas, pour les délices de la table, plus de passion que ces gens-là ; ils n'eurent pas le goût plus fin ni plus éclairé ; ils ne militèrent pas davantage en faveur des progrès de la cuisine. S'ils ont laissé plus d'ouvrages littéraires, c'est qu'un public de parvenus, après la Révolution, a réclamé une éducation gastronomique accélérée ; et que, d'autre part, quelques fines gueules ruinées par la tourmente révolutionnaire ont dû, pour continuer à bien manger, faire argent de leur savoir gourmand. Rien de plus clair, sur la naissance de cette gastronomie patentée, que l'histoire de Grimod de La Reynière et la préface de son *Manuel des Amphitryons*.

Perspective historique

Qu'en étudiant l'histoire du XIXe siècle, on souligne donc la fonction de promotion sociale de la gastronomie et, plus généralement, l'importance de la table dans la société bourgeoise, très bien ! Qu'on voie en Grimod de La Reynière le père fondateur de la littérature gastronomique, je ne m'y oppose pas. Quant à faire commencer au XIXe siècle l'histoire de la grande cuisine ou celle de la gastronomie, c'est un préjugé qu'on pardonne aux auteurs de l'époque parce qu'ils manquaient de perspective historique, parce qu'ils croyaient incontestable la notion de progrès des sciences et des arts, et parce qu'ils ne pouvaient imaginer d'autres valeurs que celles de leur temps. Mais cela serait impardonnable de la part d'un historien d'aujourd'hui, et c'est l'un des grands mérites de Jean-François Revel que d'avoir su rompre enfin avec cette tradition.

Plus généralement, il me paraît avoir bien vu les grandes étapes de l'histoire culinaire européenne de l'Antiquité à nos jours. Quoi qu'aient pu être la cuisine du haut Moyen Age – fort mal connue – et l'influence arabe sur celle des XIIIe-XVe siècles, il a eu raison de souligner la parenté de celle-ci avec la cuisine romaine. De part et d'autre, en effet, régnaient la coutume – barbare à nos yeux – de faire bouillir les viandes, volailles et gibiers avant de les rôtir, et celle de les assaisonner fortement d'épices, de sel et de vinaigre pour remplacer le goût qu'on leur avait ainsi fait perdre. Il semble y avoir là un fait de structure qui donne tout son sens à la révolution des XVIIe-XVIIIe siècles, puis à celle – moins brusque et moins superficielle qu'on ne le croit – de notre « nouvelle cuisine ».

Anciens rites et nouvelles cuisines

Autre question bien posée – en tout cas posée, ce qui est rare –, celle des rapports de la cuisine savante avec la cuisine populaire. Le plus souvent la grande cuisine complique, associe différents modes de cuisson, multiplie les ingrédients, les épices, les condiments. Mais notre « nouvelle cuisine » n'est pas la première à vouloir revenir au « naturel » : des recherches analogues se discernent déjà dans la Grèce classique et chez quelques cuisiniers français du XVIIe siècle. Dicéopolis – dans *Les Acharniens* d'Aristophane – veut que l'on fasse bouillir le lièvre avant de le rôtir : comme tout paysan athénien des Ve-IVe siècles, il est trop « civilisé » pour se contenter du procédé culinaire homérique qu'est la simple grillade. Manger la viande saignante le dégoûte et lui paraît un trait de barbarie. Or, vers la même époque, Archestrate le gastronome combat ce préjugé. *« Il y a,* dit-il, *plusieurs manières de faire cuire et d'apprêter le lièvre ; or voici le meilleur procédé : faites-le rôtir, débrochez-le quand il est encore un peu saignant, saupoudrez-le sim-*

plement de sel, et présentez-en la chair à chacun de vos convives affamés. Ne faites pas la grimace devant le sang qui dégoutte des chairs, mangez vite. Toutes les autres manières d'apprêter le lièvre sont absurdes, à mon sens. »

Même principe, dans *L'Art de bien traiter* (1674), énoncé à la suite d'une recette de pigeons rôtis : *« Telle viande demande une vinaigrette, une poivrade, cela dépend du goust ; mais pour dire le vray, la meilleure façon, et la plus saine de manger le rosty, tel* (sic) *qu'il puisse estre, c'est de le dévorer sortant de la broche, dans son jus naturel et pas tout à fait cuit. »*

Le baroque et le classique

Comme l'histoire de l'architecture, l'histoire culinaire tient à la fois de l'histoire de l'art et de l'histoire des sciences ou des techniques. Les tendances au faste et à la complication d'une part, à la simplicité et au naturel d'autre part – qui se sont affrontées à divers moments de cette histoire et semblent avoir alternativement triomphé – rappellent les tendances adverses du baroque et du classicisme en histoire de l'art. Cette cyclicité de l'histoire de l'art et de l'histoire culinaire – à quoi ni l'une ni l'autre ne saurait se réduire – pousse l'historien, du moins l'historien amateur d'art ou de cuisine, à prendre parti, plus ou moins discrètement, pour celle de ces tendances qui a sa faveur dans le présent. D'un autre côté, il lui est difficile de ne pas parler de la technique culinaire en termes de progrès et de régression, parce qu'en histoire des sciences et des techniques la notion de progrès est moins contestable qu'ailleurs.

Tous ces dangers, Jean-François Revel les évite d'ordinaire, protégé qu'il en est par sa vaste culture, son ouverture à l'étrange et son éclectisme gastronomique. Il excelle même à faire apparaître, à expliquer et justifier les résistances d'une partie des gourmands aux tendances nouvelles de leur temps. Néanmoins, des lecteurs lui reprocheront sans doute certaines expressions valorisantes, autrement dit de n'avoir pas fait taire le gastronome lorsque l'historien parle. On se doute que je ne les imiterai pas. Je hais ces animaux à sang froid qui n'ont foi qu'en des systèmes et se moquent de ce qui est bon.

Platine

Deux recettes d'Archestrate

• **Aphies**[1]. *Méprise toute aphie excepté celle d'Athènes, je veux dire celle de frai, que les Ioniens appellent « écume » et qu'il faudra prendre toute nouvelle dans le fond du golfe de Phalère ; il y en a aussi de bonnes sur les côtes de l'île de Rhodes, pourvu qu'elles aient été réellement jetées*[2] *dans ces eaux ; si vous voulez alors en manger, vous y joindrez des orties de mer, de celles qui sont chevelues de toutes parts, les assaisonnerez ensemble avec des fleurs odorantes de légumes broyées dans l'huile [d'olive] et vous ferez frire le tout dans une poêle ; l'aphie ne doit que voir le feu ; elle est cuite en même temps qu'elle fait pétiller l'huile.*

1. Mon dictionnaire traduit « aphie » par « anchois ou sardine ». Revel explique qu'il s'agit d'alevins : ce qu'en français on appelle « la blanchaille » ou « les nonats ».
2. Veut-on dire « pondues » ?

• **La thymnie.** *La thymnie, ou thon femelle, se trouve surtout à Byzance : prenez-en une queue, coupez-la en morceaux et faites-la rôtir totalement ; ne la saupoudrez que de sel, arrosez-la d'huile et faites-la tremper dans une forte saumure*[1] *; si vous voulez la manger sans sauce,* *c'est un excellent mets qui donnerait de l'appétit aux dieux ; mais si vous la servez arrosée de vinaigre, vous lui ôtez toutes ses qualités.*

1. Ce trempage dans la saumure de morceaux rôtis et huilés est étrange. Peut-être n'intervient-elle que comme une sauce, comparable au garum romain ou au nouc-mâm vietnamien. Le mieux serait de s'en passer, le sel et l'huile d'olive suffisant à assaisonner ce thon rôti.

Quand est née la gastronomie ?

Lettre transmise par *L'Histoire*

Qui est « Platine » ? Je trouve désagréable, dans une revue d'histoire qui tranche sur le lot commun par son souci d'un certain niveau scientifique allié au maximum de clarté, de retrouver la vieille manie d'un XIX*e siècle salonnard : l'épigramme, le masque, qui permettent les coups bas. Si c'est un historien qui se cache sous « Platine » – et s'il s'agit bien d'un historien, qu'a-t-il donc à cacher ? – qu'il s'avance à visage découvert, comme il convient à la communauté scientifique, et au journalisme qui respecte ses lecteurs.*

On a vu un critique gastronomique célèbre et redouté paraître à la télévision sous un loup vénitien, pour éviter d'être reconnu plus tard dans les restaurants. Mais L'Histoire *n'est pas le guide Michelin, ne mélangeons pas les genres. « Platine » ne publie d'ailleurs pas de critiques gastronomiques.*

C'est à une controverse proprement historique qu'elle [Platine] *introduit dans son article à propos du* Festin en paroles *de Jean-François Revel. Une controverse extérieure au livre lui-même, qui sert là, manifestement, de prétexte. Platine déclare* « impardonnable de la part d'un historien d'aujourd'hui » *de* « faire commencer au XIXe siècle l'histoire de la grande cuisine ou celle de la gastronomie ». *Un historien est visé là, c'est manifeste ; mais il aurait fallu dire son nom, en bonne histoire, et pour ne pas régler des comptes sur le dos du lecteur sans qu'il le sache. Il s'agit de Jean-Paul Aron.*

En 1973, alerté par un article très élogieux de Madeleine Rebérioux sur son Mangeur du XIXe siècle *(Laffont), paru dans la revue* Critique, *j'ai lu ce livre, et je l'ai apprécié. J'ai été confirmé dans cette impression par un article de Le Roy Ladurie dans ...* L'Histoire, *n° 2 : il citait* Le Mangeur *parmi les quinze meilleurs livres d'histoire des dix dernières années, aux côtés de* L'Enfant et la famille *de Philippe Ariès ou de* L'Histoire de la folie *de Michel Foucault.*

Il y a là, pour le moins, matière à débattre, et il serait intéressant de connaître les arguments détaillés et franchement exposés de « Platine». L'Histoire *pourrait-elle accueillir ce débat ? Je note en tout cas que Jean-Paul Aron n'a jamais nié – ce serait absurde – l'existence d'une cuisine avant le XIXe siècle : ses articles fréquents dans* Le Nouvel Observateur *le prouvent assez (récemment à propos d'huîtres, il évoquait des recettes grecques et les tables royales). Et c'est vraiment en historien de la gastronomie, et non seulement de la société, qu'il a disséqué les menus du* Mangeur du XIXe siècle. Alors...

L. D.

Commentaire

A quoi rime cette querelle d'Allemand ? Que cache-t-elle ?

Pourquoi supposer que Jean-Paul Aron est visé par ma remarque sur l'historiographie de la gastronomie et de la grande cuisine tout en notant par ailleurs qu'il n'a jamais nié *« l'existence d'une cuisine* [sic] *avant le XIXe siècle »* ?

Est-ce *Le Mangeur du XIXe siècle* qui situe *« la naissance de notre cuisine moderne, de la littérature gourmande et finalement de la véritable gastronomie au XIXe siècle »* ? Est-ce Jean-Paul Aron qui écrit : *« France's international renown as the home of good food was acquired only at the begining of the nineteenth century »*, et *« there were the great cooks and the philosophers of gastronomy who created the ideals »* ? Est-ce lui qui affirme que *« la grande cuisine aura vécu un siècle, un long siècle, puisque le XIXe siècle commence en 1789 pour se terminer en 1914 »* ? Et que la cuisine aristocratique n'est, au XVIIIe siècle encore, qu'une cuisine *« coûteuse, frivole, qui tend vers l'originalité à tout prix, la sophistication surprenante, la rareté des mets et le raffinement de la présentation, mais ignore l'alchimie qui transforme le plomb en or »* ?

Si mon ami Jean-Paul Aron a écrit quoi que ce soit qui ressemble à ces quelques phrases, alors il tombe tout comme un autre sous le coup de ma critique, quelle que soit l'admiration que Le Roy Ladurie et Madeleine Rebérioux ont témoignée pour son *Mangeur du XIXe siècle.* Mais c'est lui prêter bien peu de cohérence de pensée que de l'en croire capable.

Relisons en effet les premières lignes du *Mangeur* : *« Qu'a-t-il de singulier, le mangeur du XIXe siècle ? Voilà six cents ans, à Paris, à Angers, à Bourges, en Bourgogne, la table s'épanouit dans le grand éclat des cours valoises. Une légende culinaire se crée. De Taillevent à Vatel elle s'enfle, au long des âges, de prophètes, de phares, de martyrs. Au milieu du XVIIIe siècle, le raffinement gastronomique est à son comble. Les familiers de Louis XV se font chefs à leurs heures : Bernis, Soubise, Richelieu* [...] *Sous Louis XVI, les cuisines seigneuriales rivalisent de splendeur. Les princes, les ducs, se disputent l'apanage de la chère* [...] *Alors quoi de neuf sous le Directoire ?* [...] *“Quand la Révolution, écrit un chroniqueur du Second Empire, est venue* [...] *disperser dans l'émigration ou ailleurs les vieux cuisiniers, les artistes supérieurs qui n'avaient jusqu'alors travaillé que pour les grands seigneurs exclusivement, on vit la gastronomie descendre insensiblement dans le tiers-état et jusque dans la petite bourgeoisie* [...] ”. » *Parvenue au pouvoir, la bourgeoisie reste en effet captive des convoitises anciennes, nostalgique du luxe et des délices dont longtemps on a voulu la frustrer. Les agapes ravies aux fourneaux de la noblesse déchue viennent servir ses desseins d'établissement.* » Rien, dans cette analyse, qui soit à reprendre ou qui contredise la mienne ; rien non plus dans la suite de l'ouvrage, pour autant qu'il m'en souvienne.

Cher correspondant de *L'Histoire*, il ne suffit pas d'aimer Jean-Paul Aron : il faut le lire.

Platine

Post-scriptum

Je supplie les trois historiens dont j'ai – sous la contrainte – cité quelques phrases, de croire que je n'attaque ni leur personne ni leurs ouvrages, mais seulement une idée fort répandue, que j'estime fausse, et qu'ils ont eu le malheur de reprendre, comme cela arrive aux plus grands.

Au reste le masque de Platine n'a rien de commun avec ceux de Zorro ou de Mimi Sheraton ; il ne vise pas à me soustraire à leurs recherches, mais seulement à éviter toute confusion entre les libres propos que je tiens dans cette chronique et la rigoureuse objectivité à laquelle je suis tenu dans le domaine de ma profession.

S'ils souhaitent donc discuter du moment où sont nées

la gastronomie et la grande cuisine, je les rencontrerai volontiers. Mais je ne recevrai pas leurs témoins, et ne répondrai pas à leurs admirateurs, à moins qu'ils ne s'adressent directement à moi – fût-ce pas l'intermédiaire de *L'Histoire* – et qu'ils n'adoptent un ton courtois.

Gourmets, gourmands et friands

La Gastronomie, ou l'Homme des champs à table, de Joseph Berchoux, un classique un peu oublié, vient d'être réédité, avec une présentation et des notes du savant et gourmand Jean-Robert Pitte [1]. Cela me remet en mémoire une question que plusieurs lecteurs m'ont posée et que je n'ai fait qu'effleurer jusqu'à présent : quand la gastronomie est-elle née ? Question un peu naïve peut-être dans sa formulation, mais pas plus que la plupart des questions.

La gastronomie

C'est Joseph Berchoux qui, en 1800 tout rond, a introduit « gastronomie » dans la langue française. Mon *Petit Robert* me dit que ce mot avait auparavant fait une apparition fugitive en 1623, dans le titre d'un ouvrage traduit du grec. Mais il n'avait pas alors pris racine. A partir de 1800 au contraire, non seulement il passe dans l'usage, mais très rapidement il engendre une famille : une fausse-couche

---

1. Berchoux (Joseph), *La Gastronomie, ou l'Homme des champs à table.* Poème didactique en IV chants. Préface de Jean-Robert Pitte. Collection « La passion gastronomique », Glénat, Grenoble, 1989, 125 p.

d'abord avec « gastronomiste », en 1800, puis « gastronome » dès 1803, et « gastronomique » en 1825.

Cet enrichissement lexical a certainement une signification historique. Mais laquelle ? Signifie-t-il, comme on le croit souvent, que c'est de cette époque seulement que date « *l'art de faire bonne chère* » – selon la définition que l'Académie, depuis 1835, donne du mot « gastronomie » ?

Mais c'est une définition un peu simple pour ce mot forgé à partir de deux racines grecques – qui renvoient aux idées de règle et d'estomac et pas du tout au plaisir de gueule. Voyez d'ailleurs la définition que Brillat-Savarin en donnait en 1825 : *« La gastronomie est la connaissance raisonnée de tout ce qui a rapport à l'homme, en tant qu'il se nourrit. Son but est de veiller à la conservation des hommes, au moyen de la meilleure nourriture possible* [...] *Le sujet matériel de la gastronomie est tout ce qui peut être mangé : son but direct, la conservation des individus, et ses moyens d'exécution la culture qui produit, le commerce qui échange, l'industrie qui prépare et l'expérience qui invente les moyens de tout disposer pour le meilleur usage... »*

Cette définition, certainement bien loin de l'usage ordinaire du mot, a le mérite de montrer les prétentions scientifiques de certains de ceux qui l'ont lancé – du moins s'il faut prendre au sérieux, comme l'a fait Roland Barthes, ce qu'écrivait Brillat-Savarin. Mais peut-être bouffonne-t-il, d'une autre manière que Grimod de La Reynière : plusieurs de ses lecteurs le pensent, et le fait qu'en 1835 l'Académie considère comme *« familiers »* les mots « gastronome » et « gastronomie » va dans leur sens. Quoi qu'il en soit, il reste que ces mots sont cuistres, et la définition qu'en donne Brillat-Savarin plus encore.

La seconde interprétation possible du succès de « gastronomie » et de ses dérivés au début du XIXe siècle, est donc que cette époque a présenté comme une science exacte ce qui était auparavant perçu comme un art : l'art de faire bonne chère. Pour choisir entre ces deux interprétations, cherchons s'il existait avant 1800 des mots désignant les amateurs de bonne chère et leur art.

Les gourmands

Grimod de La Reynière est reconnu comme le père de la littérature gastronomique. Pourtant ce n'est pas un almanach des gastronomes qu'il publie à partir de 1803, mais un *Almanach des gourmands.* Il existait donc au moins un autre mot pour nommer les amateurs de bonne chère. Un vieux mot. Mais avant d'en tirer argument, examinons de plus près l'usage qu'on en a fait.

En 1957, le *Robert* définit le gourmand comme celui *« qui aime les bons morceaux, et en mange sans modération ».* Il y a là au moins deux idées – celle du gourmet et celle du glouton – qu'on ne retrouve pas à toutes les époques dans la définition du « gourmand ». Selon Cotgrave, en 1611, le premier équivalent anglais du mot est *« glutton »* ; pour Richelet, en 1679, le gourmand est un goulu ; pour Furetière, en 1690, c'est un *« goulu, qui mange avec avidité et avec excès »* ; pour l'Académie, de 1694 jusqu'en 1798, c'est un *« glouton, goulu, qui mange avec avidité et avec excès ».* Pas trace de raffinement dans ces définitions.

En 1757, dans l'*Encyclopédie*, l'article « gourmand » est court et encore traditionnel. Mais, nouveauté radicale, gourmandise est définie par Jaucourt comme un *« amour raffiné et désordonné de la bonne chère ».* Les exemples qu'il en donne, sur deux colonnes, sont tous pris dans l'Antiquité, principalement à Rome et chez les Sybarites auxquels il oppose la simplicité des héros d'Homère, des Perses conquérants de l'empire mède, des Spartiates, d'Alexandre le Grand, des vieux Romains. La gourmandise est un effet du luxe ; elle entraîne la décadence des empires ; et elle ruine la santé de ceux qui s'y adonnent. Il ne s'agit donc nullement d'en donner une image favorable. Mais c'est un vice de décadents et non plus de primitifs comme le suggéraient les dictionnaires antérieurs.

Cette image nouvelle n'a d'ailleurs pas été acceptée immédiatement. Dans son édition de 1771, le *Dictionnaire de Trévoux* l'a dénoncée d'entrée de jeu : la gourmandise, dit-il, *« n'est point, comme on nous le dit dans l'Encyclopédie, l'amour raffiné et désordonné de la bonne chère. Ce mot renferme et présente, à la vérité, l'idée d'excès, mais non celle de raffinement dans les aliments. La gourmandise est le vice de celui qui mange avec avidité et avec excès. La gourmandise est un des sept péchés capitaux »*. L'Académie n'a pris acte du sens nouveau ni dans l'édition de 1762 de son dictionnaire, ni dans celle de 1798, mais seulement en 1835. Encore est-ce avec réticence. C'est en effet après avoir repris la définition traditionnelle du gourmand – *« qui mange avec avidité et avec excès »* – et tous les exemples qu'en donnaient les précédentes éditions, qu'elle écrit : *« Il se dit quelquefois pour Gastronome. Les gourmands recherchent beaucoup ce mets. »*

Cette évolution du sens de « gourmand » conforte notre première hypothèse : comme l'apparition de « gastronomie » et de ses dérivés elle suggère un intérêt nouveau pour les raffinements alimentaires à la fin du XVIIIe siècle et au début du XIXe.

Les gourmets

Vers la même époque encore les gourmets sont venus renforcer le bataillon des gastronomes et des nouveaux gourmands. Pour Cotgrave, en 1611, le gourmet était une sorte de courtier en vin, ou un expert employé par les marchands de vin. Richelet, en 1679, nous dit que c'est *« celui qui goûte le vin sur le port de Paris, qui voit s'il n'est point frelaté, et qui a soin que le bourgeois l'achète loyal et marchand »*. Les dictionnaires postérieurs emploient le mot dans un sens plus vague : il désigne les hommes ou les femmes qui possèdent la faculté et l'art de connaître les vins. Pour le *Dictionnaire de Trévoux*, en 1704, le gourmet est celui *« qui sait bien essayer, tâter le vin, qui connaît s'il est bon et de garde.* Peritus vini aestimator, praegustator. *Les Tonneliers sont des gourmets sur l'étape. Cette Taverniste est bonne gourmette »*. L'édition de 1771, qui supprime les allusions aux tonneliers et à la taverniste, ajoute « eruditum palatum. *Les meilleurs gourmets se trompent souvent »*. De 1694 à 1879, les diverses éditions du *Dictionnaire de l'Académie* ne parlent que de la connaissance du vin. Ainsi en 1879 : *« Celui qui sait bien connaître et goûter le vin. »*

Ce n'est qu'en 1932 que la rédaction de l'article est renouvelée, le sens du mot étendu, et la signification de certains exemples traditionnels transformée : *« Par extension, il se dit, d'une façon générale, de celui qui apporte dans les choses de la table une recherche de délicatesse et de raffinement. Les plus fins gourmets y seraient trompés. Savourer un plat en gourmet. »* L'Académie est trop conservatrice pour nous permettre de serrer de près la chronologie de cette évolution. En 1863 déjà, Littré indiquait ce sens dérivé : *« 2° Par extension, fin gourmand. »* Mais il ne donnait encore aucun exemple illustrant cette acception, ce qui pourrait faire croire qu'elle était récente. A tort sans doute, puisque le *Robert* en fournit un, tiré de l'article « Gourmandise » de l'*Encyclopédie*, décidément bien révolutionnaire : *« Dans ces temps-là Rome nourrissait des gourmets qui prétendaient avoir le palais assez fin pour discerner si le poisson appelé loup de mer avait été pris dans le Tibre entre deux ponts, ou près de l'embouchure de ce fleuve ; et ils n'estimaient que celui qui avait été pris entre deux ponts. »* Il n'est pas tout à fait sûr que Jaucourt ait appelé ainsi de riches gourmands, dégustant ces loups de mer pour leur plaisir : peut-être ces gourmets-là étaient-ils des professionnels chargés de la police des marchés, comme ceux du XVIIe siècle. Mais il est clair qu'ils n'exerçaient plus leur talent que sur le vin.

...et les friands

En ce point de notre enquête, toute les données convergent : toutes nous portent à penser que dans la seconde moitié du XVIIIe siècle et les premières décennies du XIXe un intérêt nouveau s'est manifesté pour la bonne chère, pour les raffinements de gueule ; et qu'auparavant, au contraire, on ne s'en souciait guère puisqu'on ne s'était pas donné les moyens d'en parler.

Et puis, patatras ! une recherche plus poussée révèle que, dès le Moyen Age, les mots « friand », « friandise », « friander », « friandement » permettaient déjà d'exprimer l'attrait pour la bonne chère, et la délicatesse du goût.

« Friandise », à cette époque, signifiait en effet *« amour que l'on a pour les bons morceaux »* (Académie) ; *« Passion, amour que l'on a pour les viandes délicates ou de bon goût »* (Furetière et *Dictionnaire de Trévoux*).

Un friand était donc d'abord ce que nous appelons aujourd'hui un gourmand : pour Richelet c'est celui *« qui aime à manger quelque chose de bon »* ; pour l'Académie, de 1694 à 1798, celui *« qui aime les bons morceaux »* ; pour Furetière et pour le *Dictionnaire de Trévoux*, celui *« qui aime les morceaux délicats et bien assaisonnés »*.

Comme notre gastronome ou notre gourmet, d'autre part,

le friand était en outre habile à distinguer les bonnes nourritures et les bons vins des mauvais : *« On dit qu'un homme est friand en vin*, notait l'Académie, *pour dire qu'Il y est délicat et qu'il se connaît en bon vin. Et qu'Il a le goût friand, pour dire qu'Il a le goût délicat, et qu'il sait bien juger des bons morceaux. »* Furetière et le *Dictionnaire de Trévoux* remarquaient de leur côté qu'*« un bon gourmet doit avoir le goût friand »*.

Gourmandise et friandise

Les gourmands de l'époque, on l'a vu, n'étaient pas friands ; et vice versa. L'Académie le souligne d'ailleurs par un exemple : *« Il n'est pas gourmand mais il est friand. »* La gourmandise était un vice grossier : elle était caractéristique d'animaux voraces comme le loup, le canard, le brochet, ou des « sauvages du Canada ». Comme le disaient Furetière et le *Dictionnaire de Trévoux, « la gourmandise n'est pas le vice des honnêtes gens »*. Au XVIIe siècle, « gourmand » au substantif, ne se disait d'ailleurs que de l'homme, ainsi que le souligne l'Académie en 1694. Ce n'est que plus tard qu'il s'est dit de la femme. Quant à l'enfant, il a été associé à la friandise, jamais à la gourmandise jusqu'à ce que la notion ait définitivement changé de sens.

La friandise, qui témoignait au contraire de la délicatesse du palais, était en cela une vertu. En 1835 l'Académie remarque qu'*« Il y a des gens qui se vantent de leur friandise »*, sans que l'on sache très bien si elle juge cela légitime ou non.

Mais il est sûr que la friandise inquiétait les moralistes aux XVIIe et XVIIIe siècles : Richelet la qualifie d'*« appétit un peu désordonné pour les choses délicates et bonnes à manger »*. Même si tous soulignent qu'elle n'est *« pas si honteuse que la gourmandise »*, Furetière et le *Dictionnaire de Trévoux* précisent que c'est un défaut ; l'Académie, de 1717 à 1762, qu'elle *« coûte beaucoup de dépenses »* ; et en 1798 qu'elle *« est l'effet de la sensualité »*.

Comme aujourd'hui, « friandise » s'appliquait aussi aux objets de la convoitise des friands : *« A l'égard des uns ce sont des sucreries, des pâtisseries ; à l'égard des autres ce sont des cervelas, des jambons, des ramequins. »* Quelles qu'elles fussent, ces friandises étaient *« des choses qu'on mange pour le plaisir seulement et non pour se nourrir »*.

Cette expression, *« pour le plaisir seulement »*, appelle une remarque : dans le domaine de la sexualité la recherche du plaisir seul était un péché beaucoup plus grave que les simples excès quantitatifs, alors que dans le domaine de l'alimentation c'était le contraire, du moins aux XVIIe et XVIIIe siècles : l'excès quantitatif était sévèrement condamné et la recherche du plaisir friand l'était beaucoup moins.

Changement de statut

En fait il n'en a pas toujours été ainsi. Au XIIe siècle Hugues de Saint-Victor, dans son *De institutione novitiarum*, condamne avec plus d'insistance et de prolixité la recherche des viandes délicates que la gloutonnerie. On ne doit pas, dit-il, rechercher une nourriture *« trop précieuse et délicieuse »*, ni *« trop rare et non accoutumée »*. Il tançait les mangeurs dont le gosier *« ne peut déglutir sinon choses grasses et délicieuses »*, et qui s'excusaient de ne pouvoir manger lorsqu'on leur offrait des viandes plus médiocres, sous prétexte d'une faiblesse d'estomac ou d'une sécheresse de poitrine ; ou ceux qui refusaient totalement *« l'usage des viandes communes »*, envoyant pour satisfaire leurs caprices alimentaires des nuées de serviteurs courir

« par tous les carrefours », ou chercher à travers *« montagnes inconnues et désertes »* certaines racines, certains arbustes ou petits poissons. Il condamnait autant les orgueilleux qui cherchaient à se valoriser par l'excellence de leur nourriture – prétendant *« être vus dissemblables de mérite » « autant qu'ils sont dissemblables de viandes »* – que les friands qui *« donnent trop de vaine étude en préparant les viandes »*, inventent *« infinis genres de décoction, fritures et assaisonnement »*, ou qui, semblables à des femmes enceintes, ont envie de metz *« tantôt mous et tantôt durs, tantôt froids et tantôt chauds, tantôt bouillis et tantôt rôtis, tantôt avec poivre, tantôt aux aulx, tantôt avec cumin et tantôt avec sel assavourés »*. Pour finir ce chapitre des trop fines gueules, il se moque des amateurs de vin qui, *« comme taverniers, étendent le palais de la bouche à chaque broche de vin, pour grâce de élire le goût »*.

Face à un tel texte, comment persister à croire qu'il ait fallu attendre les XVIIe et XVIIIe siècles pour trouver des mangeurs se souciant plus de la qualité des mets et des boissons que de leur quantité ? Des mangeurs difficiles, délicats et friands, il en existait depuis le XIIe siècle au moins ; mais on les condamnait alors aussi sévèrement que les gloutons ou peut-être même davantage. Ce qui est nouveau, aux XVIIe et XVIIIe siècles, c'est d'avoir réduit le contenu du péché de gourmandise à la gloutonnerie – vice grossier, indigne des honnêtes gens – et c'est l'indulgence dont on a fait preuve envers la friandise, péché mignon de personnes délicates. C'est le changement de statut de la friandise, dans une société qui voue désormais un culte au bon goût.

Ensuite la friandise est revenue dans le giron de la gourmandise pour des raisons contradictoires : Jaucourt l'y a fait rentrer pour la dévaloriser, parce qu'il la croyait politiquement dangereuse ; d'autres l'ont suivi pour revaloriser la gourmandise. Ainsi Grimod de La Reynière. L'usage que les XIXe et XXe siècles ont fait de « gourmand » montre qu'ils y sont en partie parvenus ; mais pas totalement, comme en témoigne l'usage concurrent de « gourmet » et de « gastronome ».

Le mot et la chose

Revenons à la naissance de la gastronomie. La notion n'en est apparue qu'au début du XIXe siècle. Mais la chose existait depuis longtemps. Dans l'Antiquité, à côté de gloutons célèbres, il y a eu des mangeurs délicats, des gastronomes avant la lettre, comme Archestrate ou Apicius. De même dans la société française des XVIIe et XVIIIe siècles. Et il en existait aussi, vraisemblablement, au Moyen Age comme le suggère la mercuriale d'Hugues de Saint-Victor et d'autres analogues.

Ce qu'il faut surtout considérer, c'est l'attitude de la société envers cette passion pour la bonne chère et la délicatesse du goût. Au Moyen Age le faste d'une table, la délicatesse des mets qu'on y servait, honoraient le maître de maison ; mais on ne lui demandait pas d'être friand, bien au contraire. Le culte du bon goût dans tous les domaines – non seulement alimentaire, mais littéraire, artistique, vestimentaire, etc. – est une innovation du XVIIe siècle [1]. Innovation plus décisive, pour ce qui nous concerne, que l'invention du mot gastronomie et que les prétentions scientifiques qu'il implique.

Platine

---

1. Cf. Flandrin (Jean-Louis), « La distinction par le goût », in Aries et Duby, *Histoire de la vie privée* (Seuil, Paris 1986), t. 3, *De la Renaissance aux Lumières*, pp. 267-309.

A la recherche des réveillons d'antan

A l'approche des fêtes, il m'a pris fantaisie de connaître les réveillons de nos ancêtres. Se gavaient-ils comme nous d'huîtres, de truffes, de foie gras, de boudin blanc, de dindes ou d'oies aux marrons ? Les réveillons du XVIIe siècle, si l'on en croit Alphonse Daudet, auraient été semblables aux nôtres, en plus brillants. Relisons ses « Trois messes basses ».

Diabolique Garrigou

« Deux dindes truffées, Garrigou ?...
– Oui, mon révérend, deux dindes magnifiques, bourrées de truffes... On aurait dit que leur peau allait craquer en rôtissant, tellement elle était tendue...
– Jésus-Maria ! Moi qui aime tant les truffes ! Donne-moi vite mon surplis, Garrigou... Et avec les dindes, qu'est-ce que tu as encore aperçu à la cuisine ?
– Oh, toutes sortes de bonnes choses... Depuis midi nous n'avons fait que plumer des faisans, des huppes, des gelinottes, des coqs de bruyère. La plume en volait partout... Puis de l'étang on a apporté des anguilles, des carpes dorées, des truites, des...
– Grosses comment, les truites, Garrigou ?

– Grosses comme ça, mon révérend... Énormes ! »

Et de décrire les vins rutilants dans leurs carafes de cristal, la vaisselle d'argent, les quarante convives attendus par le seigneur de Trinquelage. Puis, ce décor mis en place, de revenir au point central : « *Rien que d'avoir flairé ces belles dindes, l'odeur des truffes me suit partout... Meuh !...* »

Mais l'écrivain, diaboliquement ou non, ne nous induirait-il pas en erreur aussi bien qu'en tentation ?

Réveillons du XIXe siècle

En 1803 Grimod de La Reynière écrivait en effet : « *Une poularde au riz, à laquelle il est permis cependant d'être un chapon, est le milieu obligé de ce repas nocturne, et y tient lieu du potage qui n'y paraît jamais. Quatre hors-d'œuvre, composés de saucisses brûlantes, d'andouilles grassouillettes, de boudins blancs à la crème, et de boudins noirs bien dégraissés, lui servent d'acolytes. Le tout est relevé par une langue à l'écarlate ou plutôt fourrée* [...] *qu'accompagnent symétriquement une douzaine de pieds de cochons farcis aux truffes et aux pistaches, et un plat de côtelettes de porc frais. Aux quatre coins de table sont deux pièces de petit four, comme tourte et tartelettes, et deux entremets sucrés, tels que crème et charlotte. Neuf plats de dessert au plus terminent le Réveillon, et les fidèles ainsi restaurés se retirent pour aller chanter dévotement la messe de l'aurore précédée de prime et suivie de tierce*[1]. »

A la fin du XIXe siècle « *le boudin, le vulgaire boudin noir grillé [...] figure toujours* » dans les réveillons mais, pour le reste, que de changements ! « *En Angleterre, une oie grasse est de tradition. Chez nous, on lui préfère* [...] *une dinde*

1. *Almanach des gourmands*, t. 1, pp. 153-155.

froide et truffée, servie avec des piles de gaufrettes au sucre et qu'accompagnent quelques pièces froides de charcuterie (hure de sanglier ou jambon) entourées de houx [...]. *Des roses de Noël décorent la table et, depuis une vingtaine d'années, l'habitude s'est introduite, importée d'Allemagne et d'Angleterre, de faire figurer, au milieu, un arbre de Noël, enrubanné et illuminé* [...]. *L'usage se répand aussi de plus en plus de faire dans la nuit du 31 décembre au 1er janvier un second réveillon*[1]*...* »

Ainsi, des coutumes que nous vivons aujourd'hui comme traditionnelles se révèlent d'origine récente : le réveillon de la Saint-Sylvestre est né sous la IIIe République ; l'arbre de Noël ne s'est acclimaté en France que sous le régime précédent ; la dinde truffée n'est devenue rituelle qu'au cours du XIXe siècle ; seul le boudin blanc nous vient d'un plus lointain passé. Le réveillon lui-même, au reste, n'est peut-être pas d'une origine très ancienne.

Réveillons ou soupers maigres ?

« Le réveillon est le corollaire obligé de la messe de minuit », affirme *La Grande Encyclopédie*[2]. *« Au Moyen Age, il y avait dès le soir table ouverte chez l'humble artisan comme chez le riche* [...]. *Le réveillon précédait en effet la messe* [...]. *La cochonnaille : boudin, saucisse, andouillette, etc. formait du reste l'élément à peu près exclusif du festin. »* L'auteur n'assortit malheureusement ces affirmations péremptoires d'aucune référence bibliographique, et il est de toute façon

1. *La Grande Encyclopédie, Inventaire raisonné des sciences, des lettres et des arts*, 32 volumes (1885-1902).
2. *Ibid.*

impossible de les accepter toutes. Un repas pris avant minuit ne saurait en effet s'appeler « réveillon », et il ne pouvait être constitué de cochonnailles puisque le 24 décembre était jusqu'à sa dernière minute un jour maigre [1].

De fait, nous savons qu'en plusieurs régions de France aux XVIIIe et XIXe siècles encore, un souper maigre était le seul repas pris dans la nuit de la Nativité. Voici par exemple le « gros souper » provençal, au début du XIXe siècle : *« La raito, espèce de capilotade de morue ou d'anguilles : différentes espèces de poissons grillés, des artichauts crus, des cardes, du céleri et différentes espèces de légumes forment le premier service. On enlève la première nappe* [2] *et l'on place les calenos, qui consistent en gâteaux, fruits secs, confiture, biscuits et sucreries. Ce dessert est plus ou moins splendide selon l'aisance des familles : mais les gâteaux, les fruits secs et les châtaignes ne manquent jamais. Les vins et les liqueurs ne sont point oubliés* [3]. *»*

Ce « gros souper » provençal, riche et fastueux quoique maigre, étonnait et choquait certains catholiques d'autres régions au début du XXe siècle. *« Ces repas maigres sont de vrais festins*, écrivait un curé breton, *et non des collations de vigile* [...]. *Est-ce bien, pour des chrétiens, le moment de faire bombance, quand l'Évangile nous montre Marie et Joseph cherchant inutilement un gîte et peut-être un morceau de pain ? Qu'après la messe de minuit on se réjouisse, on réveillonne, rien de mieux, parce qu'alors les bergers sont déjà venus apporter des provisions à la crèche et que la Sainte Famille n'a plus à craindre la disette ; mais avant minuit,*

---

1. Il l'était même à deux titres : en tant que dernier jour de l'Avent et en tant que vigile de Noël.

2. Pour ce repas, très ritualisé, la table était recouverte de trois nappes, que l'on ôtait successivement.

3. Comte de Villeneuve-Bargemont, *Statistique du département des Bouches-du-Rhône* (Marseille, 1826, in-4°, 3 vol., t. III, pp. 227-229).

je vous avoue que cela me choque[1]. » La substitution du réveillon au souper maigre – qui n'est pas invraisemblable, au point où nous en sommes de cette enquête – s'expliquerait-elle donc par le triomphe progressif, dans les diverses provinces de France, d'un christianisme plus exigeant ? Ne nous pressons pas de conclure dans ce sens : il y a peut-être autant de provincialisme que de zèle religieux dans la réaction de notre curé breton. Nos gras réveillons choquent en effet tout autant mes amis polonais, attachés aux treize plats maigres de leur traditionnelle wigilia ; et le souper maigre sans réveillon s'est maintenu dans d'autres pays catholiques comme l'Italie.

Histoire d'un mot

L'histoire du mot « réveillon », telle qu'on peut la reconstituer à travers la série des dictionnaires français, éclaire d'ailleurs d'un jour inattendu l'histoire de nos festivités de Noël. Au XVe siècle, selon Godefroy, le mot n'était utilisé que pour désigner une sorte de réveille-matin. Au XVIe apparaît un sens nouveau : « *Petit repas qu'on fait la nuit en compagnie*[2]. » Mais personne n'associe encore ces réveillons aux fêtes de la Nativité, bien au contraire : selon Richelet (1679) on appelle réveillon « *ce qu'on mange deux ou trois heures après le souper lorsqu'on est en débauche* ». Le mot ne serait d'ailleurs employé que « *dans le style simple, dans le comique, le burlesque ou le satirique* ». La série des dictionnaires de Furetière et de Trévoux, qui couvre la période 1690-1771, confirme cet emploi : « *Repas qu'on fait au milieu*

1. Mgr Chabot, *La nuit de Noël dans tous les pays*, 2e éd., 1912, pp. 18-19.
2. Godefroy, *Dictionnaire de l'ancienne langue française et de tous les dialectes du IXe au XVe siècle*, t. X, Complément.

de la nuit après avoir veillé, dansé, joué. On l'appelle à la cour media-noche, *à la ville* un réveillon. »

Ce n'est que dans la seconde moitié du XVIIIe siècle qu'il s'associe à la nuit de la Nativité, sans pourtant renier ses origines. Le *Dictionnaire comique* de Le Roux, où cette association apparaît pour la première fois en 1752, est en effet spécialisé dans le vocabulaire du libertinage et de la débauche. « *C'est une espèce de divertissement,* dit-il, *qui se pratique en France après la messe de minuit.* » Le mot, désormais, n'est-il plus utilisé qu'à propos de la nuit de Noël ? On peut en douter, puisque le *Dictionnaire de Trévoux*, en 1771, n'a pas encore enregistré ce sens et que le *Dictionnaire de l'Académie*, qui l'ignorait aussi en 1762, le donne parmi d'autres de l'an VI à 1879, d'ailleurs suivi par Littré en 1882 ! Cependant, lorsqu'en 1803 paraît la première année de *L'Almanach des gourmands*, le réveillon semble christianisé depuis longtemps. L'auteur reste il est vrai conscient qu'il ne l'a pas toujours été : « *Nous laissons aux érudits le soin de déterminer l'époque précise à laquelle l'usage des réveillons s'est introduit parmi les chrétiens ; et* [...] *nous nous bornerons à observer que ce repas a cela de particulier et même d'unique que ce n'est ni un déjeuner, ni un dîner, ni un goûter, ni un souper, ni une halte : c'est un réveillon, ce mot dit tout ; aussi ne le fait-on qu'une fois par an, dans la nuit de Noël, c'est-à-dire le 25 décembre entre deux et trois heures du matin. Tant que les jacobins et le Directoire qui leur a succédé, ont régné en France, comme la messe de minuit y était interdite, le réveillon s'y trouvait également proscrit, au grand regret des rôtisseurs et des charcutiers, qui n'ont pas été les derniers à se réjouir de la révolution du 18 brumaire.* » D'où l'hypothèse, téméraire peut-être, que les jacobins ont christianisé ce qui n'était jusque-là qu'un usage de viveurs, en proscrivant la messe de minuit qui en était le prétexte.

Recinons et cochonnailles

Si l'histoire du mot « réveillon » n'est sûrement pas sans rapports avec l'histoire de la chose pour ce qui concerne les élites sociales elle nous renseigne apparemment moins bien sur l'évolution des coutumes populaires et des usages provinciaux. D'autres mots, en effet, ont pu désigner ce que nous appelons un réveillon. *« Au retour de la messe de minuit chacun fait un petit repas appelé recinon »*, lit-on par exemple dans une notice sur les usages lorrains, publiée au début du XIXe siècle [1]. *« On dit reciner,* ajoute l'auteur, *pour "faire recinon ". Ce mot vient sans doute de* recoenare. *»* Quoi que vaille cette étymologie, le mot existait depuis longtemps si j'en juge par la longue notice que lui consacrait le *Dictionnaire de Trévoux* en 1771.

Au reste, il n'était pas même besoin d'un mot spécial pour désigner le repas gras qu'on pouvait prendre au retour de la messe de minuit. Témoin, ce « noël bourguignon » burlesque écrit par La Monnoye sous le règne de Louis XIV :

« Voisin c'est fait
Les trois heures ont sonné
Le boudin est cuit
L'andouille est prête
allons déjeuner. »

L'enquête, bien sûr, reste ouverte : toute information relative à des réveillons antérieurs au XIXe siècle sera la bienvenue.

Platine

1. *Mémoires de l'Académie celtique*, t. III, p. 441 (1809).

Recettes

• **Boudin blanc.** *Prenez trois ou quatre livres pesant*[1] *de panne de porc frais, une livre ou deux de moelle*[2], *deux de lard gras râpé au couteau, le blanc de deux ou trois poulets-d'lndes* [...] *; hachez tout ensemble le plus menu qu'il se pourra, et le battez même dans un mortier ; ajoutez-y deux douzaines de jaunes d'œufs bien frais, trois chopines*[3] *de laict, la mie de cinq ou six petits pains, molets ou de chapitre, rassis d'un jour et les plus blancs, pistaches ou pignons broyés avec des amandes douces si l'on veut ; assaisonnez tout cet appareil d'un peu d'anis battu, épices fines de toutes sortes, sel menu, jus d'oignon si on l'aime, et toutes ces choses enfin dans une proportion convenable. Remuez et remaniez cette composition plusieurs fois, afin de la bien unir et incorporer, et l'entonnez avec l'instrument de cuivre ou fer-blanc pour cela fait exprès que l'on nomme boudinière, dans des boyaux de mouton qui seront à cet effet bien ratissés, bien lavés et bien clairs. Quand vous en aurez fait la quantité qu'il vous plaira, liez-les de telle mesure que vous le voudrez. Peu après vous les ferez blanchir dans du lait cinq à six bouillons, et quand on les voudra manger, on les fera rôtir sur le gril, en mettant sous iceux du papier beurré légèrement du côté du boudin pour empêcher que la fumée que la fonte de sa graisse produit, n'éteigne subitement le feu et ne les infecte de sa vapeur* [...]. (L'Art de bien traiter, 1674, p. 188.)

1. Environ 490 grammes.
2. Sans doute de bœuf.
3. 0,465 litre.

• **Andouilles de cochon.** *Prenez des boyaux gras de cochon : après qu'ils seront bien lavés, coupez-les de la longueur que vous voulez faire les andouilles. Faites-les tremper dans de l'eau où il y a un quart de vinaigre, du thym, laurier, basilic, pour faire perdre leur goût de charcuterie : vous prenez ensuite une partie de ces boyaux que vous coupez en filets, assaisonnez le tout ensemble avec du sel et fines épices, mêlez avec un peu d'anis, remplissez ensuite vos boyaux aux deux tiers, de crainte qu'ils ne crèvent en cuisant s'ils étaient trop pleins ; ficelez-les par les deux bouts, faites-les cuire avec moitié eau moitié lait, sel, thym, laurier, basilic, un peu de panne pour les nourrir. Quand elles sont cuites, laissez-les refroidir dans leur cuisson. Quand vous les voulez servir vous les faites griller et les servez pour hors-d'œuvre.* (La Cuisinière bourgeoise, édition de 1777.)

Chapitre 3

Gourmandise et diététique

Calendriers gourmands

L'Almanach des gourmands, de Grimod de La Reynière, ou du moins sa première année (1803), vient d'être réédité [1]. On sait peut-être que cette première œuvre du père de la littérature gastronomique a eu une belle descendance, du *Nouvel Almanach des gourmands* (1825) qui en est la première imitation à l'*Almanach de Cocagne dédié aux vrais gourmands* (1920-1924) qui n'en est pas la dernière. Aujourd'hui, l'un des constituants de ces almanachs – un guide des restaurants et des bons fournisseurs, que Grimod intitulait *« Itinéraire nutritif ou promenade d'un gourmand dans divers quartiers de Paris »* – fleurit plus que jamais. En revanche l'almanach gourmand comme tel, et le « calendrier nutritif » qui en constituait la partie la plus caractéristique, tombent en désuétude.

A cette disparition, plusieurs raisons. La première est le déclin général des almanachs. Le gonflement des tirages de celui des PTT ou de l'Almanach Vermot ne saurait faire illusion : la créativité littéraire ou artistique s'en est détour-

1. Grimod de La Reynière, *Écrits gastronomiques*, [Almanach des gourmands (première année, 1803) et Manuel des amphitryons (1808)]. Texte établi et présenté par Jean-Claude Bonnet (UGE 10/18, Paris, 1978. 441 p.).

née, alors qu'elle s'y était largement investie de Rabelais à Suzanne Valadon et Raoul Dufy.

Une alimentation saisonnière

La seconde est que les rythmes temporels anciens, y compris ceux qui semblaient les plus naturels, se sont effacés ou estompés, dans tous les domaines ou presque. Au XVe siècle, à Carpentras, on ne trouvait sur les étals de boucherie, d'avril à juin, que des agneaux, des chevreaux et des moutons. Fin juin, agneaux et chevreaux disparaissaient, relayés par les veaux, qui n'étaient guère abattus – donc mangés – que de juin à septembre. Les génisses, les bœufs et les vaches commençaient à prendre de l'importance en août et septembre, et les viandes bovines l'emportaient finalement sur celles des ovins en octobre, novembre et décembre. Le porc frais, presque absent des étals le reste de l'année, contribuait aussi au remarquable équilibre de ces trois mois[1]. Puis, en janvier, les agneaux reparaissaient et leur rôle ne cessait d'augmenter jusqu'à Carême-Prenant.

Or, au XVIIIe siècle déjà, tout cela s'est profondément modifié : en 1724, les quantités de viande fournies chaque semaine à Carpentras présentent une régularité remarquable tout au long de l'année. Comme au XVe, il est vrai, l'agneau est une viande de printemps. Mais c'est presque la seule manifestation d'un rythme saisonnier ; et la chair des bovins est désormais offerte en permanence. Voilà ce

---

1. Le porc était surtout consommé salé et ne passait guère par le circuit commercial.

que nous apprend Louis Stouff, historien de l'alimentation provençale [1].

Pourtant, pour ce qui concerne les autres aliments, les contraintes saisonnières sont restées draconiennes jusqu'en plein XXe siècle. Elles avaient leur bon côté : le plaisir des retrouvailles. *« Pois ramés, pois écossés ! C'est la chanson du mois de mai*, écrivait Grimod de La Reynière, *et cette musique plaît plus aux oreilles gourmandes que toutes les savantes ariettes de l'opéra-buffa. En effet, comment seroit-on insensible à l'apparition du plus tendre, du meilleur et du plus délicat des légumes ? D'un légume qui nous procure à Paris quatre mois consécutifs d'indicibles jouissances, qui se marie avec toute espèce de viandes et de volailles, et qui par lui-même peut être considéré comme le prince de l'entremets ? »* D'autre part, en ce même mois de mai, *« les maquereaux nous appellent, et il faut convenir que leur présence est à Paris l'un des plus grands charmes du printemps. Ce poisson... est aimé de tout le monde. Le bourgeois et l'homme opulent l'accueillent avec le même empressement ; et si les illustres maquereaux ont seuls le privilège d'être admis à la table des grands et des riches, ceux d'un ordre inférieur s'accommodent très bien de celle du pauvre »*.

Prescriptions diététiques

Aux sources du « calendrier nutritif », n'y a-t-il que le goût pour les almanachs fantaisistes et, d'autre part, cette saisonnalité du ravitaillement ? J'en doute. Car celle-ci régressait déjà lorsque Grimod prit la plume, et les almanachs, par ailleurs, se sont intéressés à l'alimentation bien

---

1. Louis Stouff, *Ravitaillement et alimentation en Provence aux XIVe et XVe siècles*, Paris, Mouton, 1970, 507 p.

avant d'être fantaisistes, dès les débuts de l'imprimerie. Best-seller aux XVe et XVIe siècles, *Le grant kalendrier et compost des Bergiers*[1] présentait un « *Régime de quoy bergiers usent selon la saison* », qui n'est pas sans rapports avec les almanachs gourmands, encore que l'esprit en soit différent.

A l'origine du genre, il y a, me semble-t-il, les « calendriers diététiques » venus de l'Antiquité, qui abondent dans les manuscrits médicaux du haut Moyen Age. Copié par des moines du Xe siècle, en voici par exemple un que conserve la Bibliothèque nationale[2] : « *Au mois d'avril*, dit-il, *on ne mange aucune racine, parce qu'alors elles provoqueraient des démangeaisons. Au mois de mai, ne bois pas d'eau à jeun et ne mange pas la tête ni les pieds d'aucun animal, parce qu'en eux, alors, de mauvais venins descendent du ciel et que d'autres surgent de la terre. Au mois de juin, bois de l'eau à jeun pour dissoudre la colère.* »

Dans son *Régime du corps*[3], au XIIIe siècle, Aldebrandin de Sienne prescrit de se faire saigner au printemps, parce que les humeurs engendrées en hiver ont alors tendance à bouillir et à donner des fièvres. Mais il ajoute à cette prescription médicale des suggestions vestimentaires et alimentaires qui commencent à faire de son *Régime* un guide de la vie douillette : « *En printemps, on doit être vêtu de robes qui ne soient ni trop chaudes ni trop froides, comme de tiretaine*[4] *ou de drap de coton fourré d'agneau... Et convient manger viandes légères, comme sont poussins, chevreaux au vert jus et viande de mouton au vert jus et purée d'arroches,*

---

1. *Le grant kalendrier et compost des Bergiers avecq leur Astrologie.* Paris, Éditions Siloe, 1976, fac-similé. (Les 16 recettes de cuisine que comporte cette édition, extraites de l'édition de 1526 du *Viandier de Taillevent*, semblent être une addition.)
2. Aldebrandin de Sienne, *Le Régime du corps*, Paris, Champion.
3. Ms. latin 2825, f. 129.
4. Tiretaine : tissu à chaîne de coton tramé de laine.

et bettes et bourraches, et brouet de moyeux d'œufs au vert jus, et lus (brochets) et perches et tous poissons à escailles ; et boire vin tempéré qui ne soit pas doux, pource qu'en ce temps l'on se doit garder de toutes douces choses. Et si l'on dort la matinée, qu'on ne dorme point le jour. »

Pour le plaisir

Sans perdre encore leur caractère médical, de telles prescriptions se rencontrent bientôt hors des livres de médecine : au XVe siècle elles apparaissent, à peine modifiées, dans *Le grant kalendrier des Bergiers*, et dans un chapitre du *De honesta voluptate* intitulé *« Ce qu'il faut observer dans la vie pour avoir volupté ». « Du 6 février au 8 mai*, y lit-on, *le sang devient plus abondant. Pour cela, on doit user de bonnes nourritures, et tempérées. On doit manger un peu moins [qu'en hiver] et boire un peu plus ; et il convient de tremper sa boisson d'eau, d'user de chair et de légumes, et de passer peu à peu du bouilli au rôti. Le plaisir de Vénus, en ce temps, est sans aucun danger. »*

Pour Platina, l'honnête volupté que son lecteur peut prendre à table ou au lit importe déjà autant que sa santé. Avec Grimod la gourmandise s'affiche sans pudeur, et c'est en cela qu'on le peut dire créateur de la littérature gastronomique. Mais faut-il faire de cette dernière étape une révolution, et tenir pour rien les précédentes ?

D'autant que les préoccupations diététiques n'ont pas disparu totalement de son calendrier nutritif : elles trouvent chaque mois une occasion de s'y manifester. En avril, c'est à propos des jambons de Mayence ou de Bayonne, qui sont *« bien plus faciles à digérer »* lorsqu'on les arrose de vins de leur pays. En août, c'est à propos du marcassin qui,

« malgré sa noble et sauvage origine, ne vaut pas, en vérité, les frais d'une indigestion ».

Heureuse combinaison de la Providence

Plus caractéristiques encore de la tradition des calendriers diététiques sont les considérations médicales qui justifient la saisonnalité de l'alimentation : *« Plus nous avançons vers l'été et plus le cercle de nos plaisirs alimentaires se rétrécit ; nous entendons parler des jouissances solides, de celles que procurent la grosse boucherie, la basse-cour, les plaines et les forêts ; car les jouissances végétales sont au contraire fort multipliées dans cette saison. Heureuse et sage combinaison de la providence, qui a pensé dans son immense sagesse que les aliments légers convenaient mieux en été à l'estomac de l'homme que les viandes succulentes ! Si nous voulions bien ne pas forcer la Nature, et nous contenter de ce qu'elle produit dans chaque saison, notre santé s'en trouverait mieux, et notre goût aussi ; mais les indigestions sont la suite naturelle et de l'intempérance, et de l'espèce d'orgueil qu'on met à braver l'ordre des saisons, qu'on n'intervertit jamais impunément. »*

Cet avertissement vaut évidemment en gastronomie comme en diététique, et notre société entière en prend aujourd'hui douloureusement conscience. Pour avoir voulu échapper aux privations saisonnières, nous avons promu les agneaux congelés à l'écœurant goût de suif ; les insipides tomates de serre ; les concombres « du Japon » fabriqués en Hollande où ils gonflent en quelques jours, sans terre et sans soleil, comme d'obscènes baudruches ; les petits-pois-en-boîte-toujours-sous-la-main, qui nous ont fait oublier le goût des vrais petits pois ; les oranges d'été dont la sécheresse rivalise avec le pâteux des pêches de chambre froide. Pour briser le cercle diabolique de l'alimentation industrielle, commençons par réapprendre le vieux calendrier gourmand, et boycottons les produits désaisonnalisés.

Platine

Suggestions pour mai par Grimod de La Reynière

• **Maquereaux.** *La cuisine s'est emparée de ce poisson pour en varier les apprêts ; et quoique celui à la maître-d'hôtel – c'est-à-dire cuit sur le gril dans un papier gras, fendu par le dos, et farci d'un bon morceau de beurre frais manié de fines herbes – soit le plus en usage, on voit les maquereaux paraître sur les tables somptueuses, tantôt à l'espagnole et piqués, tantôt à la flamande, en caisse ; à la Périgord, en fricandeaux, aux écrevisses, en hâtelettes, en papillotes et même en potage. On les accommode encore en gras, après avoir fait suer du jambon, et les avoir arrosés d'une bonne essence (de jambon) lorsqu'ils sont dressés. Cette dernière méthode est extrêmement succulente, et même aphrodisiaque. Les maquereaux conviennent donc ainsi aux appétits à stimuler et aux tempéraments éteints.*

• **Petits pois.** *Il faudrait un in-quarto tout entier, et des plus épais encore, pour énumérer les diverses préparations qu'on fait subir aux petits pois. On les sert à la crème, à la demi-bourgeoise, à la flamande, à la Rambouillet, au lard ; on en fait des potages au gras et au maigre, des purées vertes, variées à l'infini. On les met sous des tendrons de veau, sous des abattis de volaille, sous des pigeonneaux, sous des petites côtelettes parées, sous des pieds de mouton ; on les mêle avec des fricassées* *de poulets, des palais de bœuf, des oreilles de veau, etc. Enfin il n'est point d'animal sur la terre ou dans les cieux, qui ne se tienne honoré de son alliance, et le tout pour la plus grande satisfaction de notre succulent appétit.*

Tant qu'on mangera des pois fins à Paris, l'on n'aura pas le droit de s'y croire malheureux ; surtout lorsqu'apprêtés en entremets par les mains d'un élève du grand Morillon, bien maniés de beurre, privés de sauce, et liés en façon de mortier savant, ils se présenteront comme une montagne de verdure que chacun brûlera d'entamer.

• **Pigeons.** *Les pigeons se mangent presque toute l'année, tant cet animal se complaît dans de fréquentes reproductions ; mais on diroit qu'il attend le retour des petits pois pour être dans toute sa bonté et nous offrir avec eux l'une des meilleures entrées du printemps...*

Du melon
et autres fruits de l'été

J'observe avec étonnement, au restaurant, la coutume venue d'Italie de manger du jambon cru avec le melon. Chez nous, autre bizarrerie, mon père et mon grand-père l'ont toujours assaisonné de sel et de poivre, affirmant que cela en fait ressortir la saveur. Pour moi, qui persiste à manger mon melon nature, j'ai besoin d'un demi-verre de vin avant de passer à la suite du repas : je ne saurais en effet aborder le plat suivant la bouche sucrée, et comme *« on ne boit pas d'eau sur le melon »*... Il en irait autrement, sans doute, si nous le mangions en fin de repas ainsi que la pêche ou la prune. Mais le melon est-il un fruit ? Ou est-il un légume comme la courge et le concombre ? Et par une chaude journée d'été, n'est-ce pas le plus apéritif des hors-d'œuvre ?

A toutes nos habitudes alimentaires on trouve aisément des justifications gastronomiques, et comme tout ce qui est habituel flatte en effet notre goût, je me garderai de les dire sans valeur. Néanmoins ces raisons ne me satisfont pas totalement. Lorsque je considère dans leur ensemble les bizarreries de notre usage du melon, je crois plutôt qu'elles sont issues d'un lointain passé, traces ultimes d'une logique alimentaire différente de la nôtre, et qu'elles demandent donc à être éclairées par l'Histoire.

« Pour rendre le melon digestible, il faut, disent quelques gastronomes, le manger avec du poivre et du sel et boire pardessus un demi-verre de madère, ou plutôt de marsala, puisque le madère a disparu (sic). *» Cette notation d'Alexandre Dumas*[1], en 1873, est ambiguë puisqu'elle se réfère à la fois à la gastronomie et à la diététique, et de manière trop allusive. Grimod de La Reynière, dans la troisième année de son *Almanach des gourmands*, nous est déjà d'un plus grand secours. *« C'est ici le lieu de parler des melons qui sont aussi un fruit de hors-d'œuvre, et qui ne se mangent jamais au dessert à Paris* [...] *La chair du melon est fondante, savoureuse, humectante, et tempère les ardeurs du sang ; elle fournit un aliment agréable et assez facile à digérer, surtout quand on le mange avec un peu de poivre et de sel, et qu'on boit du vin par-dessus. »* Cette fois-ci pas de doute : c'est par la médecine et non par la gourmandise que le père de la gastronomie bourgeoise justifie cet usage du melon. Remarquons qu'en 1805, déjà, cette habitude pouvait étonner puisqu'on la donne pour parisienne. Pourtant, à cette époque, elle ne concernait pas que le melon.

Les hors-d'œuvre fruits

« Les mûres sont encore un fruit qui se sert en hors-d'œuvre, écrit Grimod de La Reynière. *On les choisit bien grosses, bien noires et bien mûres, et on les mange avec du sel en même temps que le bouilli et les entrées. »* Quant aux figues, ce sont *« un des meilleurs hors-d'œuvre potagers que l'on puisse donner à Paris, car on ne les sert jamais au dessert, et on les y mange avec du sel, et en même temps*

1. *Le Grand Dictionnaire de cuisine* d'Alexandre Dumas, réédition illustrée, Paris, 1978, Éd. Veyrier, 566 p.

que le bouilli. Quoique les Provençaux affichent un grand dédain pour nos figues, il faut convenir que celles qui nous viennent d'Argenteuil sont succulentes, assez parfumées et plus juteuses même que les figues méridionales ».

L'auteur ne dit pas si elles étaient aussi sucrées, ni si les Provençaux traitaient les leurs comme les Parisiens. Mais dans ma province natale, voisine de la Provence, nos figues sont parfaitement mielleuses, et par délicatesse gourmande nous les assaisonnions de poivre quoique au dessert. En 1805 déjà, les figues différaient du melon en ce qu'elles n'appelaient pas le vin : *« On a remarqué que l'eau qu'on peut boire ensuite, en favorise singulièrement la digestion, parce qu'elle est très propre à en délayer la pulpe dans l'estomac, et à remédier à une certaine viscosité incommode que la figue communique à la salive. »*

Si nous remontons encore dans le temps, le nombre des fruits servis au début du repas augmente. Ainsi, en 1662, *L'Escole parfaite des officiers de bouche*, si elle présente les pommes, les poires et toutes sortes de fruits secs en « issue de table », propose en entrée des salades d'orange, des pêches, des abricots, des raisins et surtout – dans un tiers de ses menus – des prunes de Damas. Même chose au XVIe siècle, dans un livre publié sous plusieurs titres dont le plus connu est *Le Grand Cuisinier de toute cuisine.* Mais sauf exception, les fruits de dessert étaient cuisinés : « baudriers de pommes », « papillons de pommes », « poires cuites » ou « poires à l'hypocras », « nèfles frites », etc. La vraie place des fruits crus était l'entrée de table. Or cet ordre des mets n'était pas arbitraire, mais commandé par les idées médicales de l'époque.

Fruits défendus

On s'est longtemps méfié des fruits : *« Il se convient garder de tous fruits »*, lit-on dans le *Platine en françois*, *« car, comme dict Galien, je n'eus oncques fiebvre pource que je ne mangeay jamais de fruict. »* Et Aldebrandin, au XIIIe siècle, expliquait que *« tous fruicts sont mauvais à user pour ce qu'ils font mauvais sang et que les humeurs qui d'eux sont engendrées se corrompent aisément »*. Cette mauvaise réputation était sans doute périodiquement réactualisée par l'hécatombe de pauvres gens qui, les années de disette, mouraient d'un flux de ventre pour s'être nourris de fruits plus ou moins verts en place de pain. Ne croyons pas, cependant, que les gens à l'aise n'usaient jamais de fruits crus. Comme nous, ils les aimaient et en mangeaient volontiers, moyennant certaines précautions.

« Les cerises douces, dit Platine, *sont contraires à l'estomac, engendrent des vers et de mauvaises humeurs dans le corps »* ; toutefois elles ont aussi quelque vertu lorsqu'on les mange à jeun *« avec tout le noyau »* : *« Elles meuvent le ventre et font bien pisser. »* Quant aux cerises aigres – à ne pas confondre avec les « aspres », qu'on ne mange qu'en fin de repas – *« elles rompent le flegme et répriment la colère, amortissent la soif, engendrent bon sang, donnent bon appétit de manger et se peuvent manger à la première table, commodément »*. De même les prunes, *« s'elles sont bien mûres, doivent estre baillées à la première table »*. C'est-à-dire au début du repas. De même, encore, les pêches, les abricots, les mûres, les figues, les pommes et les poires douces. C'est ce qu'affirment le savant Platina, l'auteur du *Thresor de santé*, et quantité d'autres médecins des XVe et XVIe siècles ;

et nous venons de voir que leurs principes étaient généralement suivis par les maîtres d'hôtel des grandes maisons.

En tant qu'ils étaient corruptibles, les fruits auraient dû être mangés en dehors des repas pour ne pas contaminer les autres aliments. En tant qu'ils étaient froids et *« de difficile cuisson »* – la digestion étant conçue comme cuisson –, ils devaient séjourner dans l'estomac plus longtemps que les autres mets, ce qui explique qu'on les servît en entrée. Leur acidité était apéritive, c'est-à-dire qu'elle ouvrait les voies digestives et préparait ainsi l'assimilation du repas.

Quant à la douceur des fruits, elle n'était pas gênante pour des gens qui s'accommodaient fort bien du sucré avant le salé ou en même temps. Seuls les fruits âpres ou secs étaient rejetés en fin de repas : *« Pour la tierce et fin de table*, écrit Platina, *nous donnerons convenablement pommes ou poires, principalement aigres, pour rebouter les exalations et fumosités montant au chef et au cerveau pour cause des viandes prises aux deux premières tables. Les pommes ou les poires douces, ainsi qu'il a été dit servent trop mieux à la première table et ne sont à propos maintenant... Outre les choses dessus dictes* [*pommes et poires aigres, raifort, fromage vieux, anis, fenouil, coriandres, châtaignes*], *tous coings et migrannes* [grenades], *principalement aigres, et généralement toutes choses stiptiques et restrictives sont bien condescentes et convenables pour la tierce table ; mais en temps de poisson il convient bailler pour la tierce table des amandes, avelines* [noisettes allongées] *noix ou noisilles* [noisettes rondes] *pour ce qu'elles répriment – à cause de leur grande siccité – la froide et moite nature des poissons. »*

Melons et poupons

Tout au contraire de ces fruits secs, le melon était considéré comme très froid, très humide et particulièrement putrescible. Aussi fallait-il en user avec une particulière prudence. Dans *Le Thresor de santé*, on lit au chapitre « Des melons et poupons », [melons allongés à la chair plus pâle] : *« On ne doit user ni des uns ni des autres sans correctifs : car de leur nature ils se corrompent incontinent en l'estomach, et de cette corruption se peut causer – selon l'advis de Galien – un suc vénéneux. Il seroit plus expédient de les manger à l'entrée de table et de ne rien manger après, tant qu'ils fussent digérés à demy, en buvant du meilleur vin conséquemment. On ne doit* [*pas*] *boire de l'eau quand on en a mangé ou quand on en mange, parce qu'elle empesche la digestion. L'exemple de quelques Empereurs de Rome qui en sont morts nous en fait assez de foy. »*

« Il est bon de n'en manger qu'une fois le jour, pour ce que si l'estomac est infirme, les melons et poupons y résident jusques au lendemain. » Il y a des gens qui, par prudence, *« se promènent en les mangeant pour les faire plus tôt descendre au fond de l'estomac afin qu'ils se digèrent mieux. Ce qui se fait encore plus proprement si, tost après,* [...] *on ne mange autre chose sinon quelque petit aliment de bon suc, et seulement d'une sorte, pour corriger par sa vertu la malignité du melon. »* Ainsi *« c'est chose louable d'user après le melon du fromage plaisantin* [très sec et réputé très chaud] *ou de quelque viande assaisonnée ou de sel ou de sucre, pour engarder qu'il ne se putréfie »*. Toutes ces précautions prises, *« le melon se pourra digérer en l'estomac, se tournera en bon suc, rafraîchira le corps en l'ardeur de l'été, provoquera l'urine et laschera le ventre. Il comprimera pareillement les appétits charnels* [le désir sexuel] *parce que leur ardeur sera combattue par la frigidité du melon »*. Cette idée est ancienne : les manichéens dans l'Antiquité et certains cathares au Moyen Age faisaient du melon la plus pure des nourritures et inversement répugnaient à manger de la viande, qui

échauffait les appétits bestiaux. Ces idées, moins ouvertement, semblent aussi avoir eu cours chez les chrétiens.

Mais ce n'est évidemment pas la seule raison que l'on avait de manger du melon. « *Je ne suis excessivement désireux ny des salades ny des fruits, sauf le melon* », nous confie Montaigne. Et il se plaint que les médecins « *mangent le melon et boivent le vin frais, cependant qu'ils tiennent leurs patients obligés au sirop et à la panade* ». L'histoire gardait le souvenir de princes, rois et empereurs fous de ce fruit. « *L'empereur Albinus les aimait tant*, dit Le Thresor de santé, *qu'il en mangea dix pour un seul repas.* » Et Henri IV en mangeait souvent jusqu'à se rendre malade, malgré les précautions qu'il prenait. « *Un jour qu'il était à table*, raconte Sully, *Parfait entra avec un fort grand bassin doré, couvert d'une serviette, et commença à crier par deux fois : « Sire, embrassez-moi la cuisse, car j'en ai quantité et de fort bons ! »* – « *Voilà Parfait bien content, dit le Roi ; je vois qu'il m'apporte des melons. J'en suis fort aise, car j'en veux manger aujourd'hui tout mon saoul. Ils ne me font jamais de mal quand ils son bons, que je les mange ayant grand faim, et avant la viande, comme l'ordonnent les médecins.* » Quant à Mme de Sévigné, elle aussi respectueuse des préceptes médicaux, elle écrivait à sa fille : « *Je ne vous défends point le melon, puisque vous avez de si bons vins pour le cuire.* »

On n'en finirait pas de rapporter toutes les anecdotes montrant que le melon était considéré à la fois comme le meilleur des fruits et le plus dangereux. C'est-à-dire qu'il y a, dans notre culture occidentale, une sorte de complexe du melon. Et c'est pour cela sans doute qu'on a inconsciemment continué à suivre, pour ce qui le concerne, des règles depuis longtemps abandonnées à propos des autres fruits.

Platine

Diététiques

« Diététique », ils n'ont que ce mot à la bouche, les modernes censeurs de nos ripailles ! Et ce mot, qui hérisse tous les vrais gourmands, voilà qu'à mon tour je vous l'assène, dès le titre de cet article ! Pourtant, remarquez le pluriel. Si nos ancêtres se souciaient peu des règles de notre hygiène alimentaire, leur comportement, cependant, n'était pas fondé que sur la faim, la gourmandise ou l'ostentation. Eux aussi avaient une diététique.

Le chaud et le froid

Ses prescriptions quantitatives rejoignaient à peu près l'adage que vous connaissez bien : *« Il faut sortir de table sur un léger appétit. »* Mais par ses prescriptions qualitatives cette diététique différait fondamentalement de la nôtre. Celle-ci veille au juste équilibre, dans la ration alimentaire, des glucides, des protides, des lipides, des vitamines et autres éléments découverts dans les aliments par l'analyse chimique. Celle-là veillait à l'équilibre du chaud et du froid, du sec et de l'humide, qualités fondamentales que la physique antique avait associées aux quatre éléments constitutifs de l'univers, aux quatre saisons de l'année et aux quatre humeurs du corps humain : le sang, humide et chaud, qui a son siège dans le foie ; la colère ou bile jaune, chaude et sèche, qui agit sur le cœur ; la mélancolie ou bile noire, froide et sèche, qui a son siège dans la rate ; et le flegme ou pituite, froid et humide, qui tourmente la tête et l'estomac puis descend dans les reins et la vessie.

Parmi les aliments, les poissons, bien sûr, étaient froids et humides. Froides et humides aussi la viande de brebis, celles du cerf et du daim. Celle du porc, considérée comme la plus froide et la plus humide des viandes de boucherie, devenait au contraire chaude et sèche après un an de saloir. Celle du bœuf, froide mais sèche, passait pour grossière et de digestion lente, et pour engendrer un sang froid et mélancolique. De même celle du bouc, voire de la chèvre. En revanche, le veau et le jeune mouton avaient une chair chaude et moite qui *se cuisait* facilement en l'estomac et engendrait un bon sang. Meilleurs encore, pour les estomacs faibles et pendant les fortes chaleurs, le chevreau et le poussin, dont la chair était réputée la plus tempérée et la plus digeste de toutes.

Pour les aliments végétaux, voyez leurs degrés de chaleur et de sécheresse sur le tableau dressé d'après le *Régime du corps*, d'Aldebrandin de Sienne (XIIIe siècle). Certains classements vous y surprendront peut-être. Ainsi celui de la menthe qu'on aurait volontiers crue froide et humide, ou celui du cubèbe qui, bien que piquant comme le poivre, est classé au-dessous d'herbes et d'aromates qui n'ont jamais enflammé le palais de personne. Plusieurs de ces classements, en fait, étaient discutés : l'oignon, qu'Avicenne mettait au troisième degré pour la chaleur et au quatrième pour l'humidité, Rhazes l'estimait chaud et sec ; la truffe, que la plupart des auteurs jugeaient chaude et aphrodisiaque, Lau-

Qualités des divers aliments végétaux selon Aldebrandin

Sec

			4			*Ail ; Sénevé ; Poivre ; Pouliot sauvage*	
		Lentilles	3		*Genièvre*	*Clou de girofle ; Cardamome ; Garingal ; Sauge ; Curcuma ; Persil ; Pouliot ; Poireau ; Cresson de jardin ; Hysope de montagne*	
	Raisins verts	*Pois chiches ?* *Nèfles*	*Poires ; Millet* 2		*Cubèbe ; Cannelle ; Muscade ; Cumin ; Pignon ; Fenouil ; Cerfeuil ; Menthe ; Roquette ; Cresson de rivière ; Amande amère*	*Noix sèches ;* *Carvi*	
Froid			*Sorgho ; Orge ; Avoine ; Lupin ; Pois ;* 1 *Épeautre ; Fèves sèches*	1	*Vesces* 2	*Sel* 3	4
−4	**−3**	**−2**	**−1** *Laitue ; Eau ; Fèves fraîches ; Épinards* −1 *Blettes*	*Froment ; Amandes douces ; Safran ; Radis ; Canne à sucre*	*Lait frais ; Panais*	*Gingembre ; Semence de radis*	**Chaud**
	Pourpier	*Citrouille ; Concombre ; Courge ; Abricot ; Jus de citron*	−2		*Fasoles ; Dattes*	*Échalote*	
Champignons vénéneux	*Champignons comestibles*	*Prunes*	−3				
			−4			*Oignon*	

Humide

rent Joubert la dit froide autant que la courge[1]. On pourrait multiplier les exemples. Mais rien de cela n'est bien grave pour l'ancienne diététique.

Le régime du corps

Une fois connue la nature des aliments, le diététicien cherchait à construire des régimes adaptés aux fluctuations saisonnières et au tempérament propre à chaque individu. Chaque saison, en effet, était censée faire prédominer l'une des quatre humeurs : au printemps c'était le sang, en été la colère ; en automne la mélancolie ; et en hiver le flegme. Le régime devait donc corriger cet effet des saisons et rétablir l'équilibre des humeurs. En été, par exemple, on conseillait des nourritures légères et rafraîchissantes *« comme poussins au verjus, levraux, jeunes connins, laitue, pourpier, melon, cytrons, courges, poyres, prunes, poissons »*[2].

A peu près d'accord sur la manière de résoudre ce problème diététique, les médecins avaient des divergences fondamentales pour ce qui concernait l'adaptation aux tempéraments individuels. Aldebrandin, suivant en cela Avicenne, conseillait de se nourrir de *« semblante chose à la nature de chacun, c'est-à-dire chose chaude à chaude nature et froide chose à froide nature, et ainsi des autres natures »*. Ce principe d'identité paraît avoir été généralement reçu au Moyen Age, encore qu'Aldebrandin lui-même ait adopté le principe contraire dans son chapitre relatif aux divers aliments, emprunté à Isaac. La tendance à corriger l'humeur dominante et à rétablir l'équilibre pour amener chacun à une sorte de complexion

1. Voir ci-dessous, pp. 135-142.
2. *Le grant kalendrier et compost des Bergiers.* Voir aussi *L'Histoire* n° 12, « Calendriers gourmands ».

moyenne, triomphe en tout cas après le milieu du XVIe siècle. L'auteur du *Thresor de santé*, par exemple, soutient que les « *viandes* » et boissons « *qui sont de qualité humide et chaude* » sont propres « *à ceux qui sont d'humeur mélancolique ; celles qui sont froides et humides aux colériques ; les chaudes et sèches aux flegmatiques ; et celles de bon suc et médiocre nutriment aux sanguins* ».

Le tempérament n'était d'ailleurs pas qu'une affaire individuelle : il dépendait du sexe et de l'âge, les femmes étant considérées comme généralement plus froides et plus humides que les hommes ; les enfants plus humides et plus chauds que les adultes ; et les vieillards comme plus secs et plus froids. La diététique aurait donc pu conduire, dans la société entière, à des régimes différents pour chaque âge et chaque sexe. Mais comment y parvenir si les spécialistes donnaient des prescriptions contradictoires ?

Du bon usage du vin

Prenons l'exemple du vin. Platina, au XVe siècle, le juge bon pour tous. Aux vieillards il est bon « *selon médecine* », car il corrige leur froideur. Aux jeunes gens il est bon « *pour viande* » – c'est-à-dire comme nourriture, selon les règles de la diététique – « *car la nature du vin est semblable à leur nature* ». Quant aux « *jouvenceaux et petits enfans, il leur est pour viande et pour médecine* », car, bien que chauds, « *ils ont trop d'humidité et le vin la peut dessécher* ». Pour Joubert, qui professe les nouveaux principes puisqu'il écrit vers 1580, il n'est vraiment bon qu'aux vieillards. « *Il leur est*, dit-il, *comme le laict aux enfans* [...] *Car il les fait rajeunir, oublier les ennuis, soucis, soupçons et chagrins, les rendant plus maniables et remollissant leur rude et dure condition tout ainsi que le feu attendrit et rend maniable le fer.* » Les enfants, eux, s'en « *doivent abstenir, parce qu'ils ont naturellement si grande chaleur et humidité qu'on ne leur peut augmenter ces qualités sans évidents préjudices pour leur santé. Outre que le vin remplit fort la teste de vapeur, dont, eschauffant leurs cervelles bouillantes, il endommage leur esprit. Passés les dix-huit ans, le vin est permis en bien petite quantité, et plus aux filles qu'aux garçons, contre l'opinion vulgaire* ».

De fait, chaque âge et chaque sexe avaient en matière de boisson un régime spécifique, mais celui-ci, en France du moins, ne coïncidait ni avec les prescriptions médiévales, ni avec les prescriptions nouvelles : les hommes y buvaient traditionnellement leur vin coupé d'eau ; leurs femmes buvaient de l'eau à peine rougie de vin ; les jeunes filles et les enfants de l'eau pure ; et les domestiques, qui étaient d'ordinaire des jeunes gens, de la piquette. Cela ne prouve d'ailleurs pas que la diététique ancienne n'ait eu aucune influence sur l'alimentation populaire : les preuves du contraire abondent.

Sur poire, vin boire

Les médecins, par exemple, ont persuadé tout le monde des dangers du melon, aliment froid, humide et putrescible. Conformément à leurs conseils, on a pris l'habitude de le manger en début de repas, assaisonné souvent de sel et de poivre (à la française) ou de gingembre (à l'anglaise), ou accompagné de jambon cru (à l'italienne). On évite, en outre, de boire de l'eau par-dessus, et on le fait plutôt passer avec un verre de vin pur et fort qui achève de combattre sa froideur[1].

1. Voir ci-dessus, pp. 116-123.

Quantité d'autres coutumes, celle de chambrer le vin rouge et de rafraîchir le blanc, par exemple, renvoient aussi à la diététique ancienne[1]. Beaucoup sont passées en proverbe : *« Sur poire, vin boire »*, dit-on encore en Anjou et en Champagne ; *« Sur les fruits crus, vin pur »*, dit-on en Provence, reprenant le vieux *« Post crudum, purum »* des Anciens. Voyez encore l'habitude de finir le repas sur du fromage. Comme le disait proverbialement un personnage bien-de-chez-nous, « un morceau de fromage fait digérer tout le repas »[2]. Or Platina, au XVe siècle, écrivait que la fin du repas est en effet le moment de manger le fromage affiné, car il *« scelle l'estomac, presse et restreinct les viandes comme ferait un pressoir, les fait descendre au fond pour yssir... aide à la digestion et reprime les fumées qui vont au cerveau ».*

Conseils culinaires

Les diététiciens d'autrefois prenaient leurs responsabilités plus que ceux d'aujourd'hui puisqu'ils n'hésitaient pas à fournir au public des conseils pour l'assaisonnement des viandes ou même de véritables recettes de cuisine. Aldebrandin, pour rendre le faisan plus digeste, prescrivait de le manger *« en sauce cameline où il y ait assez de cannelle et de cardamome ».* Pour le paon et la grue, particulièrement difficiles à digérer, il recommandait la sauce appelée *« poivre noir ».* De même pour le cygne, le héron, le pluvier et le merle. Parfois il multipliait les précisions : la cervelle, par exemple, devait être accompagnée d'une sauce composée *« de vinaigre, de poivre, de gingembre, de cannelle, de menthe, de persil et d'autres semblables choses »* censées combattre

---

1. Voir ci-dessous, pp. 256-262.
2. Goscinny et Uderzo, *Le bouclier arverne*, Paris, 1968, p. 9.

sa froideur et son humidité. D'ailleurs le type de cuisson importait parfois autant ou plus que l'assaisonnement : la graisse de caille bouillie étant laxative, Aldebrandin prescrivait de rôtir ces oiseaux lorsqu'ils étaient gras. On trouve de même, dans le *Thresor de santé*, toutes sortes de recettes de cuisine. Voyez, en encadré, celles qui concernent les poires.

Je ne sais si les gourmands de l'époque appréciaient ces recettes ou s'ils n'y voyaient que tristes médecines. Ce qui est sûr, c'est que dans le plus célèbre des livres de cuisine du XVIIe siècle, *Le Cuisinier françoys*, l'éditeur parlait de l'art culinaire comme d'une diététique pratique : « *Ce livre* », dit-il dans l'avertissement de la première édition, « *ne tend qu'à conserver et maintenir la santé en bon état et en bonne disposition, enseignant à corrompre les vicieuses qualités des viandes par les assaisonnements contraires et diversifiés.* » Comparant l'ouvrage à un autre succès de librairie du temps, *Le Médecin charitable*, il faisait valoir « *qu'il est bien plus doux de faire une dépense honnête et raisonnable, à proportion de ses facultés, en ragoûts et autres délicatesses de viandes, pour faire subsister la vie et la santé, que d'employer une somme immense en drogues, herbages, médecine et autres remèdes* ».

Goûts et dégoûts

Au reste, l'indulgence pour la diversité des goûts que manifestait l'ancien service à la française [1] paraît aussi fondée sur la diététique ancienne et son idée d'une nécessaire adaptation de la nourriture au tempérament de chacun. Voici par exemple ce que disait, en 1674, *L'Art de bien traiter* : « *Il se rencontre*

1. Ci-dessous, pp. 279-284, « L'ancien service à la française ».

rarement que dans une compagnie quelqu'un ne s'élève et ne s'emporte contre ce qui a plus d'antipathie au doux penchant de sa nature, aussi a-t-on juste raison de présenter toujours de plus d'une sorte, afin que l'humeur dominante trouve ce qui a plus de rapport et de conformité avec son désir. » Les goûts étaient donc vus comme des sympathies que la nature de chaque individu entretenait avec tel ou tel aliment, et les dégoûts s'expliquaient par des antipathies naturelles. Ces sympathies ou antipathies, ces goûts et ces dégoûts – s'ils n'étaient pas l'effet de l'habitude, seconde nature – étaient estimés caractéristiques du tempérament de chacun, c'est-à-dire de la prédominance plus ou moins accentuée chez chaque individu de telle ou telle des quatre humeurs.

A l'opposé, le service « à la russe », qui règne depuis la fin du XIXe siècle, signifie que nous attendons des convives qu'ils aiment tout ce qui leur est servi. Les dégoûts – lorsqu'ils ne s'expliquent pas par une éducation étrangère ou quelque maladie – sont considérés comme des caprices d'individus mal élevés. Aussi tentons-nous d'obtenir des enfants qu'ils apprennent à manger de tout et sans caprices. Cela témoigne assurément du dédain que nous avons pour l'ancienne diététique. Mais pas forcément de l'influence de la nouvelle.

Je n'entends pas soutenir qu'autrefois diététique et gastronomie s'accordaient à tous égards : Platina, dans son *De honesta voluptate*, témoigne du contraire lorsqu'il dénonce du point de vue hygiénique tant de préparations parfaites du point de vue gastronomique. Par exemple l'aillée blanche ou le porcelet farci à la broche [1], ou cette fascinante tourte d'anguille qu'il conseille d'offrir *« à [nos] ennemis, parce qu'elle est plus friande que saine »*. Platon, déjà, opposait dans son *Gorgias* l'art du cuisinier à celui du médecin. Mais

1. Voir ci-dessus, p. 13, « D'honnête volupté ».

cette opposition nous est aujourd'hui trop familière. Nous avons trop tendance à la croire naturelle.

Diététique et gastronomie

S'il est quelque chose de naturel, en cette affaire, ne serait-ce pas plutôt leur accord ? Un numéro récent de la revue *Communications*, consacré à la nourriture, apporte plusieurs informations qui me confirment dans cette idée. D'abord le fait que des nouveau-nés d'origines ethniques diverses à qui l'on présente cinq solutions – neutre, sucrée, salée, acide et amère – réagissent tous par la même mimique, caractéristique de la solution présentée. Au-delà de cette similitude originelle, la personne se construit en mangeant [1]. C'est dire que – à l'inverse de ce que l'on pense généralement – la diversité des goûts individuels est très largement fonction des habitudes alimentaires de chacun. De même les goûts d'une société. D'autre part les habitudes alimentaires d'une société doivent beaucoup aux croyances diététiques qui y ont cours. Alice Peeters le montre pour les Antilles, et Georges Métaillé pour la Chine.

Le *Huang Di Neijing Suwen*, qui passe pour le plus ancien traité de médecine chinois, enseigne que *« la viande de bœuf ne se mange pas avec des châtaignes, pas plus que le lapin avec du gingembre, le porc avec du bœuf ou le canard avec de la tortue »*. Certaines de ces exclusions m'avaient déjà frappé dans la cuisine chinoise. Faut-il en chercher plus loin la raison ? Autre exemple : quand un Chinois de Singapour mange du dourion, il s'abstient d'autres aliments, à l'exception des mangoustans, parce que le dourion est une

1. Matty Chiva, « Comment la personne se construit en mangeant », *Communications*, 1980.

nourriture *« très chaude »* et que le mangoustan, étant frais, rétablit l'équilibre. Plus généralement, nous dit l'auteur, les Chinois attachent plus d'importance que la plupart des Occidentaux d'aujourd'hui au rapport des mets avec la saison, le temps, l'état de santé des convives et l'harmonie des plats entre eux.

Les peuples encore sous l'emprise d'une diététique d'ancien type seraient-ils donc seuls capables de cultiver cette sensibilité et cet art des correspondances ? Notre diététique actuelle serait-elle si différente des autres qu'elle ne puisse à son tour fonder une gastronomie ?

Platine

Recettes diététiques

• **Des poires.** *Les poires sont astringentes et nutritives, mais – comme Avicenne le témoigne avec l'expérience – elles sont fort venteuses, parquoy on les doit servir cuites en la braise avec anis, fenouil ou coriandre, buvant incontinent après un bon verre de vin vieil...*

Elles sont bonnes et profitables cuites en bon vin rouge, lardées de clous de girofle, sucre et cannelle, et servies avec force beurre frais, fromage gras sur le réchaut, sucre dessus. (Le Thresor de santé.)

Chapitre 4

Le statut des aliments

L'huître et la truffe

Dans l'Antiquité déjà, l'on se piquait d'avoir des viviers à huîtres et de faire venir des truffes de Cyrénaïque ou de Syrie. La pérennité de ce prestige ne tient-elle qu'aux qualités gastronomiques intrinsèques de ces deux denrées ? Ne l'affirmons pas trop vite. Vers 1580, dans *La Segonde Partie des erreurs populaires et propos vulgaires touchant la médecine et le régime de santé*, Laurent Joubert, médecin du roi et montpelliérain, consacrait un chapitre à savoir *« si les huîtres et les truffes rendent l'homme plus gaillard à l'acte vénérien »*. N'y a-t-il pas, dans la croyance vulgaire qu'il y combat, une des racines au moins d'un engouement millénaire ?

A l'heure du coucher

« Es huîtres en escailles, qui sont les plus estimées et desquelles principalement on entend ce propos, il faut considérer l'eau contenue dans leur escaille [...] *laquelle en tant que salée donne quelque aiguillon à l'amour, comme le sel et toute saleure. »* Le sel, en effet, fait boire. Pour l'ancienne médecine, il était donc chaud et sec. Or tout ce qui échauffait était considéré comme excitant le désir sexuel. Cette vertu

du sel était d'ailleurs bien connue. Si l'on en croit Joubert : *« Les poètes feignent pour cette occasion que Vénus fut engendrée de l'escume de la mer. »* En plus de l'eau de mer qu'elle contient, *« l'huître a un suc salé comme Galien témoigne – à raison duquel aussi elle peut esguillonner ».* Mais *« tout cela,* conclut-il, *est peu à rendre un homme gaillard, et moins (s'il n'y a autre chose) que les anchois ou sardines salées ou un jambon ».*

« J'entends, dit Joubert, *qu'à Venise on mange des huîtres à l'heure du coucher, pour devenir plus gaillard à faire l'amour : en quoy ils s'abusent ouvertement. Car il faudrait au moins que telle viande fût digérée et convertie en semence avant que venir au jeu, ce que ne peuvent estre les huîtres mangées après souper, de trois ou quatre jours. Car il faut premièrement qu'elles soient converties en sang, et que les vaisseaux spermatiques l'attirent du foye ou de la veine cave, après avoir traversé beaucoup de chemins. Puis il faut qu'il séjourne quelque temps aux testicules* [...]. *Ce n'est donc pas pour cette nuit-là que pourront servir les huîtres à rendre plus gaillard le compagnon. Car elles n'ont pas la vertu piquante des cantharides et autres tels médicaments esguillons de Vénus. Et si elles doivent servir de là à quelques jours* [...] *il vaudrait mieux les prendre parmi les autres viandes, et encore mieux à déjeuner, comme font la plupart des gens en nos quartiers. Car les viandes prises à part, et mises dans l'estomac vide, retiennent mieux leurs qualités, vertus et facultés, comme il est aisé à entendre. »*

L'habitude languedocienne de manger des coquillages le matin[1] subsiste dans nombre de villes maritimes – médi-

---

1. A une époque où le dîner avait lieu au milieu de la journée, le déjeuner se prenait le matin ; c'est notre petit déjeuner.

terranéennes ou atlantiques – malgré le triomphe général du café crème. Là où elles sont disponibles et bon marché, lorsque l'air marin nous imprègne le pharynx et nous dispose aux nourritures de la mer, nous avons tendance à croire – selon les mots de Platina – que les huîtres *« sont bonnes à l'estomac »* encore engourdi de sommeil, qu'elles *« lèvent l'ennui de manger, mollifient le ventre et purgent doucement la vessie »*. Le service des huîtres au coucher, quel qu'en fût l'effet, a un tout autre statut, une tout autre signification : il dit l'élégance, le raffinement des manières – manières de lit en l'occurrence, plutôt que manières de table.

Salacité n'est pas fécondité

« Mais tant s'en faut, dit Joubert, *que les huîtres engendrent beaucoup de semence* [...] *: elles n'engendrent que phlegme*[1] *gros et visqueux, comme Galien remontre par tous ses livres où il traite des viandes*[2]. » *« On m'objectera l'expérience et le commun usage* [...] *: à quoy je réponds que si on est plus invité au coït et congrès pour avoir mangé des huîtres, ce n'est que des grosses vapeurs et ventosités qui font tendre la verge, sans grand exploit à faute de munition qui y réponde. Autant en feront bien les herbes usuelles à ceux qui en mangent en quantité, et plus encore les légumes, pois, fèves, faveroles ou phaséoles, et semblables, qui outre la ventosité confèrent plus de nourriture au corps que les huîtres. Encore plus les châtaignes, qui rendent fort salaces*

1. Le phlegme, que nous appelons plutôt « lymphe », était une des quatre humeurs que l'ancienne médecine reconnaissait dans le corps humain.
2. Galien (Claude), *De la faculté des aliments*, livre 3, ch. 33.

tant hommes que femmes : dont il vient plus de nourrices des montagnes que d'autre part, à cause de telle nourriture. »

« Le vulgaire pense que les huîtres sont chaudes et que cela suffit à la gaillardise d'amour. Mais il s'abuse grandement : car elles sont manifestement froides et on les sent telles dans l'estomac, même[1] *quand on les a mangées crues et sans poyvre, qui est leur vrai conditure* [*condiment*] *et assaisonnement ; tout ainsi que les truffes, lesquelles sont aussi fort ignoramment estimées chaudes et par ce convenables à l'acte vénérien. Si on ne veut que s'y échauffer, que ne prend-on plustôt de la moutarde ou des aulx, qui échauffent si évidemment que rien plus – comme aussi le vin fort vaporeux, subtil et pénétrant – sans s'amuser aux huîtres et aux truffes, qui ont besoin d'être échauffées par l'addition de poivre ?* [...] *Si donc le poivre est le vrai correctif des huîtres et des truffes – comme chacun m'accordera facilement – et* [*si*] *le poivre* [*est*] *fort chaud au jugement des sens* [...], *il s'ensuit nécessairement que les huîtres et les truffes sont froides. »*

Une autre preuve de la froideur des truffes est que, *« selon Galien »*, on n'en use que *« pour leur faire prendre et recevoir les assaisonnements, comme l'on use des choses insipides et fades »*, qui toutes, comme la courge ou le concombre, sont aqueuses et froides. Elles sont donc *« bien loin de produire beaucoup de sperme ou d'exciter à l'acte vénérien » : « Ce ne sont que ventosités et grosses vapeurs qu'elles peuvent engendrer, tout ainsi que les huîtres. Ce qui peut bien rendre les personnes salaces, mais non pas fécondes. »*

---

1. Signifie ici : « en particulier ».

Continuités

Autant que l'huître et la truffe, j'aime le parler savoureux de Laurent Joubert et son inaltérable logique. Il faut pourtant avouer qu'en cette affaire comme en bien d'autres la postérité ne l'a pas suivi. Au XVIIIe siècle, les encyclopédistes affirment doctoralement que les truffes *« sont de facile digestion »* mais qu'elles ont l'inconvénient *« d'échauffer considérablement »* quoiqu'elles ne donnent pas soif. *« La vertu d'exciter l'appétit vénérien qu'on leur attribue est très réelle ; elle s'y trouve même en un degré fort énergique. Ainsi elles ne conviennent certainement pas aux tempéraments sanguins, vifs, bouillants, portés à l'amour, ni à ceux qui sont obligés par état de s'abstenir de l'acte vénérien. »* Quant aux huîtres, les biologistes actuels n'y ont-ils pas découvert la vitamine E, topique de la fécondité ? Que les révolutions scientifiques et autres coupures épistémologiques puissent n'avoir affecté en rien la continuité de nos croyances sur les vertus des aliments me paraît admirable.

La continuité est à peine moindre en matière d'art culinaire. Les amateurs d'huîtres plates – l'huître vraie – les mangent encore crues avec du poivre. Massialot, grand cuisinier du temps de Louis XIV, Menon, auteur du best-seller des livres de cuisine des XVIIIe et XIXe siècles, *La Cuisinière bourgeoise*, attestent que de leur temps cet usage était général. D'ailleurs, presque toutes les recettes d'huîtres cuites mentionnent aussi cette épice chaleureuse – la plus chaude de toutes les épices d'autrefois. Y avait-on recours à titre de correctif, comme l'affirment Joubert et *Le Thresor de santé* ? Ce n'est pas évident : ceux qui usaient de l'huître comme d'un aphrodisiaque ne l'estimaient vraisemblablement pas froide et lui ajoutaient du poivre pour renforcer sa vertu.

Pour la même raison, sans doute, le poivre a fidèlement accompagné la truffe : du XVe au XVIIe siècle, je n'en trouve qu'une recette dont il soit absent. Du XVe au XXe siècle, d'autre part, la truffe a contracté deux autres associations : avec la cendre et le bon vin. Avant de les cuire, selon Platina, il faut les laver dans du vin ; et après les avoir mangées, *« on doit boire du bon vin ». Le Thresor de santé*, un siècle plus tard, recommande de les cuire dans du vin, et à partir du XVIIIe siècle – de Menon à Colette – on prescrit d'utiliser pour cet usage le plus élégant des vins : le champagne. Enfin, les gastronomes du XXe siècle sont unanimes à conseiller de boire, sur les truffes, du champagne ou les plus grands vins de Bourgogne ou de Bordeaux. Plus qu'un principe de physiologie du goût, il s'agit peut-être d'une tradition hygiénique : le bon vin, en tant qu'il est chaud, combat l'éventuelle froideur de la truffe – si l'on suit Galien et Joubert – ou renforce sa chaleur et ses vertus aphrodisiaques, si l'on adopte l'opinion contraire.

Dernière continuité remarquable : la cuisson sous la cendre. Je la trouve déjà chez Platina au XVe siècle, puis dans tous les livres de cuisine que j'ai consultés, jusqu'à nos jours. Il y a, certes, d'autres procédés, dont la cuisson au vin est le principal. Mais la cuisson sous la cendre, plus ancienne apparemment, est particulièrement bien adaptée à un aliment que la terre a mystérieusement fait naître, qu'elle a nourri et jalousement conservé en son sein. D'ailleurs, à l'autre bout de l'échelle des valeurs gastronomiques, la pomme de terre, qui comme la truffe se cache sous terre, aime aussi la douce chaleur de la cendre.

Métamorphose

Plus admirable que ces continuités, l'apparente métamorphose de la truffe. Notre truffe noire du Périgord a une odeur puissante dont on parfume les viandes, les œufs, les poissons : elle est traitée en épice plus souvent qu'en aliment. Or Joubert affirmait qu'on n'usait des truffes que *« pour leur faire prendre et recevoir des assaisonnements, comme l'on use des choses insipides et fades »*. Et, à la suite de Galien, il n'hésitait pas à les comparer à la courge. L'auteur du *Thresor de Santé*, plus sobrement, disait les truffes *« sans saveur »*. Ou lorsqu'elles en avaient, ce n'était qu'un *« goût de terroir »* qu'il fallait leur ôter en les faisant *« parbouillir »* avant de les cuire *« avec beurre frais et épices »*. Il y a donc lieu de se demander si les truffes qui paraient les tables élégantes des Romains de l'Antiquité puis des Italiens du Quattrocento avaient bien les qualités gastronomiques de la nôtre.

Les encyclopédistes, au XVIIIe siècle, l'ont contesté : *« Il ne paraît pas que les Anciens aient connu notre truffe, car ils décrivent la leur de couleur rougeâtre et d'une surface lisse ; espèce de truffe qui est encore commune en Italie et qu'on appelle truffe sauvage, mais dont on ne fait aucun cas. »* Cette médiocrité de la truffe antique et de la truffe italienne pourrait être discutée. Mais je n'ai trouvé, dans les textes de l'Antiquité et de la Renaissance, aucune mention des régions actuellement productrices de truffe noire : ni le Périgord, ni le Quercy, ni la Haute-Provence. Les variétés que les Romains estimaient le plus venaient d'Afrique du Nord, du Moyen-Orient et des Balkans. *Le Thresor de santé*, à la fin du XVIe siècle, affirme encore que *« les déserts de Numidie en produisent en abondance »* ; que *« les Arabes en mangent bien volontiers, voire comme si c'était du sucre »*, et qu'ils *« la mangent bouillie en l'eau et au lait »*. Il dit encore qu'il se *« trouve une merveilleuse quantité de truffes en la cité de Damas en Syrie* [...] *qu'on apporte des montagnes de Turquie et d'Arménie »*.

Quelle sorte de délices ?

Si ces variétés avaient été bonnes, les laisserions-nous aujourd'hui à ces peuples devenus pauvres, nous qui importons nos foies gras d'Israël et nos écrevisses de Turquie ? Tout me porte à croire, comme les encyclopédistes, que ni les Romains ni les Italiens de la Renaissance n'ont connu de truffes de haute valeur gastronomique.

Il faudrait alors admettre que le prestige traditionnel de la truffe tenait à autre chose. Pendant des siècles cette plante sans racines, sans tige, sans feuilles, sans fleurs et sans fruits a passé pour une merveille de la nature. D'autant qu'elle naissait mystérieusement, restait totalement cachée dans le sein de la terre, déjouait les recherches et ne se laissait pas cultiver. La fascination qu'elle exerçait par là sur les esprits explique qu'on lui ait supposé des vertus mirifiques et des pouvoirs aphrodisiaques. Ce sont ces pouvoirs qu'elle partageait avec l'huître et les épices, qui ont fait son succès sur les tables aristocratiques. Et c'est par une sorte de miracle que ce mets, prestigieux depuis des siècles, est un jour devenu vraiment délicieux.

Platine

Huîtres en escailles

L'Anglais Martin Lister, ayant séjourné neuf mois à Paris en 1698, s'est étonné de la manière dont on y traitait les huîtres et nous fournit à cette occasion une explication de l'expression « huître en escaille ». *« On a une manière d'apporter les huîtres fraîches à Paris dont nous n'usons jamais, que je sache. C'est de les tirer de l'écaille, d'en jeter l'eau et de les mettre dans des paniers de paille : elles arrivent ainsi bonnes à être mises en étuvée et à être employées à d'autres ragoûts. »* Aujourd'hui, c'est nous qui sommes étonnés de nous voir vendre par les poissonniers américains des huîtres décoquillées, alors que les poissonniers français n'en vendent qu'en écailles.

Recettes

• **Truffes vertes à l'italienne.** *« Nettoyez bien des truffes et les coupez en rouelles, passez-les dans une casserole avec de la bonne huile et un bouquet, ou persil et ciboule hachés : étant passées, vous y mettez un verre ou deux de vin, sel, poivre concassé, vous les faites cuire un quart d'heure en dégraissant l'huile, et ne laissez que des yeux, finissant à sauce courte ; vous y ajouterez un jus de citron et des petits croûtons passés au beurre ; vous pouvez y mettre une cuillerée d'essence*[1] *; mais souvent on n'en veut pas. »* (Massialot, *Le Nouveau Cuisinier royal et bourgeois*, 1722.)

1. Une essence de jambon, vraisemblablement.

• **Truffes à la maréchale.** *Prenez de belles truffes bien lavées et frottez avec une brosse, mettez chaque truffe assaisonnée de sel, gros poivre, enveloppée de plusieurs morceaux de papier dans une petite marmite sans aucun mouillement, cuire dans la cendre chaude, pendant une bonne heure, et les servez chaudes dans leur naturel.* (Menon, *La Cuisinière bourgeoise*, 1753, p. 302.)

Le bon pain

Entre autres mesures du progrès, les amateurs de statistiques se réfèrent à la diminution de la consommation de pain. En 1880 les Français en mangeaient en moyenne 600 g par jour ; 325 g en 1936 ; et 182 en 1975[1]. Tout le monde s'accorde à penser que cette évolution manifeste une diversification de l'alimentation, qui a satisfait à la fois les aspirations gourmandes de la population et les prescriptions des nutritionnistes – pour une fois réconciliées. Voire.

Pain et companage

Pour les milieux populaires, ce qu'on retient surtout de cette diversification, c'est l'augmentation de la ration de viande. Mais l'histoire du rapport pain/viande n'est pas simple. A la fin du Moyen Age, la ration carnée était déjà – au moins dans les villes – assez confortable. C'est particulièrement vrai pour l'Allemagne, ainsi que l'ont établi Schmoller et Abel : 100 kg de viande de bœuf par personne et par an à Francfort-sur-l'Oder en 1308 ; 75 à 100 kg à Nuremberg en 1520 ; 3 livres par jour à Berlin en 1397,

1. Dupin (Henri), *L'Alimentation des Français,* ESF, 1978, p. 14.

soit douze fois plus qu'au XIXe siècle, etc. Mais c'est vrai aussi pour les autres régions d'Europe occidentale : Louis Stouff l'a montré pour la Provence[1], Le Roy Ladurie pour le Languedoc[2], Franca Leverotti, Santa Frescura Nepoti, et d'autres pour l'Italie[3], Sir Jack Drummond et d'autres pour l'Angleterre[4], Marie Dembinska pour la Pologne, etc. Du XVIe au XIXe siècle, époque d'essor démographique, la consommation de protéines animales semble avoir partout diminué dans les milieux populaires, en ville comme à la campagne ; et la part des glucides dans la ration alimentaire a augmenté d'autant. En particulier dans les riches régions céréalières comme la Beauce, la Limagne[5], etc. Ce n'est qu'au cours du XIXe, parfois même au XXe siècle, que la tendance s'est inversée.

Pour ce qui concerne les riches, c'est dès le début des temps modernes que la consommation de céréales paraît avoir diminué, si l'on en croit les livres de comptes. Le fait, il est vrai, n'est pas facile à interpréter en termes de ration alimentaire, car au Moyen Age on utilisait du pain pour faire des tranchoirs – qui après usage étaient mangés par les pauvres ou les chiens. La diminution de la consommation de pain dans les grandes maisons ne résulterait-elle pas

---

1. Souff (Louis), *Ravitaillement et alimentation en Provence aux XIVe et XVe siècles* (Paris, Mouton, 1970, 507 p., 135 F.).

2. Le Roy Ladurie (Emmanuel), *Les paysans du Languedoc.*

3. Leverotti (Franca), « Il consumo della carne a massa all'indizio del XV secolo » ; et Frescura Nepoti (Santa), « Macellazione e consumo della carne a Bologna... » *Problemi di storia dell'alimentazione nell'Italia medievale*, *Archeologia Medievale*, VIII (1981), pp. 227-238 et 281-297.

4. Drummond (J.C.) and Wilbraham (A.), *The Englishman's Food* (London, 1939 ; 2e éd. 1955). Dyer (Christopher), « English Diet in the Later Middle Ages », in T.H. Aston & al., *Social Relations and Ideas : Essays in Honnour of R.H. Hilton* (Oxford, Past & Present Society, 1983), pp. 191-216. Dyer (Christopher), « Les régimes alimentaires en Angleterre, XIIIe-XVe siècle », in *Manger et boire au Moyen Age*, t.2, pp. 263-274. Wilson (C.A.), *Food and Drink in Britain*, (London, 1973).

5. Poitrineau (Abel), « L'alimentation populaire en Auvergne au XVIIIe siècle », in Hemardinquer, *Pour une histoire de l'alimentation...*, pp. 146-153

seulement de la substitution d'assiettes de faïence ou d'étain aux tranchoirs de gros pain ? Mais l'étude des livres de cuisine confirme la tendance à la diversification de l'alimentation aristocratique et bourgeoise par multiplication des plats de légumes – ou plutôt, pour le dire dans les termes du temps, d'herbes, de racines, d'asperges, d'artichauts et de champignons. Car les plats de légumes proprement dits – à savoir pois, fèves, etc. – sont au contraire devenus proportionnellement moins nombreux, comme les plats de céréales. Alors que dans le régime alimentaire des pauvres la part des protéines animales diminuait au profit des glucides, dans celui des riches c'est la part des glucides d'absorption lente qui a diminué au profit des fibres.

Prestige du pain

Je reviendrai une autre fois sur cette transformation ; sur l'anoblissement de ce que nous appelons les légumes. Ce qui m'importe aujourd'hui c'est le statut du pain et des céréales. En déclin dans le régime des riches et en progrès dans celui des pauvres, le statut de ces aliments ne pouvait que s'avilir. Très lent d'abord, cet avilissement s'est considérablement accéléré au cours du XXe siècle. A la suite de nos statisticiens, nous avons tendance à considérer le pain comme une sorte de *« stapple food »* pour miséreux. Une nourriture calorique et bon marché, mais sans goût ; le degré zéro de l'alimentation. Nous avons les plus grandes difficultés à imaginer qu'il n'en a pas toujours été ainsi. Que le pain a été un aliment roi. Non seulement l'aliment le plus commun de l'homme civilisé, mais un aliment réellement prestigieux. Les textes anciens qui le glorifient, nous les interprétons de manière purement symbolique : nous ne voulons voir dans son ancien prestige qu'une conséquence du dogme eucharistique. Et lorsqu'un personnage de Giono, braconnier converti à l'agriculture, renonce aux lièvres et aux perdrix pour cette nourriture vraiment humaine qu'est le pain, nous avons le sentiment d'un énorme paradoxe, car lièvres et perdrix ont pour nous un statut gastronomique infiniment supérieur.

Le prestige du pain, Nicolas de Bonnefons l'exprime laconiquement, en 1654, dans ses *Délices de la campagne* : « *Le plus necessaire de tous les Alimens, que la Divine bonté a créez pour l'entretien de la vie de l'Homme, c'est LE PAIN ; sa benediction s'estend tellement sur cette nourriture, que jamais l'on ne s'en dégoute ; & les Viandes les plus precieuses, ne se peuvent manger sans Pain...* » Et Charles Estienne, près d'un siècle plus tôt, développait le même thème avec plus de prolixité dans sa *Maison rustique* : « *Il est tout certain que le pain tient le premier rang entre les choses qui donnent nourriture à l'homme* », écrit-il. Et il démontre cette prééminence par trois arguments pour nous bien étranges.

Premier argument : « *La plupart des autres viandes, tant soient-elles agréables au goût, bien apprêtées et assaisonnées de bonnes sauces, apportent le plus souvent un dégoutement* [...] *: le pain seul ne déplaît jamais, soit en santé ou maladie ; c'est le dernier appétit perdu, et le premier recouvré en maladie ; en santé c'est le premier & le dernier manger, plaisant et agréable en toutes sortes de repas.* » Pour être sensibles à cet argument classique il nous faut déjà un petit effort. Certes, nous mangeons du pain tous les jours et à tous les repas sans nous en dégoûter. Mais le pain est-il toujours le premier aliment qui nous fait envie lorsque nous recouvrons l'appétit après l'avoir perdu ? Est-ce par un morceau de pain que nous commençons nos repas et que nous les finissons ?

Doué de toutes les saveurs

Second argument : « *Le pain par un bénéfice émerveillable de nature, est doué de toutes les saveurs, qui particulièrement incitent et allèchent chacune viande d'être mangée. Les unes plaisent par leurs douceurs : les autres par leur aigreur : quelques unes par leur salure ; plusieurs par leur acrimonie ; aucunes par leur odeur gracieuse. Le pain contient en soi tout ce que l'on pourrait goûter de plaisant, et d'agréable ès autres viandes.* » Je reviendrai sur la saveur du pain. Mais de nos jours c'est plutôt son pouvoir nutritif que sa saveur que nous retenons. Nous en usons plutôt comme d'une nourriture insipide qu'il faut accompagner d'aliments savoureux pour la faire passer.

Enfin un argument plus purement diététique : « *Encore que les autres viandes, tant soient-elles de bon goût* [...], *ne pourraient être d'agréable ni profitable manger à la santé, si on ne les accompagnait de pain : même que le pain par sa bonté corrige les vices des autres viandes, et aide leurs vertus : c'est pourquoy le commun proverbe dit, que toute viande est trouvée bonne et profitable, quand est accompagnée de pain. Aussi nous observons journellement que la plupart de ceux qui mangent leurs viandes, soit chair, ou autre telle sorte de viandes sans pain, ont toujours l'haleine puante.* » Beaucoup d'entre nous continuent à ne pouvoir manger quoi que ce soit sans pain. Mais, hélas, les diététiciens ne nous encouragent plus à le faire. Non pas tant par suite d'un changement des idées scientifiques – puisque aujourd'hui comme hier l'association du pain avec les autres aliments est estimée augmenter son efficacité nutritive – mais par suite d'un changement d'objectif, le danger étant aujourd'hui la surnutrition.

Consommation aristocratique

L'ancien prestige du pain se vérifie-t-il au niveau des consommations ? Il est à cet égard regrettable de ne pouvoir remonter jusqu'au haut Moyen Age. Mais nous avons quelques éléments d'appréciation pour les XIVe et XVe siècles. D'abord une indication tout à fait conforme à notre actuelle vision des choses : plus on s'élevait dans la hiérarchie sociale plus la part du pain dans le régime alimentaire diminuait ; Louis Stouff l'a montré pour la Provence. Ensuite l'importance de la viande dans le régime populaire, qui nous surprend davantage. Plus étonnantes encore, les grosses quantités de pain consommées sur les tables aristocratiques. La table de l'archevêque d'Arles, en 1429 et 1442, offrait quotidiennement 4 500 calories par personne, dont 4 180 redevables au pain de froment, soit 91 % du total. Ascèse ecclésiastique ? Mais chez les seigneurs laïques aussi la consommation est impressionnante : 385 kg par an et par personne chez le Comte d'Auvergne au château de Vic vers 1380 ; 398 kg chez le seigneur de Murol, de 1409 à 1420 ; 453 kg en 1400, au château de Latour, pourtant habité par des dames [1] ; chiffres à comparer aux 66 kg par an et par personne que les Français ont consommés en moyenne en 1975, toutes classes sociales confondues ! La différence serait-elle totalement imputable au pain de tranchoirs et aux gaspillages nobiliaires ? Au XVIe siècle encore, chez les aristocrates polonais, les glucides – gruaux et bière compris, il est vrai – représentaient 65 à 80 % de la ration calorique,

1. Charbonnier (P.), « L'alimentation d'un seigneur auvergnat au début du XVe siècle », in *Bull. Phil. et Hist.*, année 1968, vol.1, pp. 77-102. Charbonnier (P.), « La consommation des seigneurs auvergnat du XVe au XVIIIe siècle », in *Histoire de la consommation, Annales E.S.C.*, mars-juin 1975, pp. 465-477.

alors que chez les paysans ils en représentaient de 81 à 86 %[1] ; et chez les nobles suédois, en 1573, les céréales seules auraient représenté 56,5 à 65,5 % des 5 à 6 000 calories absorbées quotidiennement[2].

La prépondérance quantitative des céréales sur les autres aliments n'est vraisemblablement pas sans rapport avec le haut statut gastronomique et diététique du pain à la fin du Moyen Age et à la Renaissance. Celui-ci est resté considérable aux XVIIe et XVIIIe siècles, comme en témoigne l'attention avec laquelle les voyageurs ont noté sa qualité dans les régions qu'ils traversaient. Ils ne tarissaient pas d'éloges sur ceux de Rome, de Madrid, de Paris, qui faisaient assaut de blancheur et de légèreté ; et rien ne leur paraissait plus significatif de la pauvreté et de la barbarie d'autres localités que sa grossièreté, sa noirceur, sa lourdeur, sa mauvaise cuisson. Bref, au début des temps modernes comme au Moyen Age, le pain constituait la nourriture essentielle de toutes les régions policées, et de toutes les classes sociales. Celles-ci se distinguaient moins les unes des autres par la quantité qu'elles en consommaient que par la qualité de celui qu'elles mangeaient.

Pain noir, pain blanc

Rien, même, ne les distinguait autant. D'un même froment, on tirait toutes sortes de farines et de pains pour différents destinataires : « *De la farine entière, & de laquelle l'on n'a rien séparé, l'on fait le* pain de ménage. *De celle où l'on a ôté le plus gros son, est fait le* pain Bourgeois. *De*

---

1. Wyczanski, *La consommation alimentaire en Pologne aux 16e et 17e siècles* (Paris, 1985, 213 p.).
2. Spooner (Franck), « Régimes alimentaires d'autrefois : proportions et calculs en calories », in Hemardinquer, *Pour une histoire de l'alimentation*, pp. 35-42.

celle dont on a séparé le son du tout, est fait le petit pain blanc. *De celle dont on a ôté la plus grosse fleur blanche et y a-t-on laissé la plus subtile sont faits le* pain de chapitre, *les gauffres, le* pain à chanter, *les tartes, les gasteaux et les autres pains de pâtisserie ; l'on fait aussi du* pain quasi de pur son, *auquel on trouve encore de gros fétus & paille, qui est pour la nourriture des chiens. »*

La diversité des pains se compliquait de celle des céréales panifiables. Liger, au début du XVIIIe siècle, écrivait dans sa *Nouvelle Maison rustique* : *« On en fait de trois sortes ; l'un pour le maître, l'autre pour les valets & servantes, & le troisième pour les chiens. Le premier se fait de froment pur ; on mêle du seigle ou du méteil dans le second ; & le troisième ne se fait que des recoupes, autrement dit du son. »* Au XVIe siècle, Estienne parlait moins brutalement des distinctions de classe, les assaisonnant de considérations agricoles et diététiques. *« Puis donc que la vie de l'homme consiste sur toutes autres viandes en l'usage du pain »*, écrit-il, *« qui sera soigneux de son vivre, et de sa santé doit faire choix de pain, selon sa fortune, condition et naturel. »*

D'un côté il y avait le pain des travailleurs, noir ou gris, très dépendant des ressources de l'agriculture locale : *« Le pain qui est fait* de la farine de bled froment entière, *et de laquelle on n'a rien séparé par le tamis, est propre pour les laboureurs, fossoyeurs, crocheteurs, et autres personnes qui sont en perpétuel travail, d'autant qu'ils ont besoin de nourriture qui ait un suc gros, épais et visqueux ; propre aussi leur est celui qui n'a pas beaucoup de levain, qui n'est pas beaucoup cuit, qui est aucunement pâteux et visqueux, qui est fait de farine de Secourgeon, de seigle mêlé parmi blé froment, de chastaignes, de ris, de febves, et d'autres tels légumes grossiers. »*

De l'autre côté les pains des gens de loisir étaient divers eux aussi mais toujours blancs et de froment : « Le pain *qui est fait* de fleur de farine, *qui est la partie plus dure d'icelle, est bon pour les personnes oisives & qui ne travaillent pas beaucoup de corps : tels sont les gens studieux, les Moines, Chanoines & autres delicates personnes, qui ont besoin de nourriture de facile digestion. Tel est le* pain blanc *que l'on vent chez les boulengers, et le* pain *appellé* de chapitre [*distibué quotidiennement aux chanoines*]. *Item celuy qui est bien levé, tel est le pain des courtisans appellé* pain de bouche. »

La liste des pains de boulangers s'est-elle enrichie au fil des siècles ? C'est ce que suggère le *Dictionnaire de Trévoux* qui mentionnait en 1704 : « *Pain à la reine, pain molet, à la mode, à la Montauron, de Ségovie, de Gentilly, pain de condition. Ce sont diverses façons & préparations que donnent les Boulangers de petit pain à celui qu'ils vendent. Ils mettent du lait au pain à la mode, à la Montauron, de Ségovie &c. Ils mettent du sel & de la levure de biere au pain à la Reine ; du beurre au pain de Gentilly, &c. & en tous ces pains la pâte est plus molle & plus levée.* »

Fantaisies de grands seigneurs

Il arrivait, certes, que des gens distingués mangent des pains rustiques, faits d'autres céréales que de froment. « Le pain de mil *et de panic est assez vulgaire en Bearn & Gascogne* », note Charles Estienne, « *non seulement au populaire, mais aussi aux grands Seigneurs, lesquels en usent toutesfois plus par curiosité ou defaut de bon appetit qu'autrement... Il est de plaisant goust quand il est frais cuit & bien boulengé, principalement quand il est mangé tout chaud sortant du four, car lors il se ressent d'une douceur fort agreable. Aussi ès pays où l'on fait de tel pain les boulengers le portent soudain qu'il est tiré du four par la ville, & crient,*

" pain chaud de millet ". Quand il est endurci il perd toute sa grâce. »

Quant au pain de seigle, on lui trouvait déjà des vertus diverses : *« Le* pain *fait de la seule farine* de seigle *est fort noir, pesant, pasteux, d'un suc visqueux & mélancolique, & difficile à digérer, ains propre au manger des rustiques & villageois, non des grands Seigneurs & gens bien aisez. Vray est que les médecins le recommandent, principalement en Esté, au commencement du repas, pour amollir le ventre, ainsi que nous voyons en Cour les* grands Seigneurs *en user pour ceste occasion : mais faut que tel pain soit fait de farine non entiere de seigle, mais bien sassée, si que le pain ait la couleur de cire, qu'il soit aussi frais cuit : car le vieil s'aigrit & perd sa bonne odeur. Les* femmes Lyonnoises *pour être belles et avoir un beau teinct, le corps solide & succulent, n'usent d'autre pain que de seigle. Ceux qui sont fort alterez, au lieu de ptisane ou cidre, ou biere, ou autre tel breuvage, peuvent boire de l'eau pannée, faite de pain de seigle, bien agile, & battu en eau. »*

Enjeu des luttes sociales

Ces écarts à la règle ne la mettaient nullement en péril. La signification sociale du gros pain et du petit pain, du pain noir et du pain blanc, était si prégnante, dans toute l'Europe occidentale, que les voyageurs des XVIe, XVIIe et XVIIIe siècles étaient vraiment choqués, et s'indignaient, lorsqu'ils voyaient, en Pologne, de grands seigneurs manger du pain noir pour leur ordinaire, comme de pauvres paysans. Signe qu'on était encore bien loin, au niveau des représentations, d'abandonner le pain au peuple, même si, aux XVIIe et XVIIIe siècles, le processus de désaffection avait en fait commencé.

Pendant des siècles, d'ailleurs, les gens du peuple ont lutté non pas tant pour diversifier leur régime alimentaire que pour améliorer la qualité de leur pain. Louis Stouff a montré comment, au cours des XIVe et XVe siècles, le peuple des diverses régions de Provence a pu abandonner les pains d'autres céréales que le blé. A Florence, en ces derniers siècles du Moyen Age, l'une des grandes conquête populaires a été le pain blanc [1]. Ce pain blanc qui ne nous paraît plus, aujourd'hui, tellement hygiénique, a été partout la grande revendication sociale. Et Restif de La Bretonne, dans le tableau idéalisé qu'il présente de la vie de son père, affirme que chez lui *« tout le monde mangeait le même pain ; la distinction odieuse du pain blanc et du pain bis n'avait pas lieu dans cette maison »*.

Un aliment sophistiqué

Noir ou blanc, le pain n'était pas une préparation quelconque des céréales. C'était un produit très sophistiqué, qu'il a fallu des siècles pour mettre au point, et qui exigeait beaucoup de temps, beaucoup de savoir et beaucoup d'attention. A force d'acheter notre pain chez le boulanger, nous n'avons plus idée des efforts que nos ancêtres consacraient à sa fabrication, et ne nous interrogeons même plus sur la qualité du grain dont provient celui que nous mangeons. Au XVIe siècle, bien que le pain de boulanger ait déjà conquis les villes, on y était encore très attentif. A la campagne, c'était encore le consommateur qui faisait pousser son blé, le moissonnait, le battait, le portait au moulin, le

1. De La Roncière (Charles-M.), « Alimentation et ravitaillement à Florence au XIVe siècle », *Archeologia Medievale*, VIII (1981), *Problemi di storia dell'alimentazione nell'Italia medievale*, pp. 183-192.

blutait éventuellement, faisait son levain, puis boulangeait longuement sa pâte, et la portait au fournil.

Le levain était *« un morceau de paste délaissée du dernier panifice, couvert & enveloppé de farine, lequel on destrempe pour enlever la trop grande glutinosité, viscidité à la farine que l'on peut employer à faire paste pour le pain. Ce levain acquiert une aigreur à la longue garde, laquelle apporte une grâce & meilleure saveur au pain. Aussi nous voyons que les pains tant plus ont de levain, tant plus sont plaisants & plus sains que ceux qui ont moins de levain... »*.

« Quand la fermière voudra boulanger sa pâte, écrivait Charles Estienne, *faudra deux ou trois jours* [avant], *ou pour le mieux la veille, détremper son levain avec eau chaude, ou bien d'eau froide, selon le temps & la diversité du bled dont elle fera son pain. »* « En Beauce... *elle sera soigneuse surtout de bailler les façons à son levain à heures certaines et bien réglées. En Eté... rafraîchira d'eau fraîche son levain à Midi, le renouvellera à cinq heures, et à neuf heures pour le dernier... Cette eau, en Eté, doit être fraische tirée du puits, ou plustôt de la fontaine ou de la rivière, parce que l'eau du puits, comme* [elle] *est pesante... aussi rend le pain plus pesant... En Hyver renouvellera son levain d'eau fraîche échauffée ; ...de laquelle eau, soit en Hiver ou Eté,* [elle] *mouillera ses bras et mains, et pétrira sa pâte soigneusement, la tournant et versant de tous les côtés, çà et là, long temps, et par plusieurs fois,* [jusqu']à ce *que toutes les parties s'en sentent, et que toute la glutinosité et viscidité* [viscosité] *de la farine puisse estre disrompuë et desséchée, afin que le pain en soit plus fragile, plus facile à mâcher, et non si pâteux aux dents, bouche et estomach... »*

A chaque blé son pain

Suivent des consignes différentes, si l'on partait d'un blé d'Ile-de-France, de Brie, de Champagne, ou de Picardie. En *« France »*, le blé *« fait un grain plus court, & moindre que celuy de Beauce... »* mais *« le pain qui en est fait est... plus blanc et de meilleur manger que celuy de la Beauce »*. Avec ce blé moins glutineux on devait utiliser moins de levain, et le délayer d'une eau moins chaude. Le blé de Brie « fait un grain beaucoup moindre que celuy de la France & de la Beauce », et de ce grain on faisait, selon des procédés encore différents, *« un pain de moindre grandeur que celuy du bled de Beauce, de moindre blancheur, & de manger non pas si bon que celuy du bled de France »*. Le blé picard était *« moindre »* encore que les précédents et l'on en faisait un pain *« moindre en bonté, grandeur, blancheur et profit, parce que ce grain est plus dur, robuste, revêche, et non tant facile à moudre que les autres, et duquel la fleur ne peut estre bonnement tirée »*. Plus ennuyeux encore : ce pain était de cuisson difficile, parce qu'il s'y formait rapidement une croûte qui arrêtait la chaleur et empêchait la mie de cuire, de sorte qu'il demeurait *« toujours gras »*. Le blé de Champagne, lui, était *« long, ténu et fendu par le milieu »*, ce qui le rendait *« tortillant entre les meules, plus long à moudre que les autres »* et de moins bon rendement. En outre la farine qu'on en tirait avait un désagréable *« goût de terre »* ce qui obligeait à utiliser un levain plus nouveau que dans les autres régions.

D'où que vînt le blé, la pâte après avoir été *« bien pétrie, remuée et apprêtée comme est de besoin »* était divisée *« par portions orbiculaires, de suffisante grandeur et épaisseur, pour être enfournée dans un four médiocrement échauffé »*.

Si on le chauffait trop, on obtenait en effet un pain à la croûte brûlée, et mal cuit au-dedans. Mais cela dépendait évidemment de « *la grandeur, grosseur, et qualité de la pâte, car un pain épais et gros d'une pâte du blé de Picardie demande plus longue et grande cuisson qu'un pain petit et fait de blé de Beauce ou de France* ». Enfin, le pain une fois cuit, il fallait l'entreposer « *en un lieu non fétide ni puant, ni infecté de mauvais air : car le pain chaud, par sa chaleur, attire facilement et succe la qualité vénéneuse et corrompue de l'air : ès lieux moites, le pain soudain devient muqueux & remugle ; en lieu trop sec il moisit.* »

Tout le monde déconseillait de le manger immédiatement : il fallait attendre « *le jour suivant en Esté, ou le troisième en Hyver : car le pain frais, et principalement celui qui est chaud, retient encore une grande partie de son humidité, lenteur et viscosité* ».

Pourtant, le pain sortant du four avait une rare vertu : sa miraculeuse odeur. Selon Avicenne, « *il est possible* [à] *aucuns de vivre de la seule odeur du pain chaud* » ; selon Platine elle « *ressuscite les syncopisants* » ; et Charles Estienne confirme : « *Vray est que les médecins louent beaucoup pour les faillances, l'odeur ou flaireur de la mie de pain sortant du four...* »

Nostalgies

Illusions ? Mais leurs discours ressuscitent en moi dans toute leur force des odeurs de pain chaud évanouies depuis un demi-siècle : celle d'une petite miche que notre voisine avait faite pour moi un jour qu'elle avait cuit le pain, vers 1937 ; l'odeur beaucoup plus forte et piquante d'un pain de blé dur – cuit peut-être aux fagots de lentisque – que j'achetais chez un boulanger de campagne, dans un village algérien, en 1942 ou 43 ; celle, plus suave, des pains de gruau qu'on m'envoyait chercher à la boulangerie, en ville, et dont il était absolument impossible de ne pas dévorer le croûton avant d'arriver à la maison ; celle d'un autre pain de gruau, que mes cousins et moi avons mangé vers 10 ou 11 heures, lors d'une promenade, en 1939-40 : un pain frais si bon que nous refusions pour une fois d'y mêler la saveur du chocolat. Oui : même un enfant de huit ans, habituellement intraitable sur les hiérarchies gastronomiques, pouvait parfois mettre le pain au-dessus du chocolat. Autrefois.

J'ai eu la chance de rencontrer, au cours des vingt dernières années, quelques excellents pains de campagne – dont celui de Poilâne, particulier, irrégulier, malheureusement sans rival aujourd'hui, que je sache. Et quand on va les chercher à la boulangerie, encore tièdes, ils sentent bon, c'est vrai. Mais je ne me souviens pas de m'être jeté dessus pour en manger une tranche, telle quelle, sans beurre, comme on se jetait avant guerre sur les pains-de-gruau-sortant-du-four. Les pains rustiques ont leurs vertus et l'on doit se réjouir qu'il en reste un témoin. Mais on ne peut leur reprocher d'être moins friands que l'ancien pain de bouche.

J'approuve que de grands restaurateurs se soient remis à faire eux-mêmes leurs petits pains. L'intention est louable. Mais j'avoue n'en avoir encore jamais trouvé qui approche, même de loin, ces pains gourmands d'avant-guerre. Alors, tout bien considéré, comment doit-on interpréter la désaffection des Français à l'égard du pain, depuis un demi-siècle ? Est-ce assouvissement enfin possible d'autres pulsions gourmandes ? Alimentation plus équilibrée, plus hygiénique ? Ou avilissement du pain ?

Platine

Abstinence : pourquoi la viande ?

Du point de vue religieux, la viande n'est pas un aliment comme les autres. Beaucoup de règles monastiques l'ont proscrite ; et pendant près de deux millénaires les laïcs eux-mêmes ont dû s'en abstenir pendant les « jours maigres » qui représentaient environ 150 jours sur les 365 de l'année.

Cette abstinence avait pour but avoué de mortifier le corps et de développer la vie spirituelle. Mais pourquoi est-ce de viande qu'il fallait s'abstenir pour cela plutôt que de truffes ou de caviar ? Cette question a été rarement posée ; et les réponses qu'on lui a données sont loin d'être satisfaisantes.

Mauvaises raisons

Au début du XXe siècle, le *Dictionnaire de théologie catholique* affirme que cette prohibition ne résulte pas *« d'une aversion injustifiée à l'égard de la chair »* ; ni d'un *« respect superstitieux pour les animaux »* comme dans le brahmanisme et le bouddhisme ; et qu'elle ne doit rien *« aux prescriptions de la Loi mosaïque »*. Elle aurait deux raisons. C'est d'une part que, *« pouvant être apprêtés d'un plus grand nombre de manières »*, les aliments carnés *« flattent toujours davantage la sensualité »* que les aliments maigres. Cet argument est curieux, puisque les grosses viandes de boucherie n'ont jamais eu un statut gastronomique distingué ; et qu'on trouve généralement, dans les livres de cuisine anciens, plus de recettes pour les jours maigres que pour les jours gras.

L'autre raison, plus traditionnelle, est que ces aliments *« étant plus substantiels,* [...] *procurent au corps une exubérance de la vie »* ; exubérance qui, suggère-t-on, favorise les péchés de chair. Au VIIe siècle déjà, la chose avait été dite en d'autres termes, plus explicites, par Isidore de Séville : *« Les aliments carnés engendrent la luxure de la chair : ils sont en effet échauffants et nourrissent tous les vices. »* Cette explication est d'autant plus digne d'intérêt que pendant plus d'un millénaire toute activité sexuelle, y compris conjugale, avait été interdite en temps de jeûne [1].

Malheureusement, elle ne semble pas cohérente avec les conceptions diététiques de l'Antiquité et du Moyen Age. La viande des bêtes de boucherie adultes – bœuf ou vache, brebis, bouc, chèvre, porc, etc. – bien loin d'être échauffante, était en effet considérée comme « froide » ; au contraire beaucoup d'aliments végétaux étaient réputés « chauds » ou « tempérés ». Quant au vin, qui, alors, était aussi interdit en temps de jeûne et dont le caractère échauffant ne faisait de doute pour personne, il a pourtant cessé, au cours du haut Moyen Age, d'être un objet d'abstinence.

En vérité, ce n'est pas au niveau du rationnel qu'il faut chercher l'explication des attitudes chrétiennes envers la viande : c'est au niveau des mentalités et des traditions culturelles ; dans l'image qu'on se faisait de la viande et du sang au début de l'ère chrétienne. Pour retrouver cette image, jetons un coup d'oeil sur la boucherie et l'alimentation carnée dans les sociétés antérieures.

1. J.-L. Flandrin, *Un temps pour embrasser...*, Seuil, Paris, 1983.

La viande du sacrifice

Les sacrifices sanglants, que les chrétiens ont rejetés, ne concernent pas seulement le rituel du culte mais aussi l'alimentation carnée.

Les anciens Grecs ne mangeaient aucune viande de boucherie qui n'ait été sacrifiée sur les autels. Cela témoigne d'une espèce de déférence envers la vie animale, un refus de tuer les animaux domestiques pour des raisons seulement alimentaires. C'est aux dieux qu'on les sacrifiait, comme on avait, dans les temps reculés, sacrifié des humains. Et pendant que les hommes mangeaient ensemble la viande de la victime, on en brûlait la graisse et les os dont la fumée délectait la narine des dieux. Malgré cela, d'ailleurs, plusieurs sectes abominaient les sacrifices sanglants et refusaient de manger de la viande : en particulier les orphistes, et les pythagoriciens de stricte observance.

Chez les Hébreux comme chez les Grecs, le sacrificateur était, d'une certaine manière, un personnage sacré en même temps qu'un boucher ; et, comme les dieux grecs, le Dieu d'Israël se réservait sa part de l'animal : la graisse, et plus encore le sang, dont la Bible dit qu'il est l'âme.

Principe vital, sacré, réservé à Dieu, le sang était en même temps abominable à l'homme. Toute viande non saignée était immangeable. Or le christianisme, qui a répudié la plupart des interdits alimentaires de l'Ancien Testament, a pendant dix siècles conservé celui-là. S'il est rare de retrouver, dans les textes chrétiens – du moins en Occident –, l'idée que le sang de l'animal est son âme, on a maintenu cependant l'idée qu'il est abject de manger une viande non saignée.

Mais, pour les chrétiens, verser le sang est abominable

également. Le prêtre qui en répandait, fût-ce par accident, était frappé d'irrégularité et ne pouvait reprendre ses fonctions qu'après avoir été réconcilié rituellement ; de même une église était polluée et devenait impropre aux rites sacrés lorsque du sang ou du sperme y avaient été répandus. Le sang comme le sperme pollue le sacré. Seuls des individus profanes – et impurs – peuvent en verser.

Interdisant de manger les viandes non saignées, refusant de verser le sang des victimes sur leurs autels, les chrétiens de l'Antiquité proscrivaient aussi la consommation des animaux sacrifiés sur les autels païens. A partir de là on peut imaginer deux attitudes : ou bien renoncer à l'alimentation carnée comme impure ; ou bien désacraliser totalement la mise à mort des animaux. C'est la seconde que l'Église a officiellement choisie.

Hérésies et monachisme

Mais ce choix opéré au niveau doctrinal ne pouvait s'effectuer aussi facilement au niveau des mentalités. A ce niveau, verser le sang ne pouvait devenir du jour au lendemain une opération anodine. Elle ne pouvait que passer de la sphère du sacré à la sphère de l'impur. Et bien avant l'apparition du monachisme, beaucoup de chrétiens qui se voulaient purs ont renoncé à l'alimentation carnée.

Ces chrétiens-là ont été réprouvés par l'Église à plusieurs reprises au cours des quatre premiers siècles. Au IVe siècle, le concile de Gangres a jeté l'anathème sur ceux qui jugeaient l'alimentation carnée incompatible avec le salut. En 314, le concile d'Ancyre avait obligé les clercs à manger de la viande au moins une fois dans leur vie sous peine d'être exclus des rangs du clergé. Plus tôt encore les *Canons Apostoliques* avaient réprouvé *« les clercs, évêques, prêtres ou diacres qui s'abstiennent du mariage, de la viande et du vin ».* Et déjà au Ier siècle saint Paul, dans son Épître à Timothée, avait dénoncé les *« faux docteurs... prescrivant de ne pas se marier, et de s'abstenir d'aliments que Dieu a créés ».*

Nous ne connaissons les idées de ces ennemis de l'alimentation carnée que par leurs adversaires. Mais, s'il faut en croire le canon 14 du concile d'Ancyre, ils jugeaient que la viande était *« immonde », « abominable »* et qu'elle *« polluait »* même les légumes qui auraient cuit avec elle. Elle provoquait chez ces purs un dégoût qui était à la fois sensuel et spirituel.

Cette vision de la viande que l'Église antique a condamnée doit sans doute quelque chose aux gnostiques et aux manichéens, qui réprouvaient totalement le monde charnel. Mais elle s'est développée parmi les chrétiens pendant au moins trois siècles, malgré toutes les condamnations. Il est donc clair qu'elle trouvait, dans les mentalités chrétiennes de ces premiers siècles, des points d'ancrage solides.

Si solides que les moines, retrouvant les exigences de pureté des hérétiques des premiers siècles, se sont comme eux interdit perpétuellement toute chair et toute œuvre de chair. Peut-on vraiment croire qu'ils l'aient voulu pour des raisons radicalement différentes ? D'autant que le monachisme est apparu avant la fin du IVe siècle, alors que les chrétiens étaient en pleine confrontation avec les manichéens.

Boudin et viande saignante

L'interdit frappant la consommation du sang et des viandes non saignées, rappelé par diverses autorités ecclésiastiques jusqu'au VIIIe siècle, s'est effacé à partir du IXe.

Le pape Nicolas Ier (858-867) écrivait en effet dans sa lettre aux Bulgares : *« On peut manger toutes sortes de viandes, si elles ne sont pas nuisibles par elles-mêmes. »* Et sous le pontificat de Léon X (1048-1054), le Grec Michel Cérulaire reproche à l'Église latine cette abolition du vieil interdit : *« Vous êtes à demi païens,* dit-il, *parce que vous mangez des animaux étouffés, dans lesquels se trouve encore le sang. Ne savez-vous pas que l'âme est dans le sang, et par conséquent que celui qui mange le sang d'un animal mange aussi son âme... laissez les animaux étouffés aux barbares, afin qu'il n'y ait plus qu'un seul pasteur et qu'un seul troupeau. »*

Mais les mentalités et les pratiques ont-elles suivi les décisions ecclésiastiques ? Aujourd'hui encore, les ménagères italiennes et portugaises lavent soigneusement les viandes avant d'en commencer la cuisson, tout comme celles de Grèce et autres Églises d'Orient, schismatiques ou non. En outre, dans tous ces pays méridionaux et orientaux, la viande est cuite longuement, tandis que les Anglo-Saxons et autres Européens de l'Ouest et du Nord l'aiment saignante. Autre manière de bien éliminer le sang : la salaison. Or les livres de cuisine attestent que dans les pays méridionaux – y compris la France – on ne mangeait guère le porc que salé. Ce ne sont là qu'indices discutables, qu'il faudrait compléter par une étude systématique des procédés de chasse – permettaient-ils d'égorger les animaux ? – et de la consommation du boudin, de la sanguette, et autres préparations au sang.

Au XIIIe siècle Aldebrandin de Sienne ne mentionne pas le sang parmi les parties comestibles des animaux, alors qu'au début du XVIIe *Le Thresor de santé* s'y arrête, jugeant meilleur celui du porc et celui du lièvre, que l'on faisait bouillir avec le foie. En France pas plus qu'en Italie, les livres de cuisine médiévaux ne parlaient de sang dans la préparation des civets. Mais dès la fin du XIVe siècle *Le*

Ménagier de Paris donnait des recettes de « Boussac de lièvre » au sang, de lamproies dans une sauce au sang ; et Chiquart d'épaules de mouton peu cuites mangées dans la sauce de leur sang. Le boudin – dont *Le Ménagier* donne trois recettes – est mentionné dans les menus de plusieurs banquets aristocratiques des XIVe et XVe siècles ; et Laurent Joubert, vers 1580, consacre un chapitre de ses *Erreurs populaires* à expliquer pourquoi l'on en offrait à ses voisins quand on tuait le cochon. Enfin l'on sait par un contrat de 1467 qu'à cette date les Provençaux utilisaient du sang de mouton dans leurs saucisses de porc.

Réification de l'animal

Jusqu'au XVIIe siècle, je perçois dans les mentalités occidentales une lente réification de l'animal, une banalisation de sa mise à mort, et un lent effacement des scrupules chrétiens envers l'alimentation carnée. Au XIe les tribunaux ecclésiastiques ordonnent aux prévenus d'hérésie de tuer de leurs mains un animal. Tout cuisinier, toute ménagère, en tuaient d'ailleurs quotidiennement, et souvent de manière très cruelle, comme en témoignent les livres de cuisine des XIVe et XVe siècles. Au XVIe, le Napolitain Porta indiquait, dans son recueil de secrets, le moyen de faire cuire une volaille sans lui ôter la vie. Il terminait par ces mots : *« le presentez à table, vous tenant sûr qu'à chacun membre qu'on lui arrachera il criera »*, comme si ce spectacle avait pu réjouir ses contemporains. Il ne semble pas que son livre, qui a connu des dizaines d'éditions dans toutes les langues européennes, ait choqué leur sensibilité.

Nonobstant l'étymologie du mot animal, on a d'ailleurs de plus en plus renoncé à lui accorder une âme. L'âme, initialement, était le principe interne de toutes les opérations des corps vivants : les végétaux ont une âme végétative ; les animaux une âme sensitive ; les hommes une âme raisonnable et spirituelle. C'est à peu près ce que disait saint Thomas d'Aquin après Aristote, et ce que les théologiens ont longtemps enseigné. Cependant l'opposition constante de l'âme au corps d'une part, et la croyance en l'immortalité de l'âme humaine d'autre part – à ne pas confondre avec la promesse chrétienne de résurrection –, me paraissent s'être conjuguées pour rendre de moins en moins fréquentes les références à l'âme des animaux.

Chez eux, Descartes la réduit à rien : les animaux sont pour lui des automates, des machines qui se meuvent d'elles-mêmes, comme par des ressorts ; ils n'ont aucune connaissance, aucun sentiment de douleur ni de joie ; leur âme, comme celle des plantes, ne consiste qu'en l'arrangement des parties qui les rendent propres à accomplir leurs fonctions. Les jésuites ont résisté à la théorie de l'animal-machine, comme le *Dictionnaire de Trévoux* en témoigne en 1704. Mais la plupart des jansénistes lui ont été favorables ; et tout se passe comme si cette vision de l'animal avait subsisté, chez certains laïcs, jusqu'en plein XXe siècle. Au reste, depuis 1940 environ, les clercs semblent avoir oublié l'âme des animaux – dont beaucoup ne sont d'ailleurs plus, dans notre monde industriel, que des machines à produire de la viande.

Dès les XVIIe et XVIIIe siècles on paraît n'avoir plus compris la nécessité de s'abstenir de viande en temps de jeûne ; on a multiplié les prétextes pour en manger, et les textes de dispenses.

Nouvelle sensibilité

A partir du XVIIIe siècle, cependant, une tendance inverse s'est développée : moins dans la doctrine de l'Église que dans les mentalités. L'abattage des animaux, que les bouchers du Moyen Age effectuaient dans la rue, à la vue de tous, a été de plus en plus étroitement relégué dans des abattoirs clos, installés hors des lieux habités. Pour des raisons d'hygiène, certes. Mais est-ce tout ? Et cette occultation du spectacle de la mise à mort a certainement contribué à la transformation des sensibilités.

C'est à partir du XVIIIe siècle, aussi, que l'on a recommencé à dénoncer le caractère sanguinaire et barbare de l'alimentation carnée : voyez Jean-Jacques Rousseau. Par la suite, tandis que les sectes végétariennes et les défenseurs des animaux se multipliaient, les mangeurs de viande ont abandonné certains abats qui choquaient leur sensibilité : ainsi les yeux de veau, encore très appréciés à la veille de la Révolution. Les Anglo-Saxons, plus avancés dans cette voie, tiennent aujourd'hui pour répugnants la plupart des abats, dont ils étaient autrefois grands amateurs. Mais en France même, on a renoncé aux têtes d'agneau ou de chevreau ; les têtes de veau, depuis quelques décennies, n'apparaissent plus à la devanture des bouchers et tripiers ; et on ne les achète plus que roulées.

La pensée de la mise à mort des animaux est d'ailleurs loin d'être la seule motivation des végétariens d'aujourd'hui : il faudrait un gros livre pour analyser toutes leurs raisons. L'important me paraît de noter que des Occidentaux de plus en plus nombreux renoncent à la viande, retrouvant pour des raisons diverses le sentiment gnostique et manichéen qu'elle est lourde, impure, dégoûtante, scandaleuse. Au moment, paradoxalement, où les abstinences chrétiennes sont à peu près tombées en désuétude.

Platine

Tempérament des viandes selon Aldebrandin de Sienne.

VIANDES	CHAUD OU FROID	SEC OU HUMIDE
Porc salé d'un an	chaud	sec
Veau de lait	chaud	moite
Agneau d'un an	chaud	moite
Mouton jeune	chaud tempérément	moite tempérément
Chevreau	Tempéré (le + qu'on puisse trouver)	chair la + tempérée
Brebis	froid (moins que le porc ou la chèvre)	moite moins que Porc
Bouc	froid : + froid que la brebis	sec
Bouc castré	froid : + tempéré que le bouc non castré	plus tempéré
Vieux bouc	froid	chair sèche
Chèvre	froid	chair sèche
Cerf	froid	moite
Porc domestique	froid (la + froide des chairs)	la plus moite
Porc sauvage	froid : moins que le porc domestique	+ sec que le domestique
Porcelet de lait	froid : moins que le porc adulte	+ moite que l'adulte
Bœuf	froid	sec
Vieux bœuf	froid	sec

Chair et émotions charnelles. *« Le Christ [...] a dit par son apôtre : " Il est bon de ne pas manger de chair et de ne pas boire de vin. " Et aussi : " qui est débile qu'il mange des légumes " (Romains, 14). Ce n'est pas que la viande soit mauvaise, et défendue pour cela, mais parce que les aliments carnés engendrent la luxure de la chair : ils sont en effet échauffants et nourrissent tous les vices [...]. Le poisson, en vérité, nous pouvons en manger parce que le Seigneur l'a admis après la résurrection (Jean, 23). »* (Isidore de Séville, *De Ecclesiasticis Officiis*, lib. II, cap. XLV ; P. L. t. LXXXIII, col. 778.)

Le canon 2 du concile de Gangres (an 343 ou 381). *« Si quelqu'un condamne celui qui mange de la viande – mais qui s'abstient de manger du sang ou des mets immolés aux idoles, ou bien des animaux étouffés, et qui est chré-*

tien et pieux, – et s'il croît qu'il n'y a plus pour celui-ci d'espoir de salut, qu'il soit anathème. »

Le canon XIV du concile d'Ancyre (an 314). « Des prêtres qui s'abstiennent des chairs. *A propos de ceux qui, sont clercs comme prêtres ou diacres, et s'abstiennent des chairs – il est bon que cela soit établi – qu'ils ne méprisent pas celles-ci comme immondes, mais y touchent. Desquelles, certes, s'ils veulent s'abstenir, ils en ont le pouvoir, en sorte, cependant, que si quand elles sont cuites avec des légumes ils ne jugent pas ceux-ci pollués par les chairs, mais qu'ils prennent de ceux-ci comme nourriture, quoiqu'ils s'abstiennent des chairs. Que s'ils les jugeaient tellement immondes et abominables qu'ils n'estimassent pas non plus comestibles les légumes qui ont cuit avec les chairs, en tant qu'ils ne consentent pas à cette règle, il est opportun qu'ils soient démis de leur ministère et de l'ordre clérical. En outre, si quelqu'un, averti de cette règle, n'y obéit pas, mais, comme il a été dit, estime les chairs immondes et abominables, il devra être démis de l'ordre clérical.* »

Les Actes des Apôtres. *« ...je suis d'avis qu'on ne crée pas des difficultés à ceux des païens qui se convertissent à Dieu, mais qu'on leur écrive de s'abstenir des souillures des idoles, de l'impudicité, des animaux étouffés et du sang. »* (Actes, 15, 19-20.)

« ...il a paru bon au Saint-Esprit et à nous de ne vous imposer d'autre charge que ce qui est nécessaire, savoir, de vous abstenir des viandes sacrifiées aux idoles, du sang, des animaux étouffés, et de l'impudicité, choses contre lesquelles vous vous trouverez bien de vous tenir en garde. » (Actes, 15, 28-29.)

« A l'égard des païens qui ont cru, nous avons décidé et nous leur avons écrit qu'ils eussent à s'abstenir des viandes sacrifiées aux idoles, du sang, des animaux étouffés, et de l'impudicité. » (Actes, 21, 25.)

Le sang et l'âme dans l'Ancien Testament. Genèse 9, 1-4 : *« Vous ne mangerez point de chair avec son âme, avec son sang. »*

Lévitique 17, 10-14 : *« Si un homme de la maison d'Israël ou des étrangers qui séjournent au milieu d'eux mange du sang d'une espèce quelconque, je tournerai ma face contre celui qui mange le sang et je le retrancherai du milieu de son peuple. Car l'âme de la chair est dans le sang... »*

Deutéronome 12, 5-25 : *« Garde-toi de manger le sang, car le sang c'est l'âme ; et tu ne mangeras pas d'âme avec la chair. Tu ne le mangeras pas : tu le répandras sur la terre comme de l'eau... »*

Recettes

• **Lamproie à la boue.** [*Qu'elle*] *Soit saignée par la gueule, et lui ôtez la langue ; et y convient bouter une broche pour mieux saigner ; et gardez bien le sang, car c'est graisse. Puis la convient échauder comme une anguille, et rôtir en broche bien déliée. Puis affinez gingembre, cannelle, girofle, graine de paradis, noix muscade et bien peu de pain brûlé, trempé en sang et en vinaigre, et du vin un peu ; et défaites tout ensemble ; et faites bouillir une onde*[1]. *Et* [*mettez la*] *lamproie toute entière* [*dans cette sauce*] *; et* [*qu'elle*] *ne soit pas trop noire.* (*Viandier de Taillevent*, Ms. de la B.N., XIVe siècle, éd. Pichon et Vicaire, pp. 18-19.)

1. Un bouillon.

• **Excellent Boudin.** *Pour faire d'excellent Boudin, il faudra hacher de l'Oignon, & le faire parbouillir dans l'Eau, puis le tirer avec l'Escumoire, & le mettre parmy le Sang,* *avec du Sel, du Poivre, du Cloud de Girofle, & de la Cannelle battus ensemble, y coupant de la Panne en petites Billes, pour estant le tout bien meslé ensemble, le faire entrer dans les Boyaux les plus petits qui auront esté bien grattez & dégraissez avec un Couteau ; & pour le parbouïllir on le mettra dans un Chaudron d'Eau sur le feu, le picquant de crainte qu'il ne crève ; si vous y voulez mettre du Laict avec le Sang, il en sera plus excellent.* (*Les Délices de la campagne*, 1654, p. 306.)

• **Têtes d'agneau frites.** *Fendez vos têtes, gardez la langue entière, les faite bouillir avec eau, sel, un pacquet*[1]*, et puis les mettez dans un peu de sel et poivre ; pillez les cervelles, assaisonnez de sel, poivre, muscade, et jaunes d'œufs ; trempez les têtes dans cette pâte ; les faites frire en lard fondu ; servez avec persil frit et tranches de citron.* (Pierre de Lune, *Le Nouveau Cuisinier...*, 1660, p. 161.)

1. Que le pacquet d'assaisonnement... soit composé d'une barde de lard, une ciboulette, un peu de thym, deux clous, serfeuil, persil, et le liez avec une ficelle.

• **Les yeux de veau, comment les servir.** *Après en avoir ôté ce qui est mauvais, vous les faites blanchir et cuire dans une braise faite avec vin blanc, bouillon, un bouquet garni, sel, poivre ; quand ils sont cuits, vous pouvez les déguiser de différentes façons.*

Si vous les mettez à la sainte Menehoult, pannez-les, faites-les griller et servez dessous une sauce à la poivrade.

Etant cuits à la braise comme ci-dessus, ils se servent avec différents ragoûts, comme concombres, petits oignons ou un salpicon. (*La Cuisinière bourgeoise*, reproduction de l'éd. de 1774, Temps Actuels, Paris, 1981, p. 98.)

Le choix des viandes

La viande persillée est la meilleure. Tous les connaisseurs en sont d'accord. Moi je l'ai connue en Amérique, et elle m'est vite devenu insupportable. Je suis pourtant loin de détester le gras : dans le jambon j'en voudrais autant que de maigre. Mais dans le bœuf j'aime que le maigre ne soit pas gras.

Cela montre évidemment que je n'y connais rien. Seulement je m'interroge sur l'objectivité des critères de qualité : ni les animaux ni les morceaux aujourd'hui considérés comme les plus délicats ne l'ont toujours été.

Volailles et viandes de boucherie

Au Moyen Age et à la Renaissance, seule la chair des volailles passait pour délicate. Les viandes de boucherie dans leur ensemble étaient réputées grossières et déconseillées, à l'exception du veau, de l'agneau et du chevreau, que les diététiciens estimaient particulièrement tempérées. Mettons aussi à part le cochon de lait rôti, dont ils jugeaient la chair dangereuse pour sa froideur et son excessive humidité, mais dont on était friand dans tous les milieux. Quant à la chair des mammifères adultes, qu'on appelait « grosse viande », elle n'était appréciée que par le peuple. Le bœuf, en particulier, n'était utilisé que pour le bouillon qu'on en tirait, ou la nourriture des domestiques. Sur 17 recettes qui le mentionnent, dans le *Viandier de Taillevent*, il n'est question de sa chair qu'une seule fois – pour la « Bouture de grosse chair » – et 16 fois de bouillon.

Ce n'est pas seulement parce que ces chairs d'animaux adultes étaient froides – puisque d'autres aliments froids comme les poissons étaient servis en abondance sur les tables aristocratiques – : c'est parce qu'elles étaient grossières, lourdes, « terrestres ». Des quatre éléments constitutifs de l'univers, c'était en effet l'élément « terre » qui dominait chez tous les quadrupèdes : évidemment, puisqu'ils vivaient les quatre pieds rivés au sol, trop lourds pour s'en détacher. Dans la chair des oiseaux, au contraire, c'est l'élément « air » qui dominait, et dans celle des poissons l'élément « eau ».

C'est une explication possible du statut religieux de la viande : cet aliment terrestre, cet aliment lourd, appesantissait l'esprit du mangeur, l'attachait à la terre, l'empêchait de s'élever vers le ciel. Les manichéens étaient très sensibles à cette pesanteur. A l'époque féodale, beaucoup de moines ont d'ailleurs prétendu pouvoir manger des volatiles, dont la chair n'avait pas le même inconvénient. Quant aux médecins des derniers siècles du Moyen Age, ils pensaient que la chair des quadrupèdes, aussi nourrissante qu'indigeste, convenait à l'estomac robuste des travailleurs de la terre, mais non pas aux nobles et aux clercs. La nourriture convenable, pour ces « gens de loisir », était la chair plus délicate des oiseaux et des poissons. En cela, la coïncidence était presque parfaite entre les principes des savants et la pratique réelle des mangeurs. Allen Grieco l'a récemment établi pour la société italienne[1] ; et les livres de cuisine médiévaux attestent qu'il en était de même en France.

Des oiseaux de toutes sortes

Sur d'autres points les habitudes alimentaires aristocratiques transgressaient les prescriptions médicales. La venaison, par exemple, qui fait aussi partie des grosses viandes et qui apparaît pourtant dans la plupart des banquets français et anglais. Le cerf, en particulier, était déconseillé car : *« sa chair est dure, de mauvais suc & fort difficile à digérer... La chair de bœuf vaut mieux que celle-là quand elle est salée et bouillie... »*, dit l'auteur du *Thresor de santé.*

De même nombre de grands oiseaux que les médecins jugeaient de digestion très difficile comme le paon, le cygne, le héron, la grue, la cigogne, ou le cormoran. La grue *« a la chair dure, froide, sèche, nerveuse, d'un suc grossier, de digestion tardive qui engendre sang & humeur mélancolique »* ; le héron, *« a la chair chaude, dure, excrémenteuse, de difficile digestion... & en somme qui n'est pas saine »* ; la cigogne *« ne vaut rien à manger elle est de mauvais suc & de pestilente nourriture »*, et l'auteur aurait même connu des gens *« qui sont morts pour en avoir mangé »* ; la chair du cormoran *« engendre mauvais suc & se digère mal-aisément »* ; le cygne *« a la chair noire & dure comme tous les autres grands oiseaux aquatiques, qui valent beaucoup moins que les terrestres »* ; pourtant, tous ces oiseaux étaient fréquemment servis, aux XIVe et XVe siècles, sur les grandes tables françaises et anglaises.

Nous les estimons aujourd'hui immangeables, et tous ont

1. Grieco (Allen), *Classes sociales, nourritures et imaginaire alimentaire en Italie, XIVe-XVe siècles* (Thèse EHESS, décembre 1987).

disparu des livres de cuisine français entre le XVe siècle et le milieu du XVIIe. En Angleterre, ils sont restés plus longtemps appréciés ; et pas seulement pour leur intérêt décoratif : *« La chère était bonne »*, écrivait Pepys dans son journal, *« nous avions pour plat principal un cygne rôti : c'est un mets excellent... »*

Bêtes de boucherie

L'abandon de ces oiseaux indigestes ne témoigne pas d'une observation plus stricte des prescriptions des médecins. Bien au contraire, l'ancienne diététique a perdu beaucoup de son influence au cours du XVIIe siècle : dès la fin du siècle, les dictionnaires, dans les articles relatifs aux aliments et à leur digestibilité, prennent leur distance vis-à-vis de la médecine

Graphique 1
Viande de boucherie : % des plats

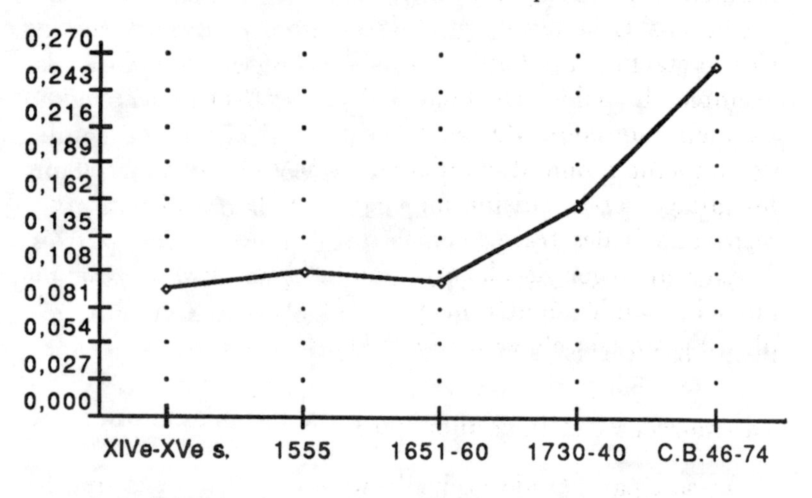

traditionnelle et se réfèrent aux principes d'une science nouvelle, la chimie.

C'est une des explications possibles du fait qu'au XVIIIe les plats de viande de boucherie se sont multipliés sur les bonnes tables et dans les livres de cuisine (*graphique 1*, p. 184).

Le bœuf, en particulier, qui dans les recettes aristocratiques du Moyen Age n'était utilisé que pour faire du bouillon, est devenu de plus en plus présent dans les livres de cuisine des siècles suivants (*graphique 2*, p. 186).

Le mépris dans lequel on tenait autrefois sa chair n'est, certes, pas sans rapport avec sa mauvaise qualité : on élevait les bœufs pour le labour, et on ne les abattait qu'en fin de carrière. Mais cette mauvaise qualité de leur chair était moins la cause du peu d'intérêt gastronomique qu'elle suscitait que sa conséquence. En effet, si les gens riches et puissants s'étaient intéressés à la viande de bœuf, ils en auraient fait élever spécialement pour leur table, comme ils faisaient élever des chapons gras, des perdrix, des paons ou des hérons. Cela ne s'est produit qu'après que la gastronomie s'est détachée de l'ancienne diététique. A Genève, par exemple, le poids des bœufs abattus a considérablement augmenté au cours du XVIIIe siècle

Au même moment, d'ailleurs, les élites se tournaient vers les laitages et la cuisine au beurre, et la viande de vache disparaissait des traités culinaires.

Avec un léger décalage chronologique, on a abandonné aussi la viande réputée jusque-là la plus « tempérée » et la plus digeste : le chevreau (*graphique 3*, p. 186).

Bas morceaux et bons morceaux

On sait par l'étude archéologique des ossements que les bouchers du Moyen Age pratiquaient déjà une découpe pré-

Graphique 2

Multiplication des recettes de bœuf

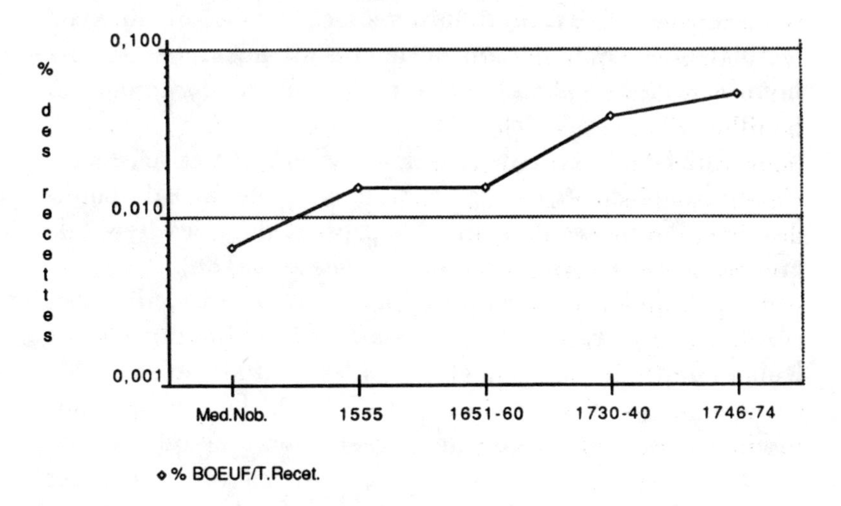

Graphique 3

Vache et chevreau, 1300-1774

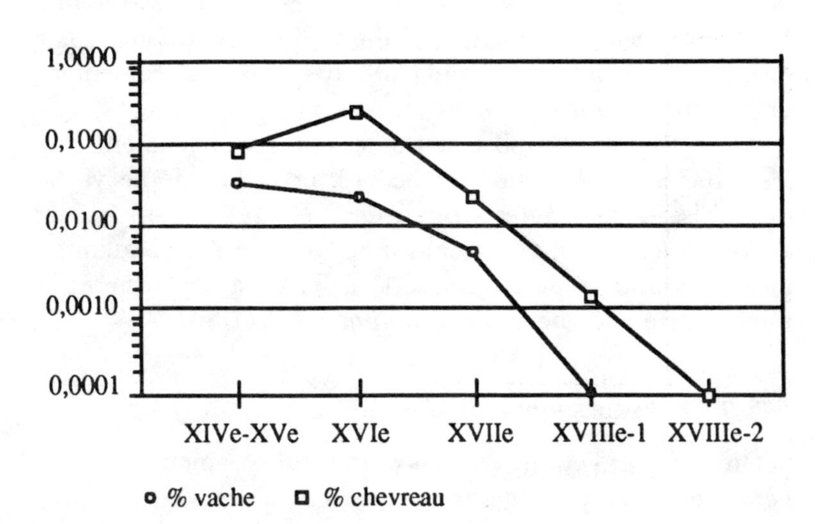

cise des morceaux des différents animaux. Les diététiciens, comme Aldebrandin de Sienne dans son *Régime du corps*, se préoccupaient des vertus différentes des différents morceaux ; et *Le Ménagier de Paris* atteste que les bourgeois en faisaient un usage différencié : les uns étaient préférables pour le bouillon, d'autres pour les viandes en sauces, d'autres encore pour rôtir. Mais les cuisiniers aristocratiques ne s'en souciaient pas : ils parlaient sans plus de précision de la « chair » des divers animaux de boucherie. Vraisemblablement parce que ces grosses viandes les intéressaient peu. Ce n'est que peu à peu qu'ils se sont mis à choisir les morceaux les plus appropriés *(graphique 4)*. Le nombre de ceux-ci s'est rapidement multiplié, ainsi que le nombre des recettes consacrées à chacune des viandes de boucherie. Toutes ces transformations sont évidemment liées.

Graphique 4

Bœuf : l'attention aux morceaux

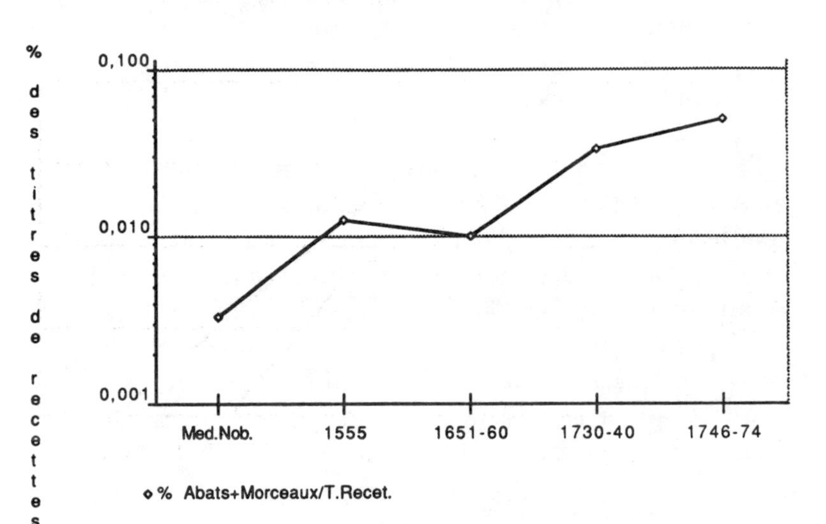

La plupart des noms de morceaux qui nous sont aujourd'hui familiers étaient déjà présents dans les livres de cuisine du XVIIIe siècle. Mais l'appréciation que l'on portait sur chacun d'eux était souvent bien différente de celle que nous portons actuellement. Écoutons par exemple l'auteur de *La Cuisinière bourgeoise* parler des morceaux du bœuf, en 1746 : *« ... Je n'entrerai point dans le détail de ce que nous appelons basse Boucherie ; cette viande n'est d'usage que dans le bas Peuple & l'accomodage chez eux, est force Sel, Poivre, Vinaigre, Ail, Echalotte, pour en relever le goût insipide. Voici ce qui est d'usage chez les Bourgeois & Gens qui tiennent bonne table : la Cervelle, la Langue, le Palais, les Rognons, la Graisse, la Queue ; dans la Cuisse nous avons la Culotte, la Tranche, la Piece ronde, le Giste à la noix, le Cimier, la Moelle ; après la cuisse sont l'Aloyau, les Charbonnées, les Flanchets & les entre-Côtes, la Poitrine, les Tendrons de poitrine, les Palerons & le Gros-bout. »*

Au filet, hors de prix aujourd'hui, il ne fait pas de place à part, ne le distinguant pas du reste de l'aloyau. En revanche il mentionne abondamment, et comme d'usage ordinaire sur les bonnes tables, ce que nous appellerions des bas morceaux : non seulement les abats, qui dans le bœuf ne sont plus appréciés, mais des morceaux gras, comme la poitrine. C'est que, bien loin d'être invendable, la graisse était aux XVIIe et XVIIIe siècles plus appréciée et plus chère que le maigre : dans les marchés que passaient les grands seigneurs avec leurs pourvoyeurs, elle coûtait deux fois plus ; et autant que le lard, le saindoux, l'huile ou le beurre. Il n'est pas non plus évident que les morceaux les plus appréciés aient été les plus tendres. C'est plutôt parce qu'ils étaient goûteux qu'ils se distinguaient des bas morceaux qu'on abandonnait au peuple.

Malheureusement

Cependant, bien loin de contredire les principes de nos connaisseurs, amateurs de viande persillée, l'auteur de *La Cuisinière bourgeoise* les exagère plutôt : goût et graisse sont liés, et l'on ne peut donc privilégier l'un sans accepter l'autre. Mais justement : notre époque ne l'accepte plus si facilement. Elle n'est pas prête à aller dans cette direction aussi loin qu'on allait au XVIIIe siècle. A cette époque la gastronomie ne se souciait plus de diététique, tandis que nous ne pouvons pas ne pas nous en soucier. Malheureusement. Tant que la nouvelle diététique n'aura pas formé un goût nouveau, nous resterons partagés, déchirés. Bien loin de l'unanimisme médiéval.

Platine

Recettes

- **Gras-double à la bourgeoise.** *Prenez du gras-double cuit à l'eau ; après l'avoir bien nettoyé, coupez-le de la grandeur de quatre doigts, & le faites mariner avec sel, poivre, persil, ciboule, une pointe d'ail – le tout haché –, un peu de graisse du derrière du pot ou de beurre frais fondu ; faites tenir tout l'assaisonnement au gras double ; panez de mie de pain, & le faites griller. Servez avec une sauce au vinaigre.* (*La Cuisinière bourgeoise*, p. 41.)

- **Usage de la poitrine de Bœuf.** *La poitrine & le tendron de poitrine sont les pièces les plus estimées, après la culotte, pour servir sur une table : elles se peuvent accommoder de la même façon que la culotte.*

• **Boeuf en Mironton.** *Prenez du bœuf de poitrine cuit dans la marmite ; si vous en avez de la veille, il sera aussi bon ; coupez-le par tranches fort minces ; prenez le plat que vous devez servir, mettez dans le fond deux cuillerées de coulis, persil, ciboule, câpres, anchois, une petite pointe d'ail, le tout haché très fin, sel, gros poivre ; arrangez dessus vos morceaux de tranches de bœuf, & les assaisonnez par-dessus comme vous avez fait dessous ; couvrez votre plat & le mettez bouillir doucement sur un fourneau pendant une demi-heure, & servez à courte sauce.* (*La Cuisinière bourgeoise*, p. 51.)

• **Culotte de Bœuf au four.** *« Prenez une culotte de bœuf de la grosseur que vous jugerez à propos, désossez-la si vous voulez, & la lardez avec du gros lard assaisonné de sel, fines épices ; mettez-la dans un vaisseau juste de sa grandeur, avec une chopine de vin blanc ; couvrez avec un couvercle, & bouchez les bords avec la pâte ; faites cuire au four pendant cinq ou six heures, suivant sa grosseur, & la servirez avec sa sauce bien dégraissée. Vous* [pouvez aussi] *faire cuire de cete façon un aloyau.* (*La Cuisinière bourgeoise*, pp. 47-48.)

Le statut ambigu des légumes

Les légumes ont aujourd'hui bonne presse. La plupart des régimes en prescrivent, et pas seulement comme préservatif du cancer : ils étaient recommandés bien avant qu'on ait pris conscience de la vertu des « fibres ». La nouvelle cuisine, d'autre part, en joue beaucoup ; sans avoir réussi, me semble-t-il, à y convertir tous les gourmands. On peut y prendre plaisir, certes, s'émerveiller de leur fraîcheur, de leur délicatesse, ou de la manière dont ils sont traités. Mais il est rare que ce soit pour eux qu'on se déplace. Leur statut gastronomique est ambigu, et depuis longtemps.

Méprisés au Moyen Age

Les légumes sont le plus souvent absents des livres de comptes médiévaux. Mais est-ce parce qu'on n'en mangeait pas ou parce qu'on les tirait directement de son jardin ? Poussant plus loin les recherches, Pierre Charbonnier n'a trouvé aucune trace de jardins potagers chez les nobles auvergnats avant les XVIe et XVIIe siècles. Et lorsqu'aux XIVe et XVe siècles des légumes étaient parfois mentionnés dans leurs comptes, c'était pour des sommes ridicules, représentant environ 1/100e de ce que coûtaient les viandes[1].

Les menus de repas et les recueils de recettes confirment qu'au Moyen Age les élites sociales avaient peu de goût pour ces aliments végétaux : sur 2 274 noms de mets inventoriés, 58 seulement font apparaître des légumineuses, 58 des légumes verts – on disait des « herbes » –, 38 des oignons ou autres bulbes, 15 des navets, ou autres « racines », 3 des cucurbitacées, 2 des champignons. Au total les divers légumes ne sont mentionnés que dans 6,7 % des noms de plats, ou 8,5 % si l'on y ajoute 66 plats de céréales.

Toutes sortes d'indices suggèrent que les élites sociales les méprisaient et les laissaient au peuple. Dans *Le Ménagier de Paris*, livre plus bourgeois, moins aristocratique que les autres, il y a 9,8 % de plats de légumes (céréales non comprises), alors que pour l'ensemble des autres livres inventoriés il n'y en a que 2,5 %. De même au niveau du nombre des espèces mentionnées (céréales comprises) : *Le Ménagier* en donne 33, tandis qu'on n'en trouve que 16 dans l'ensemble des autres livres français. Plus significatif encore : la plupart des plats de légumes sont classés par *Le Ménagier de Paris* dans son chapitre des *« potages communs »*, c'est-à-dire populaires. Et l'un des manuscrits du *Viandier de Taillevent* confirme cette vulgarité en indiquant 10 plats de légumes parmi les 14 qu'il juge trop communs pour figurer dans son livre.

Même son de cloche du côté des médecins : les racines étaient « terrestres » et propres aux paysans ; les légumineuses nourrissantes mais, difficiles à digérer et emplissant

1. Pierre Charbonnier, « L'alimentation d'un seigneur auvergnat au début du XVe siècle » (*Bulletin philologique et historique*, année 1968, vol. 1, pp. 77-101, Paris 1971.) Et du même auteur « La consommation des seigneurs auvergnats du XVe au XVIIIe siècle » (dans le dossier *Histoire de la consommation, Annales ESC,* mars-juin 1975, pp. 465-477).

la tête de fumées, ne convenaient guère qu'à l'estomac robuste des gens de peine ; etc. C'est ce qu'a récemment montré Allen Grieco, auteur d'une fascinante étude du statut social des aliments dans l'Italie médiévale [1]. Or ces préjugés sociaux étaient vraisemblablement plus développés en France qu'en Italie, où les livres de cuisine contenaient beaucoup plus de recettes de légumes. Peut-être même est-ce sous l'influence des Italiens que les Français ont changé d'attitude à cet égard, à partir de la Renaissance.

En vogue à la Renaissance

Les plats de légumes se sont multipliés sur les bonnes tables à l'époque moderne, comme l'indique l'examen de 16 livres de cuisine français (11 353 recettes) échelonnés entre le début du XIVe siècle et le milieu du XVIIIe. Cet essor a commencé dès le XVIe siècle, mais il est surtout sensible au XVIIe (*figure 1*, p. 194) – d'autant que les recettes prises en compte pour le XVIe sont toutes antérieures à 1545 et celles du XVIIe postérieures à 1650.

Mais si l'on considère – hors statistique – les nombreux traités des aliments de la seconde moitié du XVIe siècle, il est clair que dès cette époque les gourmands se sont enthousiasmés pour les légumes, ou du moins certains d'entre eux : épinards, artichauts, concombres et cornichons, asperges, champignons. Au niveau des titres de recettes et autres noms de plats, trois familles de légumes ont progressé continûment, non seulement par rapport à l'ensemble des plats considérés mais par rapport aux autres légumes : les pousses tendres (vrilles de la vigne, pousses de houblon, et surtout

1. Grieco (Allen), *Classes sociales, nourriture et imaginaire alimentaire en Italie, XIVe-XVe siècles,* thèse dactylographiée, EHESS, décembre 1987.

Figure 1

% Plats de légumes et céréales

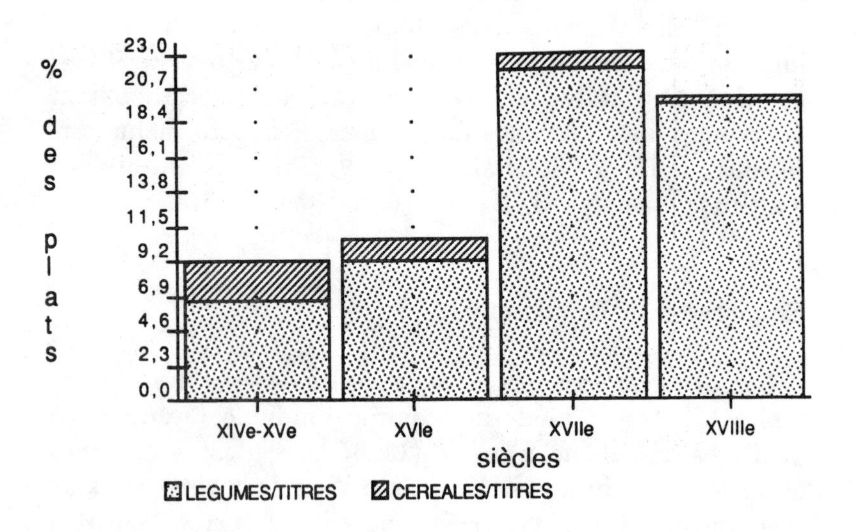

asperges), les chardons (artichauts, cardes, cardons) et les champignons (bolets, mousserons, morilles, truffes, champignons de couche) (*figure 2*, p. 195).

Les légumes verts, eux, se sont beaucoup diversifiés, passant de 10 à 21 espèces, et ils ont vu croître leur importance par rapport à l'ensemble des recettes (figure 3, p. 195). Mais au contraire des trois catégories précédentes, on ne peut parler de croissance continue par rapport aux autres plats de légumes. Malgré la vogue des laitues, chicorées et endives, des choux de Milan, choux-fleurs et brocolis, au XVIIe siècle, les herbes, en général, n'ont pas été à la pointe de la mode ; leur essor a été moins rapide ou moins continu que celui de l'ensemble des légumes.

D'autres évolutions sont plus ambigues encore. Malgré la vogue des concombres et des melons aux XVIe et XVIIe siècles,

Figure 2
Champignons, chardons et pousses

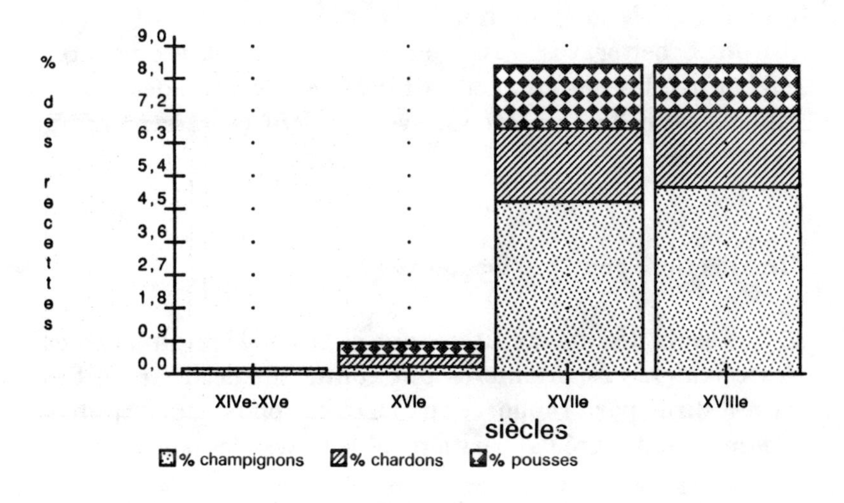

Figure 3
Légumes verts

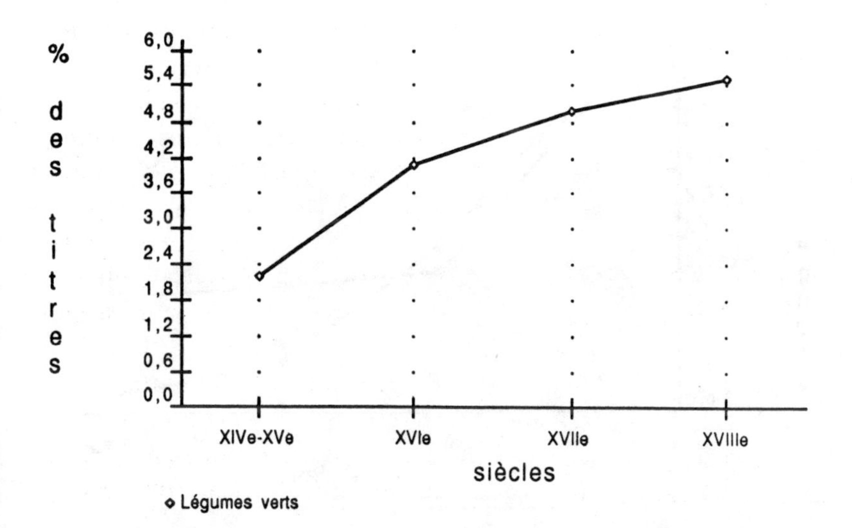

le mépris dans lequel la courge et la citrouille sont tombées au XVIIIe fait aux cucurbitacées une courbe heurtée. De même les racines, largement réhabilitées aux XVIe et XVIIe siècles (carottes, betteraves, raves, et surtout salsifis, scorsonères et chervis), lassent au XVIIIe. A l'inverse, l'histoire des bulbes alliacés est celle d'un déclin, avec un petit redressement au XVIIIe siècle.

Désaffection pour les féculents

Les seuls déclins continus sont ceux des légumineuses et des céréales. Les premières ont connu un déclin relatif – c'est-à-dire par rapport aux autres plats de légumes *(figure 4)* –, malgré l'apparition des lentilles, des pois chiches,

Figure 4

Céréales et légumineuses/légumes

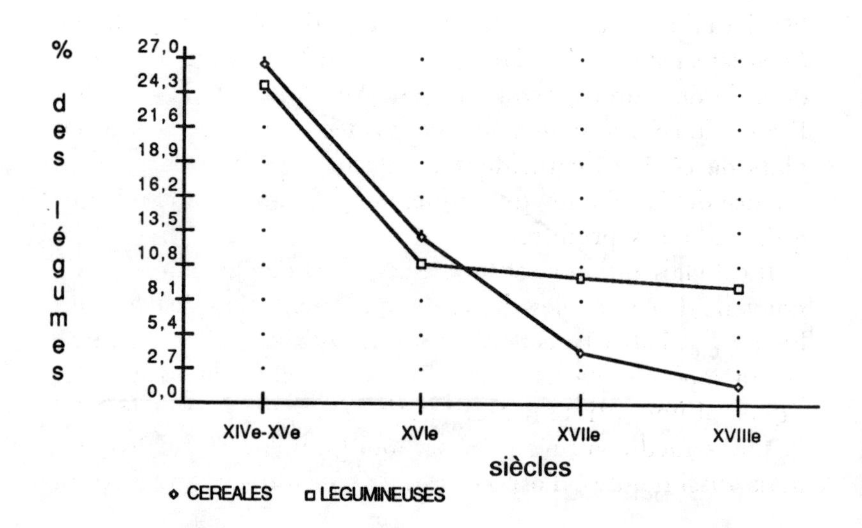

du haricot américain, souvent mangé en vert, et malgré la passion nouvelle avec laquelle on s'est jeté chaque année sur les petits pois nouveaux. C'est que pois et fèves étaient les deux légumes essentiels dans la France médiévale. Les seuls, d'ailleurs, à être qualifiés de « légumes » à cette époque. Quant aux céréales, elles ont connu un véritable effondrement, même dans l'absolu – je veux dire par rapport à l'ensemble des plats. Ce n'est vraisemblablement pas par hasard que, durant ces trois siècles, ces deux types de féculents se sont faits plus rares sur les bonnes tables, tandis que tous les autres légumes, moins nourrissants en apparence, y tenaient une place de plus en plus grande.

L'anoblissement des « herbes » et des légumes s'explique sans doute, au moins en partie, par l'influence italienne : artichauts, asperges, concombres, champignons se rencontraient en effet dans les traités culinaires italiens dès le Moyen Age, et, plus généralement, les aliments végétaux y étaient mentionnés beaucoup plus fréquemment que dans les traités médiévaux français. On sait, d'ailleurs, que les modes italiennes ont été appréciées en France, dans tous les domaines, au XVIe siècle ; et la traduction du traité *De l'honnête volupté* de Platine atteste qu'elles l'ont été aussi dans le domaine gastronomique. Aux XVIIe et XVIIIe siècles, l'essor de ce que nous appelons les légumes et le déclin des plats de céréales coïncident en outre avec une perte d'influence de l'ancienne diététique, aussi favorable aux seconds qu'hostile aux premiers.

Il est clair qu'on s'est fait, aux temps modernes, une idée nouvelle de ce que devait être une alimentation distinguée : bien loin d'être considérés comme vulgaires, les légumes, ou du moins certains d'entre eux, sont devenus caractéristiques d'une alimentation délicate : pas seulement les légumes méditerranéens récemment implantés en France, mais aussi nombre d'espèces indigènes comme les petits pois, les divers champignons, les asperges, les chervis, les salsifis, etc. Au même moment – j'en ai déjà parlé – les céréales et le pain devenaient plus caractéristiques de l'alimentation populaire.

Sainteté et délicatesse

Ces changements dans le statut des nourritures végétales n'ont pas fait table rase des valeurs traditionnelles : il s'agit plutôt du réaménagement d'un système que le christianisme avait d'une certaine manière hérité des manichéens et autres sectes de l'Antiquité. Les nourritures végétales étaient du côté de l'ascétisme et de la sainteté, tandis que la viande et le vin étaient du côté des jouissances charnelles. Au cours des premiers siècles médiévaux, céréales, herbes et racines ont, de fait, été caractéristiques du régime monacal tandis que les viandes l'étaient du régime des nobles et autres guerriers [1]. La viande et le vin, certes, avaient depuis longtemps conquis droit de cité sur les tables monastiques lorsque les plats de légumes se sont multipliés sur celles de l'aristocratie laïque. Mais ceux-ci sont restés marqués d'une espèce de pureté, d'une espèce de spiritualité, qui a vraisemblablement facilité leur anoblissement.

J'ai dit ailleurs que les friands et les gourmets des XVIIe et XVIIIe siècles ont mis à la mode des raffinements de gueule sophistiqués qui préfigurent ceux des gastronomes du XIXe. Ces raffinements de gueule, qui au Moyen Age étaient englobés dans le péché de gourmandise, ont bénéficié d'un statut nouveau à l'époque classique. Leur réhabilitation, facilitée par la vogue et l'élargissement de la notion de goût

1. Montanari (Masimo), *Médiévales*, n° 5 « Nourritures », (novembre 1983), pp. 5-14.

– utilisée, à partir du XVIIe siècle, à propos des arts et des lettres, du vêtement, de l'ameublement, des cosmétiques, etc. – l'a été aussi, vraisemblablement, par l'intérêt nouveau des friands pour les nourritures végétales. A cette époque la vieille condamnation de la gourmandise ne vise plus que des excès quantitatifs, ceux des gloutons, des goinfres, des goulus – qui se jettent sur la nourriture comme des affamés et ne savent pas s'arrêter de manger – tandis que la recherche et la connaissance des nourritures délicates, qualifiées de « friandises », caractérisent les gens de goût, une sorte de nouvelle aristocratie. Cette transformation du système de valeurs n'est sûrement pas sans rapport avec la désaffection des personnes distinguées pour les aliments les plus bourratifs, et leur passion nouvelle pour des nourritures végétales plus délicates.

Ambiguïtés

Les gastronomes du XIXe siècle ont repris l'image des friands et des gourmets du XVIIIe, en y ajoutant un zeste de scientificité, nouvelle valeur à la mode. Mais derrière le masque de la gastronomie, arboré par Berchoux et Brillat-Savarin, c'est la vieille gourmandise, mêlant gloutonnerie et raffinements de gueule, qui revient au galop. Grimod de La Reynière le dit sans fard dans son *Almanach des gourmands*. Du coup les légumes se trouvent dans une situation ambiguë : délicats, oui, et, pour cela, un vrai gourmand leur rend hommage, au troisième service, bien qu'il soit en vérité rassasié depuis la fin du premier. Mais il n'y a guère que les femmes, « petites mangeuses », qui après avoir picoré quelques hors-d'œuvre au premier, un peu de salade au second, sont véritablement capables d'apprécier les légumes au troisième et les sucreries du dessert.

La réputation de délicatesse qu'on leur a faite à la Renaissance les associe aux femmes et aux enfants plutôt qu'aux prouesses de table des virils gourmands. Mais derrière cette image d'autres associations plus anciennes se profilent – pureté, ascétisme, spiritualité, légèreté – dont la nouvelle diététique s'est emparée pour contrer le retour de la grosse gourmandise auquel la déchristianisation laissait le champ libre. Diététique savante, diététique de mères de famille, diététiques anxiogènes des journaux de mode, diététique des sectes les plus diverses, tout se conjugue pour nous faire manger des légumes. Seront-ils toute la nourriture de demain ? La nouvelle cuisine pourrait opérer des conversions. Mais elle n'a pas vraiment réussi à faire taire nos robustes appétits.

Platine

Pour rendre comestibles les légumes

• **Contre la malice des lentilles.** ... *Si tu les veux manger, pource que c'est le pire de tous les légumes, tu dois élire les plus grosses et les plus molles et tendres à cuire, et... les cuire en eaue douce..., et puis y mettre de l'huille, du poivre et du cumin pour en appetisser la malice... comme dict Isaac en ses* Diètes...

Platine dit qu'on doit enlever l'eau de la première cuisson, et en remettre d'autre avec du vinaigre, et des espices : et [il] serait bon aussi pareillement d'y mettre et mêler de la farine d'orge, afin que lesdites lentilles nourrissent mieux et plus sainement.

Il y en a qui les cuisent en deux eaux et [une fois] ôtée la première... les font cuire avec menthe, persil, sauge, cumin et safran : car telles choses amendent leur malice grandement. (Platine, *D'Honneste volupté*, éd. 1539, p. 170.)

• **Préparation de la courge.** *Magnini dit – pource que ladite courge est grandement aqueuse – qu'il est bon de mêler* [*avec elle*] *des oignons blancs ou du fenouil, de la calamente ou de l'origan, et que premièrement elle soit boullie et après frite.*

Et Ysaac dit que si lesdites courges sont préparées [*avec*] *poivre, ache* [*célery sauvage*], *et menthe apres que* [*l'eau en aura été exprimée*]... *ne seront pas fortement nuisantes* [*aux*] *flegmatiques ni* [*aux*] *mélancoliques, car à cause du poivre et de l'ache & menthe la frigidité en est tempérée, et* [*elles*] *sont alors bonnes à manger.*

Quand [*elles*] *commencent toutefois à être dures* [*elles*] *ne valent plus riens, et tandis qu'*[*elles*] *sont tendres les povres gens rasent subtilement la première écorce et les découppent après à belles* [*tranches*] *longues et gresles et les font sècher, et ainsi* [*ils*] *les gardent pour manger et faire potage en hyver et toute l'année.* (*Ibid.*, p. 175.)

• **Assaisonner les épinards.** *Ainsi que disent Dyocles et Dionyse,* [*il*] *est bien advisé de changer l'eau quand on les cuit, et d'en mettre d'autre. Magnini dit qu'on les doit confire quand* [*ils*] *sont cuits ; et y mettre du sel par dessus, ensemble de l'huille et du vin aigre : car s'ils sont prins simplement sont fort mauvais à l'estomach.*

Et [*il*] *dit qu'on ne les doit point manger cruds ni les mettre en la salade qu*[*'ils*] *n'aient été cuits ou boullis premierement.* (*Ibid.*, p. 176.)

Recettes

• **Fèves frites.** *Dans une poële bien ointe de graisse ou d'huile* [*d'olive, tu feras revenir des fèves déjà cuites en eau avec*] *des oignons,* [*des*] *figues,* [*de la*] *sauge, et autres herbes odorantes : puis les mettras dessus quelque plat* *et inspargiras par dessus (si tu veux) des espices.* (Platine, *D'Honneste volupté*, éd. 1539, p. 186.)

• **Potage de fenouil.** *Tu cuiras les* [*bulbes de fenouil*] *ainsi que les choux :* [*ils*] *se doivent, toutefois mieux cuire et decouper :* [*ils*] *ayment le poyvre, et requierent... condiment de chair sallee, ou d'huille* [*d'olive*]. (*Ibid.*, p. 187.)

Note : Les potages de cette époque n'étaient pas nécessairement liquides. Celui-ci peut prendre la forme d'une potée au petit salé.

• **Potage d'herbes.** *Mets dedans l'eaue* [*bouillante*]*...* [*des feuilles de vigne*] *ou des sarments quand* [*ils*] *sont tendres et aussi des feuilles de bourrache, et puis les* [*retire rapidement*] *et les decoupe... sur* [*une planche*] *avec du persil et de la menthe... et quand* [*elles*] *seront découpées* [*piles-les*] *au mortier. Finalement tu les mettras dans un pot, et les feras cuire et boullir un peu au* [*bouillon de viande*] *gras : et quand* [*ce*] *sera cuyct, l'aspergeras de poyvre.* (*Ibid.*, p. 190.)

• **Des carottes & panais.** ... *Ils se confisent aussi avec le Sucre & le Vin, y donnant la pointe de Cannelle & Girofle, avec un petit filet de Vinaigre ; vous y mettrez à part les rouges que cuirez avec le Vin rouge, d'autant qu'elles donneraient teinture aux jaunes et aux blanches ; les rouges sont plus délicates que les autres...* (Nicolas de Bonnefons, *Les Délices de la campagne*, 1654, p. 100.)

• **Chervis.** *Cette racine est si délicate, qu'elle ne veut presque qu'entrer dans l'eau chaude pour oster sa peau ;* [...] *si estant cuite & pellée, vous les voulez manger... à l'huylle en Sallades avec du serfeuil d'Espagne, au temps qu'il commence à pousser sa feuille, c'est un manger délicat & friand.* (*Ibid.*, pp. 109-110.)

• **Des espinards....** *On en couppe continuellement pendant tout l'Hyver pour en manger hachez à l'ordinaire ; & pour les préparer, il faut les bien esplucher, laver, parboüillir, esgoutter, épreindre, & hacher si l'on veut ; puis les empotter, y adjoustant une sixieme partie d'Ozeille pour leur relever le goust, au deffaut de laquelle vous y mettrez du Verjus, & force bon beurre, les salant & espiçant selon vostre goust ; si vous aymez les Raisins secs, de Damas, Muscats, communs, ou de Corinthe, ils y sont très bons ; & soyez soigneux de les mettre cuire sur un petit feu, & les retourner souvent de crainte qu'ils ne bruslent ; si vous voulez mesnager le beurre à cause qu'ils en consomment beaucoup, mettez-y de la premiere purée des Pois blancs* [eau de cuisson des pois], *elle y est fort bonne ; le Pain frit se sert picqué dans les Espinards, & on poudre le bord des plats de Pain rapé.* (*Ibid.*, pp. 144-145.)

Sur quatre recettes de tartoufles

Qui confondrait, aujourd'hui, la truffe et la pomme de terre ? L'une est réputée la plus délicate des gourmandises, et elle est en tout cas l'une des plus chères et des plus snobs depuis des siècles ; l'autre est le plus vulgaire des légumes, même s'il y a mille façons de l'accommoder, parfois raffinées et souvent délicieuses à mon goût. Pourtant il n'est pas toujours facile de décider si c'est de l'une ou de l'autre qu'il s'agit dans certains textes anciens, car ni leurs noms, ni leurs statuts, ni leurs préparations n'étaient autrefois exactement ce qu'ils sont aujourd'hui. J'en veux pour preuve quatre recettes de « tartoufle » de Lancelot de Casteau qui fut cuisinier de trois évêques de Liège à la fin du XVIe siècle (voir encadré page 202).

L'Ouverture de cuisine

Ces quatre recettes se trouvent dans son *Ouverture de cuisine*, publié en 1604, dont il ne restait qu'un exemplaire connu, conservé à la Bibliothèque royale de Bruxelles. C'est le seul traité culinaire de langue française à avoir vu le jour entre le milieu du XVIe siècle et le milieu du XVIIe, ce qui renforce évidemment son intérêt. Loin de témoigner sur les pratiques culinaires françaises, il présente d'ailleurs une cuisine très éclectique où l'on peut déceler des influences espagnoles, flamandes, hongroises, etc. Or, bonne nouvelle pour les amateurs de recettes anciennes, ce livre, auquel l'Académie Platine avait récemment consacré l'un de ses banquets, vient d'être réédité en Belgique[1].

Pour le mettre à la portée d'un public plus large, sans pour autant mécontenter les puristes, ses éditeurs ont publié le texte original accompagné d'une traduction en français d'aujourd'hui. Mais traduire, c'est toujours prendre le risque de trahir. Et c'est en effet un procès en trahison que je voudrais instruire ici, à propos de la traduction du mot *« tartoufle »* par mon ami Léo Moulin, sociologue et historien bien connu de l'alimentation.

« Ces quatre recettes de pommes de terre, écrit-il p. 255, *constituent une des plus précieuses révélations du livre de Lancelot de Casteau. »* Et de fait, ce seraient les premières recettes de pommes de terre publiées en Europe : les plus anciennes que l'on connaisse dans un livre français étant postérieures d'un siècle et demi.

Léo Moulin a défendu son interprétation à la note 29 de son glossaire, et expliqué aux pages 255-257 comment des pommes de terre avaient pu, dès cette époque, parvenir sur la table des princes-évêques de Liège : elles sont arrivées en Espagne vers 1560 ; le roi Philippe II en a envoyé au pape Pie IV (1559-1565) ; en 1588, un légat du pape en a donné deux plans à Philippe de Sivry, seigneur de Walhain et Gouverneur de la ville de Mons en Hainaut belge ; et celui-ci en a envoyé au botaniste flamand Charles de L'Écluse

1. *Ouverture de cuisine*, par Lancelot de Casteau [Liège, 1604]. Présentation du livre par Herman Liebaers. Translation en français moderne et glossaire par Léo Moulin. Commentaires gastronomiques par Jacques Kother. Éditions De Schutter, Anvers/Bruxelles, 1983, 306 p.

(1526-1609), intendant des jardins de l'Empereur Maximilien. Tout cela, L'Écluse le confirme à peu près, dans son *Rariorum plantarum historia*, publié à Anvers en 1601. Je suis moins sûr que ce soit lui qui l'ait ensuite diffusée à la fois en Angleterre, en Suisse et en Allemagne, comme le dit Léo Moulin.

Pour parfaire sa démonstration Léo Moulin note qu'*« aucune de ces recettes n'est applicable à la truffe, d'ailleurs, à l'époque, peu ou point connue »*. C'est cette affirmation qui m'a mis la puce à l'oreille[1] : il est en effet question de truffes dans le *De honesta voluptate* de Platina, et dans plusieurs autres livres de cuisine du XVIe siècle, comme nous allons le voir.

Tubercules

Sur le sens du mot « tartoufle », je suis allé interroger André G. Haudricourt, botaniste, linguiste et historien bien connu des espèces cultivées. En latin médiéval, la truffe était nommée *« tuber »*, mot duquel viennent « tubéreux » et « tubercule ». Le mot truffe, lui, vient du latin rustique ou dialectal *« tufer »*, qui a donné en sarde *« tuvara »* et en vieil italien *« truffa »*. En 1554 Matthiole donne pour équivalents de *« tubera »* l'italien *« tartuffi »*, l'allemand *« Hirstbrunt »*, l'espagnol *« turmas de tierra »* et le français *« truffes »* ou *« truffles »*.

A cette date, cependant, le cyclamen est aussi nommé *« tuber »* en latin, et en allemand *« Erdapffel »* – littérale-

1. Autre mauvais argument qui fait douter de sa thèse : Léo Moulin ajoute que le premier Prince-Évêque de Liège que Lancelot a servi était comte de Walhain et qu'il a donc pu être en contact avec Philippe de Sivry, seigneur du même lieu. Or ce Robert de Berghes comte de Walhain a abdiqué en 1563 et il est mort en 1564, soit vingt-quatre ans avant que Philippe de Sivry ait reçu la pomme de terre.

ment : pomme de terre – en raison de son gros rhizome qui le faisait distinguer des végétaux à racine conique enfoncée verticalement en terre *(radix)* comme les radis, navets, panais, carottes, etc., aussi bien que des petits tubercules de la grosseur d'une noisette, les *« nux terrae »*. Comme le cyclamen, notre pomme de terre a été immédiatement classée avec les *« tubera »*, mot qui désignait donc non seulement les truffes mais tous les tubercules. Et il semble en avoir été de même des mots qui signifiaient « truffe » dans les différentes langues vulgaires.

Le terme italien attesté au pluriel – *« tartoufli »* – est encore actuellement le nom de la pomme de terre dans nombre de patois : dans le comté de Nice et la Savoie anciennement italiens ; le Vaucluse papal, et les zones contiguës de l'Ardèche et de la Drôme ; le Bourbonnais et l'Ardenne. Olivier de Serres, en 1600, emploie une autre forme française du mot italien, *« cartouffle »*, qui a eu moins de succès dans nos patois, mais est l'origine des noms allemand et russe *(kartofel)*, ainsi que roumain et bulgare *(kartof)*.

Résumons : des atlas linguistiques que m'a montrés André G. Haudricourt, il ressort que la pomme de terre a été appelée « tartoufle » dans plusieurs régions de France et de l'actuelle Belgique, ce qui va dans le sens de l'interprétation de Léo Moulin. Mais dans ces régions comme dans celles où elle était appelée « trufle », ou « truffe », ou « trefe », ou « trife », ou « trufa », ou « trufo », etc., on semble ne l'avoir pas distinguée de la truffe, ces mots désignant – sauf exceptions – tous les tubercules.

Truffes et gourmands

Non seulement le mot « tartoufle » pouvait désigner la truffe aussi bien que la pomme de terre, mais c'est généralement de celle-ci plutôt que de celle-là qu'il était question dans les textes des XVIe et XVIIe siècles qui l'utilisaient. Par exemple au chapitre 25 du IXe livre du *Platine en françois* (1505), intitulé *« Des truffes ou tartoufles »*. Et Bruyerin Champier, médecin de François Ier, écrivait en 1560 dans son *De re cibaria : « On convient que chez les Romains* [*la truffe*] *a eu un charme singulier dans les banquets des grands, charme qu'aujourd'hui encore elle conserve inébranlablement. »*

La plupart des livres de cuisine du temps lui consacraient d'ailleurs des recettes. Platine en donnait deux ; il y en a trois dans le *Libre del Coch* (1520) du Catalan Maître Robert, reprises dans la version castillane en 1525 ; plusieurs dans le traité de Granado Maldonado à la fin du siècle ; et cinq dans celui de Martinez Montiño au début du XVIIe [1]. En outre beaucoup de ces recettes de truffes des XVIe et XVIIe siècles ressemblaient aux recettes de « tartoufles » de l'*Ouverture de cuisine.*

Façons de cuire

La première de celles-ci nous paraît aujourd'hui particulièrement bien adaptée à la pomme de terre, parce qu'elle prescrit de faire bouillir la « tartoufle » dans l'eau avant de la peler, puis de la couper en tranches et de l'assaisonner de beurre fondu et de poivre. Mais méfions-nous de cette évidence anachronique : le *Platine en françois* écrivait des truffes qu'il fallait « les bouillir premièrement en eau », avant qu'elles soient « nettoyées et plumées » (c'est-à-dire

1. C'est à Jeanne Allard, spécialiste des livres de cuisine espagnols du siècle d'or, que je dois ces indications.

pelées) puis « confites en huile » (équivalent méditerranéen du beurre belge) et assaisonnées d'épices.

De même le *Libre del Coch* prescrit d'échauder les truffes et de les faire bouillir en eau avant d'en ôter l'écorce, de les tailler en tranches et de les faire revenir dans la graisse ; Montiño ordonne de les faire cuire avec de l'eau et du sel avant de les peler puis de les étuver dans de la bonne huile avec oignon émincé. Même conseil de la part des diététiciens : Bruyerin Champier veut qu'on les fasse bouillir en eau, sel, huile et herbes aromatiques avant de les assaisonner de jus gras et de poivre ; et *Le Thresor de santé* (1607) dit qu'après les avoir « parbouillies » en eau on les coupe en tranches et on les assaisonne de beurre et d'épices.

L'autre recette qui paraît aujourd'hui bien adaptée à la pomme de terre est la quatrième, qui fait « rôtir la tartoufle » dans la cendre chaude avant de la peler, de la couper en tranches et de l'assaisonner. Mais la cuisson sous la cendre est aussi appliquée traditionnellement à la truffe, comme l'attestent Platine, Nola, Champier, *Le Thresor de santé*, et une longue série de livres de cuisine, jusqu'à nos jours. D'ailleurs, la première recette de pommes de terre cuites sous la cendre que je connaisse – celle que Gaspard Bauhin donne dans son *Prodromos theatri botanici* (Francfort, 1620) – se réfère très significativement à la cuisson des truffes : *« Chez nous on fait parfois rôtir les tubercules sous la cendre comme les truffes. »*

La troisième recette, qui est selon Léo Moulin « l'ancêtre de la tortilla espagnole », pourrait aussi bien faire penser aux œufs brouillés aux truffes qu'à l'omelette aux pommes de terre. Je crois plutôt qu'elle devrait être rapprochée des « capirotades » espagnoles des XVIe et XVIIe siècles, où des jaunes d'œufs battus dans un liquide acide – citron, ou vinaigre, vin, etc. – sont ensuite jetés sur les truffes.

Reste la cuisson dans le vin de la seconde recette : c'est

une des manières traditionnelles de cuire les truffes, attestée avec continuité de 1560 au XXe siècle, alors que je ne connais qu'une recette qui applique ce procédé aux pommes de terre.

Plus de doute

Pour finir, je remarquerai que Charles de L'Écluse, en 1601, ne mentionne qu'une manière de préparer la pomme de terre : *« Elle est si vulgaire en certains lieux d'Italie, dit-on, que l'on s'y nourrit de ses tubercules cuits avec de la viande de mouton, comme si c'était des raves ou des panais. »* Or cela ne correspond, même de loin, à aucune des quatre recettes de « tartoufles » de Lancelot de Casteau, ni d'ailleurs à aucune des recettes de truffes que j'ai pu lire.

Pour ces raisons culinaires, et parce que les pommes de terre ne sont apparues sans équivoque que fort tard dans les livres de cuisine de langue française – en 1755, dans *Les Soupers de la cour* – je crois que les tartoufles de l'*Ouverture de cuisine* sont des truffes plutôt que des pommes de terre. Selon L'Écluse, la pomme de terre était d'ailleurs si abondante, dans ces quelques régions d'Italie, qu'elle aurait aussi servi de nourriture aux cochons. C'est vraisemblable, puisque l'on sait qu'elle a eu cet usage dans toute l'Europe, à mesure qu'elle s'y est répandue. Et il semble que ce fut là le principal obstacle à son adoption dans l'alimentation populaire.

Reste-t-il un doute ? J'admets que les pommes de terre se sont appelées *« tartoufles »* dans la région liégeoise, et qu'elles pouvaient y être présentes avant 1604. Mais j'imagine mal que lorsqu'il parle de tartoufle le même auteur, Lancelot de Casteau, désigne tantôt des truffes et tantôt des pommes de terre, sans rien ajouter pour les distinguer. Or il mentionne un plat de *« Tartoufle boullie »* dans le troisième service du banquet donné pour l'entrée de Robert de Berges, comte de Walhain, Evêque et Prince de Liège. En décembre 1557, c'est-à-dire à une date où la pomme de terre n'est pas encore arrivée en Europe.

Il ne peut donc s'agir que de truffes.

Rien n'est clair

Mais de quelles truffes ? On a vu, dans une précédente chronique, que les Anciens aimaient de tout autres truffes que notre truffe noire de Périgord. On a vu aussi que Laurent Joubert, au XVIe siècle, les rangeaient dans la catégorie « des choses insipides et fades », et que *Le Thresor de santé* les disait sans saveur. Joignons au dossier cette remarque d'Olivier de Serres, comparant truffes et pommes de terre : *« Quant au goût, le cuisinier les appareille de telle sorte que peu de diversité y recognoit-on de l'un à l'autre. »* Et la petite anthologie de textes que Daniel Morcrette a publiée à la suite de *La Cuisinière républicaine* atteste qu'aux XVIe et XVIIe siècles l'ambiguïté entre ces deux tubercules a été constante. Bref, si la pomme de terre a pu être confondue avec la truffe, ce n'est pas seulement parce que ce sont deux tubercules, mais parce que la plupart des truffes consommées à cette époque n'avaient apparemment pas une saveur très supérieure à la sienne.

Platine

Les quatre recettes de tartoufles

• **Tartoufle boullye.** *Prenez tartoufle bien lavée, et la mettez bouillir dedans eau ; estant cuite il la faut peler et couper par tranches, beurre fondu par dessus, et poivre.*

• **Tartoufle autrement.** *Couppez la tartoufle par tranches comme dessus, et la mettez étuver avec vin d'Espagne et nouveau beurre, et noix muscade.*

• **Autrement.** *Prenez la tartoufle par tranches, et mettez étuver avec beurre, marjolaine hachée, du persil : puis prenez quatre ou cinq jaunes d'œufs battus avec un peu de vin, et jetez le dessus tout en bouillant, et tirez arrière du feu, et servez ainsi.*

• **Autrement.** *Mettez rôtir la tartoufle dedans les cendres chaudes comme on cuit les châtaignes, puis la faut peler et couper par tranches ; mettez dessus menthe hachée, des carentines*[1] *bouillies par dessus, et vinaigre, un peu de poivre, et servez ainsi.*

1. Raisin de Corinthe.

Chapitre 5

Assaisonnements

Variations franco-britanniques

J'ai fait allusion, le mois dernier, à une révolution culinaire qui aurait eu lieu en France au XVIIe siècle [1]. Est-ce à dire que Constance Hieatt et Sharon Butler se trompent totalement lorsqu'elles réduisent les transformations culinaires postmédiévales à « la disponibilité de nouveaux produits alimentaires » ? Pas nécessairement : car ce qui est vrai de la cuisine française pourrait ne pas l'être de celle des autres pays d'Europe. Rien ne prouve pour l'instant que la cuisine anglaise ait évolué du même pas ni dans la même direction que la nôtre.

La menthe anglaise ?

Voyez d'ailleurs combien elle en diffère aujourd'hui. Le ketchup, la Worcester sauce et tant d'autres bouteilles dont on pare les tables outre-Manche ne sont qu'à première vue la conséquence d'une avance de l'industrie alimentaire britannique : à la réflexion, je les rapprocherai des poivre jaunet, poivre noir, jance, cameline et autres sauces épicées du Moyen Age qui, elles non plus, ne devaient rien aux

1. Voir « Cuisines médiévales », ci-dessus pp. 17-24.

viandes qu'elles accompagnaient. La sauce à la menthe, que nous trouvons encore plus typique du goût anglais, reste souvent de fabrication domestique – je ne sais par quel miracle – et n'aurait pas effarouché nos ancêtres : ils usaient de la menthe comme nous du thym et du laurier, et ils mangeaient le rôti de mouton arrosé de verjus.

Ces quelques rapprochements suggèrent que la cuisine anglaise n'a pas connu d'âge classique ; qu'elle est passée directement de la barbarie médiévale à la décadence de l'ère industrielle. Cette conclusion aurait le double mérite de donner partiellement raison à nos deux Canadiennes spécialistes de la cuisine médiévale, et de conforter notre chauvinisme français. Elle est, malheureusement, simpliste. Le peu que je sais de la cuisine anglaise des XVIIe et XVIIIe siècles montre qu'elle différait de la cuisine médiévale autant que notre cuisine classique, sans pourtant se confondre avec elle. J'y reviendrai lorsque les recherches entreprises sur cette époque seront plus avancées.

Le problème à examiner aujourd'hui est celui de la cuisine médiévale en France et en Angleterre. Est-il légitime de parler de « cuisine médiévale » sans référence géographique précise, comme si, au Moyen Age, les divers peuples d'Europe avaient eu les mêmes goûts, les mêmes produits et les mêmes techniques culinaires ? Comparons, par exemple, les soixante-cinq recettes françaises et les soixante-six recettes anglaises – variantes comprises – publiées dans *Pain, vin et venaison* [1].

Nous y repérons immédiatement nombre de traits communs, comme l'emploi fréquent des épices, les doubles cuissons, etc. S'agissant d'une cuisine aristocratique, le contraire eût été étonnant après l'implantation d'une aris-

1. Constance Hieatt et Sharon Butler, *Pain, vin et venaison. Un livre de cuisine médiévale*, Montréal, Éd. de l'Aurore, 1977.

tocratie française en Angleterre et un siècle de chevauchées militaires anglaises en France. Dans le détail, et jusque dans des recettes qu'on devine plus populaires, il y a des similitudes frappantes : la menthe, que les Français ont proscrite de leur cuisine classique, était utilisée, au Moyen Age, des deux côtés de la Manche ; l'ail, qui soulève aujourd'hui le cœur des Anglais – dit-on –, leur était alors aussi familier qu'aux Français. Paradoxalement, même, la menthe est davantage mentionnée dans les recettes françaises et l'ail dans les recettes anglaises du recueil d'Hieatt et Butler.

Vérité en deçà de la Manche...

Entre ces deux ensembles de recettes, nous trouvons cependant des différences sensibles. Les Anglais paraissent avoir été déjà des mangeurs de bœuf (11 recettes contre 6) et ils avaient déjà inventé les beefsteaks (recette 72). De même le porc frais ne se rencontre quasiment que chez eux (7 recettes contre 2), les Français ne paraissant guère consommer le cochon que sous forme de lard et autres chairs salées, d'ailleurs peu présentes en ce recueil de mets aristocratiques. En revanche les Français auraient mangé nettement plus de volailles, puisqu'ils en fournissent 14 recettes contre 6 aux Anglais. Seuls le veau et le mouton sont également répartis.

Remarquons aussi que la France n'a fourni presque aucun de ces plats sucrés que les auteurs ont rangés en un chapitre discutable des « dessertes ». Ces fruits cuits avec du sucre et de la crème, mais aussi du saindoux, du sel et des épices, ressemblent en vérité beaucoup aux puddings britanniques qui frappent tant de Français de stupeur. D'autres différences n'apparaissent pas à première vue et n'en sont que plus intéressantes : les Anglais usent autant de l'oignon que les Français, et même davantage (14 recettes contre 9) ; mais ils ne le faisaient jamais frire, tandis que les Français le mettaient presque toujours revenir dans la graisse ou dans l'huile. Enfin, un dernier trait annonce aussi les oppositions actuelles entre cuisine anglaise et cuisine française : l'emploi par les Anglais de colorants comme la buglosse et le cèdre vermeil, dont il n'est jamais question dans les recettes françaises.

On trouve, en revanche, des différences inattendues, qui n'en paraissent pas moins significatives. Ainsi les plats anglais étaient-ils plus fréquemment épicés que les français. Ils comportaient, en particulier, beaucoup plus souvent du safran, épice qui, aujourd'hui, nous paraît plus méditerranéenne que britannique. Du côté français – tous les recueils médiévaux le confirment – l'épice la plus utilisée était le gingembre : il l'est ici dans 43 % des recettes françaises, 20 % seulement des recettes anglaises. Voilà qui est encore paradoxal, puisque c'est dans les pays anglo-saxons, de part et d'autre de l'Atlantique, que le gingembre a conservé le plus d'importance : voyez les rhizomes frais de gingembre dans les supermarchés d'Amérique, voyez les sodas britanniques *(ginger ale, ginger beer)*, les pains d'épices *(ginger bread, ginger cake)*, etc. C'est si vrai que C. Hieatt et Sh. Butler, face à une recette de pain d'épices du XVe siècle (recette 122), ne peuvent admettre l'absence de gingembre et supposent une erreur du copiste ! Aussi inattendue, d'ailleurs, est la rareté du poivre dans les recettes françaises, puisque c'est dans la cuisine française classique qu'il va triompher de toutes les autres épices, et que le moulin à poivre est aujourd'hui plus courant sur les tables françaises que sur les tables anglaises.

Harmonies

Son essor explique sans doute la disparition de la graine de paradis, très employée dans les recettes médiévales françaises – alors que les Anglais l'ignoraient totalement. Les Français étaient seuls aussi à mentionner la muscade, qui, aux XVIIe et XVIIIe siècles, résistera bien à leur désaffection pour les épices. Son homologue, le macis, était seul employé en Angleterre ; et il paraît avoir eu un succès croissant au XVIIIe siècle, tandis qu'il disparaissait presque de la cuisine française. Or, malgré leur parenté, ces deux épices ont des goûts sensiblement différents : la muscade a un arôme plus riche et plus tendre, le macis une odeur plus piquante et un goût plus dur. On pourrait encore noter qu'au Moyen Age la poudre douce et la poudre forte – mélanges dont il est difficile de connaître la composition exacte – ne sont indiquées que par les cuisiniers anglais. Quant au cumin, à la coriandre et au cubèbe, ils sont d'emploi trop rare pour que leur absence des recettes françaises soit significative.

Les tempéraments nationaux se révèlent enfin dans les associations préférentielles ou automatiques de certains aliments avec certaines épices, ou des épices entre elles. Sur treize recettes françaises de volaille, neuf utilisent le verjus ou le vinaigre et huit le gingembre. En Angleterre l'élément acide apparaît aussi quatre fois sur six, mais le gingembre n'est jamais associé au poulet. En revanche, sur neuf recettes de bœuf, les Anglais emploient huit fois du poivre, alors qu'il n'apparaît dans aucune des quatre recettes françaises.

Mais c'est entre épices qu'on observe les associations les plus automatiques, du moins en France : la cannelle ou la graine de paradis étaient toujours associées au gingembre : la graine de paradis l'était presque toujours, d'autre part, au clou de girofle ; et le poivre – long ou rond – était toujours mentionné avec à la fois la cannelle et le gingembre. Les recettes anglaises, au contraire, ne présentent aucune association aussi automatique, si l'on excepte celle du poivre avec le bœuf – cette viande anglaise – et les mélanges tout faits qu'étaient la poudre douce et la poudre forte. Comme si le cuisinier anglais avait en général plus de fantaisie, ou moins de principes, que le cuisinier français.

Platine

LES FRANÇAIS ET LES ÉPICES AU XVIIe SIÈCLE

Allant en 1646 rejoindre son époux Ladislas, roi de Pologne, Marie-Louise de Gonzague, fille du duc de Nevers, n'eut guère d'appétit au magnifique banquet offert en son honneur par la ville libre de Dantzig : *« Car tout était préparé à la Polonaise, et presque tout consommé d'avoir bien bouilli avec le safran et les épices. Il n'y eut que deux perdrix cuites à la Française qui furent à son usage »*, écrit Jean Le Laboureur, historiographe de ce voyage[1]. Parlant plus généralement des tables aristocratiques de Pologne, il remarque encore que *« l'usage des épices et du safran y règne tellement que c'est l'une des grandes dépenses, quoique la moins utile, et même nuisible au bien du royaume, car il y a telle personne de condition qui en consommera par an pour plus de dix mille écus, qui en sortent sans retour »*.

Je doute que les transformations de la cuisine française au XVIIe siècle soient l'effet de la propagande ou de la réglementation mercantilistes, comme cette dernière réflexion pourrait le donner à penser. D'autant que Colbert n'arrivera au pouvoir que quinze ans plus tard. Mais voyez la belle leçon d'économie politique que nos compatriotes donnaient déjà aux gens qui avaient d'autres goûts qu'eux ! De même, il y a quelques années, mon journal quotidien vantait le dynamisme des brasseries françaises et dénonçait le retard des Allemands en ce domaine !

1. Jean le Laboureur, *Histoire et Relation du Voyage de la Royne de Pologne*... (Paris, 2e édition, 1648, livre I, p. 153, et livre II, pp.115-116).

Recettes anglaises

Les recettes qui suivent sont extraites de *Pain, vin et venaison*, le livre récent de C. Hieatt et Sh. Butler.

• **Cormarye.** *Prenez de la coriandre, du cumin moulu fin, du poivre en poudre*[1] *et de l'ail pilé avec du vin rouge. Mélangez et salez. Prenez une longe de porc crue et ôtez la peau. Piquez avec la pointe d'un couteau et mettez-la dans la sauce. Faites rôtir le morceau et gardez le jus que vous allez mettre dans un petit pot avec du bon bouillon*[2]. *Servez cette sauce avec le rôti.*

1. Moulu par vous-même, il sera certainement meilleur.
2. La marinade salée s'emploie pour arroser le rôti ; ce qu'on en récupère et le jus gras du rôti servent ensuite pour la sauce. L'adjonction de bouillon ne me paraît pas indispensable : elle affadirait sans doute l'ensemble.

• **Fraises.** *Prenez des fraises et lavez-les dans du bon vin rouge. Puis passez à l'étamine et mettez-les avec du lait d'amande dans un pot. Délayez-le dans de l'amidon ou de la farine de riz. La sauce doit être liante. Faites bouillir. Et mettez des raisins de Corinthe, du safran, du poivre et beaucoup de sucre, du gingembre en poudre, de la cannelle et du garingal. Ajoutez du vinaigre pour rendre la sauce piquante et ajoutez de la graisse blanche*[1]. *Mettez de la buglosse pour lui donner de la couleur. Versez dans un plat, décorez de graines de grenade et servez.*

« Ce dessert, absolument délicieux, n'est pas sans rappeler notre mousse aux fraises », écrivent Constance Hieatt et Sharon Butler. Je leur laisse la responsabilité de cette affirmation, et ne donne cette recette – sans l'avoir essayée – que pour illustrer mon propos sur les desserts anglais.

1. Vraisemblablement du saindoux.

• **Ketchup.** Les quelques livres de cuisine anglais du XVIIIe siècle que j'ai parcourus donnent tous des recettes de ketchup et autres sauces de longue conservation. En voici une, extraite de *The London Art of Cookery* de John Farley (3e éd. 1785).

Le Catchup est un autre article utile à prendre avec soi sur mer quand on navigue. S'il est fait de la manière suivante il tiendra vingt ans. Prenez un gallon[1] *de bière vieille et forte, une livre d'anchois marinés, la même quantité d'échalotes pelées, une demi-once*[2] *de macis, une demi-once de clous de girofle, le quart d'une once de poivre entier, trois ou quatre racines de gingembre et deux quarts*[3] *de pieds de gros champignons coupés en morceaux. Couvrez tout cela hermétiquement et laissez-le mijoter jusqu'à ce qu'il soit réduit. Alors passez-le à travers un sac de flanelle, jusqu'à ce qu'il soit totalement froid, et alors mettez-le en bouteilles. Cela peut être transporté dans n'importe quelle partie du monde ; et une cuillerée de ce catchup mélangée à une livre de beurre frais, fera une bonne sauce pour le poisson ou remplacera la sauce au jus de viande. Plus forte et vieille sera la bière et meilleur sera le catchup.*

Ce texte atteste l'influence des habitudes alimentaires des marins dans la formation du goût anglais.

1. Le gallon anglais représente 4,54 litres.
2. L'once anglaise 28,35 grammes.
3. Le « quart » anglais ou quart de gallon vaut 1,136 litre.

A quelle sauce les manger ?

Au XVIIIe siècle, selon *La Cuisinière bourgeoise*, les rôts devaient être cuits « *de belle couleur* » et servis, tels quels, sans farce, ni ragoût, ni sauce, ce qui les distinguait des « entrées de broche »[1]. Mais en a-t-il toujours été ainsi ? Bien des menus tirés d'ouvrages d'autres époques nous portent à en douter, plaçant parmi les rôts des viandes en sauce. Témoin, entre beaucoup d'autres, ce menu d'un « *banquet ou noce pour la saison d'après Pâques* », que proposait au XVIe siècle le *Livre fort excellent de cuisine.* Un premier service de rôt y est composé de : « *Oysons à la malvoisie ; Laperaux de garenne aux oranges ; Poulletz fezandés ; Pastez de pigeon* » ; le « *Second rost* » de : « *Levreaux saulce royalle ; Poussins au vinaigre rosat ; Chevreaulx au verjus d'ozeille ; Pigeon en rost* » ; et le « *Tiers service de rost* » de : « *Venayson de rost sauce realle* », etc. Au milieu du XVIIe siècle encore *Le Cuisinier français* indiquait, en son chapitre des rôts, la recette des sauces les plus fréquemment servies avec chacun d'eux. Et il faut attendre 1674 pour que *L'Art de bien traiter* commence à réagir, au nom de la gastronomie, contre l'habitude de manger les rôts avec une sauce.

1. Voir « La logique du rôt », ci-dessous, pp. 287-293.

Le service des sauces

Reste à savoir si ces sauces étaient présentées dans des récipients différents des plats contenant les rôts. Et si, lorsque les viandes rôties étaient inscrites au menu sans accompagnement de sauces, on ne les mangeait pas, cependant, avec une sauce. En 1662, *L'Ecole parfaite des Officiers de bouche* prescrivait à l'écuyer tranchant, lorsqu'il servait le rost, de donner ordre *« qu'il y ait de la sausse dans les assiettes et du sel sur leurs bords »*. Et de fait, dans la gravure du dîner servi à Louis XIV à l'Hôtel de Ville de Paris le 30 janvier 1687 [1], le fond des assiettes paraît recouvert de sauce alors que les viandes rôties, non encore découpées, sont entassées dans de grands plats. De même, au XVe siècle, dans la miniature des *Très riches heures du duc de Berry* qui représente le repas du prince.

Le plus souvent, néanmoins, les sauces semblent avoir été présentées sur les tables médiévales dans des saucières, collectives ou individuelles, de formes et de dimensions variables. Chacun y trempait ses morceaux de viande ou de poisson avant de les porter à sa bouche, comme nous le faisons aujourd'hui des *nems* et de toutes sortes d'autres mets, dans les restaurants asiatiques. Telle est apparemment la destination des petites coupes d'or à pied dans la miniature italienne du XIIIe siècle qui représente *Charlemagne et ses fils mangeant avec leur chien* ; ou des coupelles sans pied mais à larges bords, dans la fresque du *Repas des moines* peinte par Signorelli à l'abbaye Monte Olivetto (Sienne, XVe siècle) ; ou des petits bols – de faïence ? – où un homme et une femme trempent leurs écrevisses, dans une miniature

1. Cette gravure a été reproduite dans *L'Histoire*, n° 20, février 1980, p. 92.

du *Tacuinum sonitotis* conservée à la bibliothèque Casanatense, à Rome ; ou encore des grandes écuelles déposées près d'un plat de volailles rôties, dans une miniature flamande du *Livre des Nobles Emprises du Roy Alexandre* (1450-1480, Musée du Petit-Palais, Paris).

Cameline et moutarde

Le Viandier de Taillevent, dès le XIVe siècle [1], atteste d'ailleurs que les viandes rôties étaient souvent mangées avec une sauce ou autre condiment, comme les viandes bouillies et les poissons. Beaucoup, certes, ne l'étaient qu'au *« sel menu »* : le pigeon, la perdrix, la bécasse, les *« menus oiseaux »*, la tourterelle, le faisan, le pluvier, le paon, l'outarde, la grue, l'oie sauvage, le butor, la cigogne et le cormoran. Mais beaucoup d'autres l'étaient habituellement avec une sauce. Le mouton rôti pouvait se manger *« au sel menu, ou à la cameline, ou au verjus »* ; le rôti de veau, l'agneau ou le chevreau à la broche, et la venaison fraîche l'étaient normalement *« à la cameline »* ; les chapons, hétoudeaux [2] et gélines pouvaient l'être *« au moust, ou à la poitevine, ou à la jance »* ; les oies rôties *« aux aulx blancs ou verts ou au poivre jaunet ou noir »* ; les *« malards de rivière »* – c'est-à-dire les canards sauvages – étaient accompagnés d'une *« dodine »* faite *« de lait, ou de vin, ou de verjus »*.

La *« grosse chair »* salée – bœuf, mouton, porc – se faisait

1. Le manuscrit de la Bibliothèque nationale, qui fournit la plus ancienne des versions connues du *Viandier de Taillevent*, est sûrement antérieur à 1392, peut-être de beaucoup. C'est de cette version que je tire tout ce qui suit. Elle a été éditée, ainsi que toutes les autres, par le baron Pichon et G. Vicaire au XIXe siècle et republiée par Slatkine Reprints (Genève, 1967).

2. Poulets à l'âge d'être chaponnés. On les châtrait entre deux mois et demi et trois mois, en période de pleine lune, quand ils commençaient à s'approcher des poules.

toujours bouillir en eau et se mangeait à la moutarde. De même le sanglier, le cerf ou le chevreuil salés. Cette habitude était d'ailleurs passée en proverbe : *« De plusieurs choses Dieu nous garde, De toute femme qui se farde, D'un serviteur qui se regarde, Et d'un bœuf salé sans moutarde. »* D'autres disaient, plus généralement : *« De chair salée sans moutarde... Libera nos Domine. »* Quant à la *« bouture de grosse chair »* fraîche, elle se mangeait plutôt *« aux aulx blancs ou verts, ou au verjus »*. Nous en avons aujourd'hui perdu l'habitude.

Aussi bien que les viandes, la moutarde accompagnait d'ailleurs les poissons salés : alose, alose cratonière[1], chevesne, morue. Mais l'association était moins étroite puisque l'alose salée pouvait encore se manger *« à la ciboule, ou à la sauce verte »* ; le maquereau salé *« au vin et à la ciboule »* ; et la morue salée *« au beurre frais fondu dessus »*. En outre, la moutarde était recommandée pour des poissons apparemment frais – dont la plupart, au reste, n'ont pas été identifiés – : petites lamproies, *« guemmual »*, *« ables »* d'eau douce, filets rôtis de *« fruites »* ou d'ables de mer.

Sauces à poisson

Beaucoup d'autres sauces pouvaient accompagner des poissons aussi bien que des viandes : les aulx blancs accompagnaient le chien de mer bouilli et les chevesnes rôtis ; les aulx verts, les chevesnes bouillis, les perches de mer rôties et les pétoncles sautés ; le *« poivre aigret »* ou *« poivre jaunet »* était associé aux barbillons bouillis et au saumon ; la *« jance »*

1. Classée par Taillevent parmi les « poissons de mer plats », cette espèce n'a pas pu être identifiée par les éditeurs.

accompagnait la morue fraîche cuite au vin et divers poissons frits ; le verjus était l'assaisonnement du turbot au court-bouillon, de toutes sortes de petits poissons grillés, de la sole et de la perche de mer frites.

Aucun poisson ne se mangeait au sel menu ; de même aucune viande ne se mangeait simplement au vinaigre – assaisonnement ordinaire des moules et des écrevisses – ni à la sauce verte qui était par excellence la sauce des poissons au court-bouillon : lus – c'est-à-dire gros brochets –, bar, alose, carpe, brème, boissaille, congre, turbot et barbue.

Ces associations, prescrites au XIVe siècle par *Le Viandier de Taillevent*, sont en général confirmées par *Le Ménagier de Paris*, qui date de la fin du siècle, et par les versions tardives du *Taillevent* imprimées aux XVe et XVIe siècles. Mais elles ne correspondent sans doute plus au goût des Français de la Renaissance, car on en trouve d'autres dans le *Livre fort excellent de Cuysine* et le *Platine en françois*. D'autres encore, bien sûr, dans les livres italiens, espagnols, anglais ou allemands des XIVe, XVe et XVIe siècles. Elles manifestent la diversité des goûts nationaux – ou régionaux – et nous renseignent sur leurs transformations au cours des siècles.

Platine

Recettes[1]

• **Cameline.** *Broyez gingembre, canelle grand foison, girofle, graine*[2], *macis, poivre long qui veut, puis coulez pain trempé en vin aigre et atrempez tout et salez à point.*

• **Aulx blancs.** *Prenez aulx et pain, défaites de verjus.*

• **Aulx verts.** *Broyez aulx et pain et verdure, défaites de verjus.*

• **Sauce verte.** *Prenez pain, persil, gingembre ; broyez bien et défaites de verjus et de vin aigre.*

• **Poivre jaunet.** *Broyez gingembre, safran, pain hallé, et défaites de vin aigre, et faites bouillir. Et aucuns y mettent graine*[2] *et girofle au verjus.*

• **Poivre noir.** *Broyez gingembre, et pain brullé, et poivre, défaites de vin aigre et de verjus, et faites bouillir.*

• **Jance au lait de vache.** *Broyez gingembre, moyeux d'œufs, défaites de lait de vache, et faites bouillir.*

• **Sauce poitevine.** *Broyez gingembre, girofle, graine de paradis, et de vos foies, pain brullé, vin et verjus, et faites bouillir, et de la graisse de rôt dedans : puis versez dedans votre rôt, ou vous* [*la*] *dressez par écuelles.*

1. *Le Viandier de Taillevent*, pp. 32-34.
2. Graine de paradis, c'est-à-dire maniguette.

Sauces légères du Moyen Age

Variables d'une région d'Europe à une autre et d'un siècle au suivant, les sauces médiévales n'en avaient pas moins des caractères communs qui les différenciaient nettement des nôtres ainsi que de celles de l'Antiquité romaine. C'est du moins ce que suggère une analyse récente de quelques livres de cuisine italiens et français des XIVe et XVe siècles [1].

A la base de nos sauces, y compris beaucoup de celles qui ont été revues et corrigées par la « nouvelle cuisine », il y a généralement un corps gras : huile, crème, beurre, graisse de rôti, etc. Et dans la Rome impériale déjà, celles d'Apicius étaient aussi grasses, 82 % d'entre elles contenant de l'huile d'olive. Or, sur cent sauces médiévales analysées, trois seulement contenaient de la graisse de rôti, deux de

1. Cet article s'inspire très largement de la communication sur les livres de cuisine des XIVe et XVe siècles présentée par Odile Redon et Jean-Louis Flandrin au colloque qui s'est tenu à Modène, les 28, 29 et 30 novembre 1980, pour faire le point des recherches sur les « Problèmes d'histoire de l'alimentation dans l'Italie médiévale ». Les sauces dont il sera question sont celles qu'indiquent les livres suivants : *Libro di cucina del secolo XIV* (recueil vénitien) ; *Libro della cucina del secolo XIV* (recueil toscan) ; le *Libro de Arte Coquinaria* de maître Martino, cuisinier du patriarche d'Aquilée (milieu du XVe siècle) ; et le *De honesta voluptate* de Platina (1475). Pour comparaison, on a étudié les sauces du *Viandier de Taillevent* (manuscrit de la BN, XIVe siècle), et celles des *Excerpta* d'Apicius, publiées à la fin de son *De Re Coquinaria*.

l'huile, et aucune du beurre ni de la crème. Cette quasi-absence de matière grasse, qui n'avait jusqu'ici guère attiré l'attention, me paraît le caractère le plus original de ces sauces, tant du point de vue gastronomique que du point de vue diététique.

Sans graisse ni farine

Absence de graisse ne signifie pas forcément inconsistance : 60 à 95 % de ces sauces étaient liées, voire même épaisses. Il arrivait que, comme aujourd'hui, on les liât au jaune d'œuf cru ou cuit, au sang, au foie de volaille, voire à la viande pilée au mortier. Les deux livres italiens du XIVe siècle utilisaient un ou plusieurs de ces liants d'origine animale dans environ la moitié de leurs sauces ; *Le Viandier de Taillevent* dans un peu plus du quart. Platina et Martino, au XVe siècle, dans moins de 10 % des leurs. Ces deux auteurs avaient, en revanche, une prédilection pour les amandes pilées, ou parfois les noix : on en trouve dans environ 45 % de leurs sauces, contre 0 à 23 % dans celles du XIVe siècle.

La liaison à la farine – pratiquée dans un tiers des sauces d'Apicius – paraît avoir été plus honnie encore par les sauciers du Moyen Age que par les tenants de notre « nouvelle cuisine » : on n'en trouve qu'un exemple – vénitien – sur les cent sauces étudiées. Extrêmement fréquente, au contraire, était la liaison au pain, trop oubliée aujourd'hui : 30 à 40 % des sauces italiennes du XIVe siècle y avaient recours, 60 % de celles du XVe, et près de 80 % de celles de Taillevent. Un peu moins lisses que nos sauces à l'huile ou au beurre, elles en tiraient cependant une consistance tout à fait acceptable – surtout lorsque des amandes ou des noix étaient pilées avec le pain trempé [1] – et elles étaient beaucoup

1. Voyez par exemple les recettes de Martino indiquées ci-dessous.

moins nocives à l'estomac et au foie. Ce serait une raison de les réhabiliter, d'autant que le mixer, aujourd'hui, nous dispense des longues heures de travail au mortier.

Ne jouant pas la carte des graisses – avec quoi nous faisons glisser tant de choses –, les cuisiniers médiévaux devaient exciter l'appétit avec davantage d'ingrédients acidulés, sucrés et aromatiques. De fait, l'élément acide a été trouvé dans 88 à 95 % des sauces dans les cinq livres analysés. Et il était généralement employé en plus grande quantité qu'aujourd'hui, d'autant que l'huile, la crème ni le beurre fondu n'étaient là pour apporter leur liquidité aux mixtures. Il arrivait, certes, qu'elles aillent en emprunter à du bouillon de viande, du fumet de poisson, du lait ou du lait d'amande et, en France, à l'eau de cuisson des pois, dite « purée de pois ». Mais ce n'était pas une très bonne solution, car ces liquides affadissaient des compositions faites pour relever le goût : on n'en trouve, au total, que dans 30 % des sauces vénitiennes, 20 % des françaises, 11 % des toscanes, 5 % des romaines de Martino et Platina. Dans la grande majorité des cas, on n'employait comme liquide que du vinaigre, du verjus, du jus de citron ou d'orange (amère), et des acides moins vigoureux comme le vin et divers jus de fruits.

Le recours au sucre pourrait, dans une certaine mesure, s'expliquer par le désir d'atténuer la force de ces acides sans perte de goût. Mais il faut remarquer qu'il ne s'est introduit que peu à peu, et à des époques différentes selon les régions : à Venise, métropole du commerce des épices, il entrait déjà au XIVe siècle dans la composition de 30 % des sauces. Mais à la même époque aucune des sauces toscanes ni françaises n'en comportait ; et au XVe siècle il n'y en a encore que dans 13 % de celles de Martino et de Platina, qui témoignent sans doute des habitudes romaines. Ce n'est qu'en comptant l'apport en glucose du vin cuit, des raisins secs ou frais, des pruneaux, des mûres, des grenades et des cerises, qu'on parvient à un total de 55 à 60 % de sauces aigres-douces chez ces auteurs.

Autres épices

Au XIVe siècle il n'y en avait que 22 % dans les recettes toscanes et que 5 % dans celles de Taillevent, le seul ingrédient sucré employé étant le jus de raisin. Ces proportions sont à comparer non seulement à celles, bien supérieures, que l'on trouve dans les autres recueils, mais aux 65 % de sauces salées-sucrées d'Apicius. En effet les Romains de l'Antiquité, s'ils ignoraient le sucre de canne, usaient abondamment de miel, de figues sèches, de raisins secs et de vin cuit. Si ces sucrants, indigènes pour la plupart, ont été négligés par les Toscans et les Français du XIVe siècle, c'est que le goût de l'aigre-doux ne s'est implanté que tardivement parmi eux, et que l'hyperacidité des sauces n'impliquait pas nécessairement une atténuation par le sucré.

Les Français et les Italiens du Moyen Age partageaient au contraire avec les Romains de l'Antiquité le goût des épices. Elles entraient dans la confection de 70 % environ des sauces de Martino et de Platina, au XVe siècle, 80 à 90 % des sauces françaises, toscanes et vénitiennes au XIVe, et 94 % de celles des *Excerpta* d'Apicius, à la fin de l'Antiquité. Mais au-delà de cette fréquence globale, tout a changé ou presque. Dans les sauces antiques il n'y avait que trois aromates exotiques : le nard indien (6 % des sauces), le laser (18 %) et surtout le poivre (88 %). Au Moyen Age le nard et le laser ont disparu, et le poivre ne se retrouve que dans 5 à 22 % des sauces. Encore faut-il, pour arriver à ce total, ajouter à notre poivre rond le poivre long, plus fréquemment mentionné. Si le poivre a été l'épice par excellence, comme l'indiquent les données commerciales, c'est dans l'Antiquité, puis de nouveau du XVIIe siècle à nos jours qu'il s'est imposé aux grands cuisiniers ; mais ni au bas Moyen Age ni à la Renaissance, époques où l'on craignait son âcreté trop brutale.

La livèche et l'Orient

Les épices dominantes, alors, ont été le gingembre (40 à 74 % des sauces), la cannelle (31 à 46 %), le safran (13 à 44 %), le clou de girofle (9 à 42 %). On rencontrait aussi la muscade (5 à 19 %), la maniguette ou graine de paradis (19 % des sauces vénitiennes et 42 % des françaises), et, plus exceptionnellement, le galanga ou garingal (Vénétie, France, Angleterre), le macis (France, et surtout Angleterre), la cardamone (Toscane et Vénétie), et même le santal (recueils de Martino et de Platina). Si le bas Moyen Age et la Renaissance ont été un âge d'or pour les épices dans l'histoire de la gastronomie occidentale, c'est par la diversité des espèces utilisées plus encore que par la fréquence de leur emploi.

La gamme des aromates indigènes est étendue elle aussi, mais aucun ne paraît s'être imposé à tous les cuisiniers. Ceux qui ont eu le plus de succès, au Moyen Age – l'ail et, loin derrière, le persil –, n'étaient utilisés pour les sauces que par quatre recueils sur cinq. Trois seulement utilisaient l'oignon, le fenouil, la graine de sénevé ou l'eau de rose ; deux le cresson, la sauge ou le serpolet ; un seul les poireaux, les épinards, la roquette, la menthe, le basilic, la marjolaine, le romarin, la sanemonde ou l'anis. Au total on ne trouve l'un ou l'autre de ces aromates indigènes que dans 43 à 47 % des sauces médiévales, alors qu'Apicius en employait dans toutes les siennes. La livèche, totalement oubliée depuis, parfumait jusqu'à 59 % des sauces romaines ; la coriandre

47 % ; l'origan 35 % ; la rue comme l'oignon 29 % ; les baies de laurier et les poireaux 24 % ; l'aneth, le céleri 18 %.

Il faudra attendre le milieu du XVIIe siècle pour que, de nouveau, la gamme des épices se restreigne et que les aromates indigènes se multiplient dans toutes les recettes, du moins en France. Ce fut peut-être une manière entre beaucoup d'autres, pour la civilisation occidentale, d'affirmer sa prééminence dans le monde, alors qu'au Moyen Age les élites sociales avaient été fascinées par le brillant des civilisations orientales.

Platine

Recettes[1]

• **Aillée blanche.** *Prends des amandes bien mondées et pile-les, et quand elles seront à moitié pilées, mets dedans la quantité d'ail que tu voudras ; et tu pileras le tout ensemble en y jetant un peu d'eau fraîche pour ne pas faire d'huile. Puis tu prendras de la mie de pain blanc et la mouilleras dans du bouillon dégraissé de viande ou du fumet de poisson... ; et tu pourras servir cette aillée en toutes saisons, en gras comme en maigre, comme il te plaira*[1].

• **Aillée violette.** *Tu suivras l'ordre de la recette précédente, excepté qu'il n'est besoin de mettre du bouillon. Mais tu prendras du raisin noir et avec les mains tu le presseras bien dans une marmite ou autre récipient et le feras bouillir pendant une demi-heure ; puis tu passeras ce moût avec lequel tu détremperas l'aillée. Et la même*

1. D'après Martino, *Libro de arte Coquinaria* (in Emilio Faccioli, *Arte della Cucina*, Edizioni de Polifilo, Milano, 1966), pp. 153-158.

chose se peut faire avec des cerises. Et cette aillée se peut donner en temps de chair ou de poisson, comme on veut.

• **Sauce blanche.** *Prends des amandes selon la quantité que tu veux, qui soient bien mondées et bien pilées. Et pour qu'elles ne fassent pas l'huile... mets, en les écrasant, un peu d'eau fraîche. Et tu pileras un peu de mie de pain blanc qui aura d'abord été mouillé dans le verjus, et tu l'écraseras avec lesdites amandes en leur ajoutant du gingembre blanc – c'est-à-dire mondé – à suffisance. Et cette composition, tu la détremperas avec du bon verjus*[2]*, ou avec du jus d'orange ou de citron, en le faisant plus ou moins doux de sucre ou acide de verjus, selon le goût de ton Seigneur ou des autres. Et telle sauce se veut donner avec tous les bouillis, en temps de chair ou de Carême.*

• **Moutarde.** *Prends du sénevé, et mets-le à tremper pendant deux jours en changeant l'eau souvent pour qu'il soit plus blanc. Et tu auras des amandes mondées et pilées, comme elles veulent l'être. Et quand elles seront bien pilées, tu les mettras avec ledit sénevé, et de nouveau tu pileras très bien l'ensemble. Puis tu auras du bon verjus*[2] *ou du bon vinaigre, et y pileras de la mie de pain blanc ; puis la détremperas et la passeras par l'étamine. Et la fait douce ou forte selon qu'il te plaît.*

• **Moutarde rouge ou violette.** *« Prends du sénevé, et le fais bien piler, et prends du raisin sec et écrase-le bien aussi, autant que tu pourras. Et aie un peu de pain grillé et un peu de santal, et de la cannelle, et avec un peu de verjus, ou de vinaigre, et de raisiné, tu détremperas cette composition ; et tu la passeras par l'étamine. »*

• **Verjus au fenouil.** *Prends de l'ail si cela te plaît, et de la fleur de fenouil, le plus doux et le meilleur que tu pourras avoir, et pile-les très bien ensemble en mettant du verjus nouveau, et avec ce verjus tu détremperas cette matière et la passeras par l'étamine ; et fais qu'elle soit un peu salée, autant qu'il est besoin.*

1. Une autre version de cette recette a été donnée par Platine et publiée ci-dessus p. 13.

2. Le verjus ne se trouvant plus dans le commerce, il faut en faire soi-même, en été, lorsque le raisin est déjà gros et juteux mais encore très vert et très acide. Le verjus nouveau que l'on obtient en le pressant était autrefois conservé avec du sel et pouvait ainsi se conserver toute l'année.

La cuisine au beurre

C'est Philip Hyman, l'historien du livre de cuisine, qui a repéré dans l'ancêtre des dictionnaires français [1], à l'article Burrier – c'est à dire « beurrier » – la remarque suivante : *« Pline marque [...] que les nations barbares faisaient grand cas du beurre, et que les riches seulement en mangeaient. En France, l'usage en est commun, et plus de pauvre que de riche. »* Notation étonnante pour nous, puisque face aux margarines, aux huiles industrielles et à toutes sortes de graisses innommables, le beurre caractérise aujourd'hui la bonne cuisine et la bonne pâtisserie. « Cuisine au beurre », « pâtisserie au beurre » sont devenus des labels de qualité dont les professionnels sont d'ailleurs de moins en moins nombreux à être en droit de se prévaloir. Et au XIXe siècle déjà la cuisine au beurre était celle des élites sociales alors que les cuisines à l'huile ou à la graisse étaient populaires et provinciales. N'en aurait-il pas toujours été ainsi ?

Sain de lard

Les cuisiniers aristocratiques du Moyen Age n'ont guère usé du beurre. Au XIVe siècle les traités culinaires français

1. Nicot, *Thresor de la langue française...*, 1606.

et anglais ne le mentionnent que dans 1,4 % à 3 % de leurs recettes, et l'on n'en trouve pas trace dans les livres italiens. Deux traités seulement en employaient davantage : *Le Ménagier de Paris*, qui est bourgeois, et le *Tractatus de modo preparando...*, qui est vraisemblablement d'origine ecclésiastique.

Ce n'est pas que les autres aient été ennemis des matières grasses : beignets, œufs frits et poissons frits y sont communs et l'on y fait revenir les viandes ou les oignons avant d'en finir la cuisson dans une sauce. Mais ils utilisaient de l'huile pour les légumes et les poissons des jours maigres ; et, les jours gras, du lard, du saindoux – ou plutôt du « sain de lard » – ou encore de la graisse de bœuf ou d'autres animaux.

Dans les rares recettes où ils l'employaient, que faisaient-ils du beurre ? Jamais il n'apparaissait dans les recettes de sauces, mais il arrivait que l'on mange la morue salée au beurre fondu – comme je l'ai vu faire aux marins norvégiens, et comme ils le font sans doute encore. On assaisonnait aussi de beurre les moules, diverses purées « d'herbes », et c'est pour de tels assaisonnements qu'il était le plus fréquemment mentionné. *Le Ménagier de Paris* l'emploie aussi – en maigre, mais hors de la période de Carême – pour frire des légumes, des poissons, des crêpes. En Angleterre on l'utilisait pour frire les œufs et pour faire des pâtes et pâtisseries, qui le plus souvent contenaient aussi des œufs. Cette association du beurre et des œufs n'était sans doute pas fortuite car, comme lui, ils étaient permis en maigre hors de la période du Carême.

Pas plus que l'huile, le beurre ne servait jamais à faire revenir ou frire des viandes : signe que le choix des graisses de cuisine dépendait des prescriptions de l'Église autant ou plus que du goût. Mais cela suggère aussi – puisqu'en principe tout était permis les jours gras – qu'on préférait au beurre le sain de lard et toutes sortes d'autres graisses animales ; du moins pour cuisiner des viandes.

Le triomphe du beurre

Entre le XVe et le XVIIe siècle, l'attitude des cuisiniers aristocratiques envers le beurre a changé radicalement, aussi bien en France qu'en Angleterre. En France, à la fin du XVe siècle, on en trouve déjà dans 7,5 % des recettes de la version imprimée du *Viandier de Taillevent* ; puis 33 % dans le *Livre fort excellent de cuisine*, vers le milieu du XVIe. Ce triomphe s'affirme encore au XVIIe et au XVIIIe, puisqu'il y a du beurre dans 35 à 62 % des recettes des livres de cette époque *(graphique 1)*.

En Angleterre, l'essor de la cuisine au beurre a été moins

Graphique 1

Le beurre dans les recettes françaises

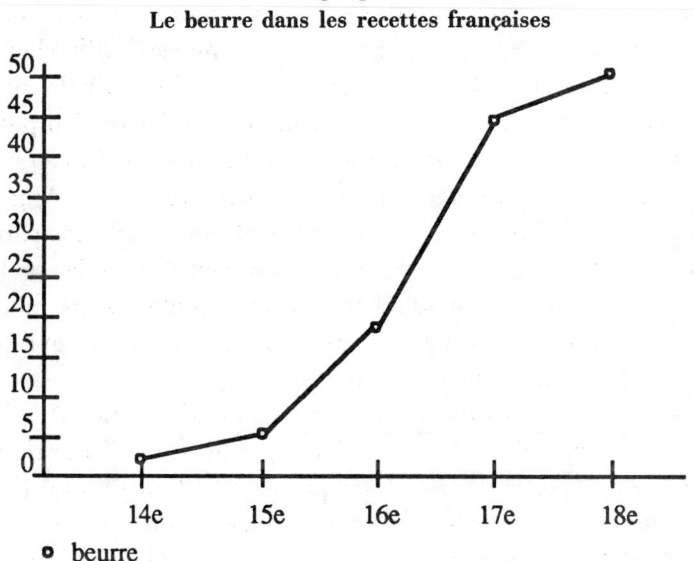

précoce, mais plus brutal encore : de 3,2 % des recettes dans les livres du XVe siècle, on est passé à 45 % à la fin du XVIe et à 48 % au tout début du XVIIe *(graphique 2)*.

Désormais concurrencée par le beurre comme graisse des jours maigres, l'huile a régressé en France comme en Angleterre. Elle n'a guère subsisté que pour quelques fritures et, crue, pour l'assaisonnement des salades. Le lard et les autres graisses animales se sont mieux maintenus, en particulier au XVIIe siècle. Le beurre, cependant, les a aussi concurrencés, puisque l'on a commencé à en employer pour faire revenir les viandes et pour les assaisonner. Enfin, la proportion des sauces grasses, encore faible au XVIe siècle, est devenue très importante aux XVIIe et XVIIIe, et parmi elles les sauces au beurre l'emportaient de beaucoup.

Graphique 2
Le beurre dans les recettes anglaises

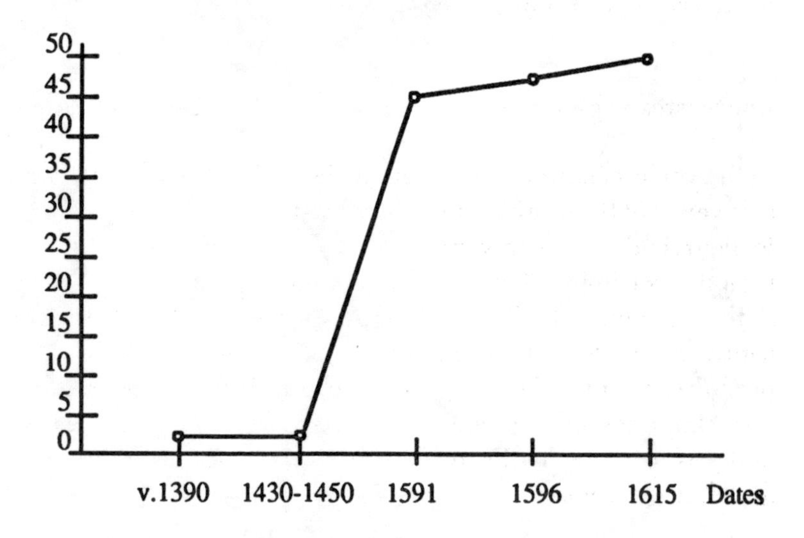

Inconnu ou méprisé ?

Mais de quoi les traités culinaires témoignent-ils exactement ? Au Moyen Age, leur dédain du beurre signifie-t-il qu'il était à peu près ignoré de toutes les classes sociales et dans toutes les régions d'Europe occidentale ? Ou seulement qu'il était méprisé par les élites tout en étant apprécié et utilisé dans d'autres milieux ?

Jusqu'au XIXe siècle, en effet, les traités culinaires français ne nous renseignent que sur la cuisine à la mode dans les élites sociales : haute cuisine, cuisine aristocratique et parisienne, même si de grands seigneurs en mangeaient aux quatre coins du royaume. Pour connaître les pratiques d'autres milieux sociaux, il faut avoir recours à d'autres sources : proverbes, notations de voyageurs et de médecins, ou livres de comptes et autres documents d'archives.

Contrastes régionaux

Bruyerin Champier, qui fut médecin de François Ier, faisait vers 1560 un tableau très contrasté des attitudes envers le beurre dans les diverses provinces du royaume et les régions voisines[1]. Les provinces méridionales, où pousse l'olivier, n'ont, dit-il, pas besoin de beurre. D'autres, au contraire, comme la Bretagne et la Basse-Normandie, en produisent tant qu'elles en exportent dans tout le royaume. Les Flamands en mangent les jours gras comme les jours maigres, ce dont les Français se moquent, les appelant par dérision « mangeurs de beurre ».

---

1. Bruyerin Champier (Jean), *De re cibaria*, 1560.

C'est apparemment que les habitants de l'Ile-de-France n'en usaient qu'en certaines occasions : les jours de jeûne, ils mangeaient des toasts de pain grillé tartinés de beurre frais ; et au mois de mai ils avaient coutume d'en manger au début du repas, mélangé avec de jeunes pousses d'ail et d'autres herbes, *« contre le soupçon d'enchantement et les bêtes du ventre »*. Enfin, comme dans quantité d'autres régions d'Europe occidentale, les boulangers, les confiseurs et les mères de famille fabriquaient des gâteaux et autres friandises abondamment assaisonnées de beurre. Ces pratiques contrastées, notées vers le milieu du XVIe siècle, donnent envie d'en savoir plus sur la consommation de beurre dans les diverses régions de France au Moyen Age.

Provinces beurrières

La forte consommation de beurre des Flamands est confirmée par les documents d'archives : par exemple « le gros bief de Flandre », un document fiscal de 1187 qui indique toutes les productions de la province[1]. Il n'y est question ni d'huile ni de lard, ni d'autres graisses animales, mais de 10 180 kg de beurre et de 50 250 kg de fromage.

Bruyerin Champier parlait du beurre exécrable que l'on faisait dans les montagnes d'Auvergne ; et le livre de comptes du seigneur de Murol, au début du XVe siècle, confirme que ce seigneur auvergnat en consommait beaucoup lorsqu'il était dans sa résidence montagnarde, tandis qu'il consommait de l'huile – et sans doute du lard les jours gras –

1. R. Delatouche, « Le gros bief de Flandre », *Actes du 93e congrès des Sociétés savantes* (Tours, 1968), *Bulletin Philologique et Historique (jusqu'à 1610) du Comité des Travaux Historiques et Scientifiques*, vol. 1 : *Les problèmes de l'alimentation*, Bibliothèque nationale, 1971, 431 p.

lorsqu'il était à Saint-Amant, dans le « pays coupé », ou à Vialle dans la vallée de l'Allier[1].

A Cognac en Angoumois, les comptes de Jean d'Angoulême attestent qu'en 1462 on lui servait de la cuisine au beurre les vendredis et samedis, ainsi que, souvent, les mercredis[2]. Le beurre était acheté en grandes quantités : dans les comptes de cuisine, il s'agit surtout de beurre salé, alors que le beurre frais, à tartiner cru, apparaît plutôt dans les comptes de la paneterie.

On mangeait aussi du beurre en Touraine : c'est ce qu'attestent les dépenses alimentaires faites pour des gardes municipaux au mois de février 1480[3]. Avant le Carême, ces comptes ne mentionnent ni lard ni saindoux, mais du beurre les deux jours maigres qu'étaient les vendredis et samedis, alors qu'en Carême ils mentionnent des huiles de noix et d'olive.

En revanche, il y a des régions où les dépenses alimentaires ne mentionnaient jamais le beurre mais d'autres graisses.

Provinces à huile et à lard

Dans l'étude exemplaire qu'il a consacrée à l'alimentation provençale aux XIVe et XVe siècles, Louis Stouff note qu'en cette province ni les riches ni les pauvres ne consommaient de beurre[4]. Les uns et les autres, dans la mesure de leurs

---

1. Charbonnier (Pierre), « L'alimentation d'un seigneur auvergnat au début du XVe siècle », *ibid.*, pp. 77-102.
2. Maillard (F.), « Les dépenses de l'hôtel du comte Jean d'Angoulême pour le second semestre 1462 », *ibid.*, pp. 119-128.
3. Chevalier (Bernard), « Alimentation et niveau de vie à Tours à la fin du XVe siècle », *Ibid.*, pp. 143-158.
4. Stouff (Louis), *Ravitaillement et alimentation en Provence aux XIVe et XVe siècles* (Paris, Mouton, 1970, 507 p., 135 F.).

moyens, cuisinaient au lard les jours gras et à l'huile les jours maigres. En Basse-Provence il s'agissait généralement d'huile d'olive, mais en Haute-Provence d'huile de noix, comme dans beaucoup de provinces moins méridionales. On a tout lieu de penser – sur la base de nombreux témoignages – que les Languedociens comme les Provençaux cuisinaient alternativement au lard et à l'huile d'olive, et qu'ils ignoraient la cuisine au beurre.

Moins attendu : il en était de même dans la Bourgogne des XIVe et XVe siècles étudiée par Françoise Piponnier [1]. Le beurre n'y est en effet mentionné ni dans les inventaires après décès, ni dans les dépenses alimentaires concernant les seigneurs, les officiers ducaux, les pêcheurs d'étangs, les prisonniers et leurs gardiens, ou les paysans corvéables. Les riches consommaient de l'huile de noix en maigre, du lard et exceptionnellement du saindoux en gras ; quant aux pauvres, ils semblent avoir rarement usé de lard, mais bien plus souvent d'huile de noix.

Pas de beurre non plus en Lorraine. Au XIVe siècle, on n'en trouve en tout cas ni sur la table de la comtesse de Bar, ni dans les provisions faites pour les troupes en campagne, ni dans les registres de prélèvements en nature [2]. Dans tous ces documents, il n'est question que de lard et d'huile en fait de graisses, et de fromage en fait de laitages.

Finalement, il s'avère qu'en certaines régions on consommait beaucoup plus de beurre que les traités culinaires ne le donnent à penser ; mais qu'en d'autres on en consommait encore moins.

---

1. Piponnier (Françoise), « Recherches sur la consommation alimentaire en Bourgogne au 14e s. », *Annales de Bourgogne*, t. XLVI (1974), n° 182, pp. 65-111.
2. Collin (H.), *Bull. Phil. et Hist.* 1968, vol. 1.

Contrastes sociaux

Parmi les traités culinaires français du XIVe siècle, c'était l'ecclésiastique *Tractatus...* et le bourgeois *Ménagier de Paris* qui mentionnaient le plus fréquemment du beurre. Dans ce dernier, 66 % des mentions de corps gras concernent le lard, 22 % des huiles, et 13 % du beurre frais ou salé. C'est peu de chose par rapport à ce que l'on trouvera dans les livres des XVIe, XVIIe et XVIIIe siècles, mais c'est déjà beaucoup par rapport aux 4 % du *Viandier de Taillevent*, ou même aux 7,8 % du *Forme of Cury* attribué au cuisinier du roi d'Angleterre.

Autre indice, un peu fragile je l'avoue : les Flamands en général étaient réputés manger du beurre tous les jours de la semaine, alors que la duchesse de Bourgogne, séjournant à Bruges en 1450, n'en consommait que les mercredis, vendredis et samedis – comme Jean d'Angoulême, en 1462, dans les Charentes. Les lundis, mardis, jeudis et dimanches elle consommait du lard et autres graisses animales [1].

Plus significatifs sont les comptes de l'Hôtel-Dieu de Meaux pour l'année 1527. Comme la duchesse de Bourgogne et le comte d'Angoulême, les pauvres y recevaient du beurre plusieurs fois par semaine, généralement les mercredis, vendredis et samedis [2]. Il y a cependant une grande différence : c'est que les autres jours on ne leur donnait ni huile – sauf peut-être en Carême –, ni lard, ni aucune autre graisse. Disons-le autrement : le beurre était pour les pauvres de

1. Sommé (Monique), « L'alimentation quotidienne à la cour de Bourgogne au milieu du XVe siècle », in *Bull. Phil. et Hist....* 1968, vol.1, pp. 103-118.

2. Endres (A.), « Alimentation d'assistance à l'Hôtel-Dieu de Meaux en 1527 », *Bull. Phil. et Hist.* 1968, vol.1, pp. 209-258.

Meaux non pas une graisse de cuisine mais ce qui assaisonnait leur soupe ou leur pain les jours maigres, quand ils n'avaient ni viande, ni poisson. Or nous sommes là dans une région que personne ne disait beurrière ; une région d'ailleurs toute proche de Paris où semblent avoir été élaborés nos traités culinaires français.

Tout bien considéré, il apparaît donc que le beurre a été, jusqu'au XVIe siècle, une graisse provinciale – ou du moins caractéristique de certaines provinces – et d'autre part, comme l'a écrit Nicot, plus en usage chez les pauvres que chez les riches. Il reste à comprendre pourquoi.

Un substitut du lard

La base de l'alimentation paysanne, jusqu'au XXe siècle, semble avoir été constituée de bouillies de céréales, de pain, et de soupes. Aux champs le pain pouvait être accompagné d'un oignon, ou d'un morceau de fromage ; ou d'une jatte de lait ou de lait caillé comme on le voit sur plusieurs tableaux représentant le repas des moissonneurs. A la maison, le soir et le matin, l'essentiel était une bouillie de céréales, ou une soupe – c'est-à-dire du pain trempé dans un bouillon où avaient cuit des légumes, et autant que possible un morceau de viande salée. Légumes et viande – choux au lard, pois au lard, etc. – étaient généralement séparés du bouillon avant d'être présentés sur table. Faute de lard, le paysan assaisonnait sa soupe et ses légumes d'huile ou de beurre. Le beurre pouvait encore être consommé en tartines sur du pain. Dans la soupe comme sur le pain, il tenait chez les paysans pauvres la place du lard.

A des niveaux sociaux supérieurs, les jours d'abstinence, il était aussi utilisé comme substitut du lard : pour assaisonner les « porrées » de légumes et les potages maigres, ou tartiné sur des toasts. Même pour la pâtisserie, parfois, on préférait le saindoux au beurre : le Père Labat, au début du XVIIIe siècle encore, est jaloux de la permission que les Espagnols avaient d'en utiliser en Carême.

Inadapté à la cuisine aristocratique

Mais les « porrées » sont rares dans les traités culinaires aristocratiques du XIVe siècle, et les tartines logiquement absentes. Lorsqu'on y avait recours à une graisse, c'était pour rôtir des viandes – que l'on piquait de lardons ou que l'on aspergeait de lard fondu – ; ou pour des fritures ; ou pour des « potages » que nous appellerions « braisés », dont on faisait revenir les ingrédients avant de les cuire dans une sauce. Dans tous ces rôles, le beurre est techniquement inférieur au lard, au saindoux et à l'huile, parce qu'il brûle à des températures plus basses.

C'est donc avec raison que le lard et l'huile étaient préférés au beurre par les traités culinaires médiévaux : valable techniquement pour assaisonner les bouillons et les légumes bouillis, caractéristiques de la cuisine paysanne, le beurre l'était beaucoup moins pour les rôtis, les fritures et les braisés de la cuisine aristocratique.

Préjugé culturel

A cette raison technique, s'ajoutait peut-être un préjugé culturel. Dans l'Antiquité les mangeurs de beurre étaient des barbares, tandis que les civilisés, à savoir les Grecs et les Romains, étaient amateurs d'huile d'olive. Malgré la transformation profonde des pratiques alimentaires après les grandes invasions, ces connotations, transmises par les lettrés, sont apparemment restées vivaces dans les élites sociales : de même qu'elles ont bu du vin, y compris dans les pays qui n'en produisaient pas, plutôt que de la bière et autres boissons vulgaires, de même elles ont consommé de l'huile d'olive bien loin des régions productrices, plutôt que les huiles du cru ou que du beurre.

Le lard et les autres graisses animales, d'autre part, étaient sûrement mieux adaptés aux goûts carnivores de l'aristocratie occidentale, que le beurre et les laitages. Même si le lait et le fromage étaient plus souvent mentionnés que le beurre par les livres de cuisine, les laitages dans leur ensemble – en fait comme au niveau des représentations – semblent au Moyen Age caractéristiques du régime paysan, après l'avoir été, dans l'Antiquité, d'hommes quasiment sauvages, ne connaissant encore ni les villes, ni l'agriculture, ni la vigne, ni l'olivier. Voyez les Cyclopes de l'*Odyssée*.

La très longue indignité de la cuisine au beurre ne manque pas de raisons, on le voit. Mais comment son moderne prestige s'est-il donc établi ?

Les raisons d'un changement

Les proverbes anglais, bien recensés, constituent une série chronologique d'utilisation commode. Aux XIVe et XVe siècles, sept de ceux qui nous ont été transmis mentionnaient l'huile, alors qu'un seul mentionnait le beurre. Encore cet unique proverbe n'est-il apparu qu'en 1450. Et il faut attendre les années 1530 pour que, brusquement, les proverbes relatifs au beurre se multiplient. Cette multiplication est aussi nette que celle des recettes utilisant du beurre, et encore plus brusque peut-être.

Pourquoi à partir de cette date ? L'évolution de la réglementation ecclésiastique pourrait l'expliquer : dès les années 1520-1530 les réformateurs ont aboli les abstinences alimentaires obligatoires à dates fixes ; et c'est dans les années 1530 que l'Église anglicane s'est détachée de l'Église romaine.

Par crainte, sans doute, de voir des diocèses entiers rejoindre le camp de la Réforme, la papauté, au XVIe siècle, a multiplié les dispenses en faveur des régions dépourvues d'huile d'olive ; autrement dit des régions où cette huile, importée, était rare et chère. Explicitement, ces dispenses ont été accordées en considération des difficultés que les pauvres avaient, dans ces diocèses, à se procurer de l'huile en Carême. Mais les riches n'en étaient pas exclus pour autant.

Or, si le beurre n'était pas très apprécié sur les bonnes tables de ces régions, l'huile l'était encore moins. On l'avait utilisée jusque-là par obligation mais non par plaisir. Malgré les préjugés que véhiculait la culture antique, on préférait encore le beurre : les voyageurs des XVIe, XVIIe, XVIIIe siècles, originaires de la moitié nord de la France se sont beaucoup plaints, lorsqu'ils séjournaient en Carême dans une région méridionale, d'y avoir dû manger des mets assaisonnés à l'huile [1]. Voilà pourquoi, dès qu'ils en ont eu l'autorisation, les gens riches se sont rués sur le beurre, en Ile-de-France et autres régions non méridionales de la France comme en Angleterre. Ce n'est que dans la zone de l'olivier que les préjugés antiques et la préférence pour l'huile se sont affirmés. Mais ce n'est pas dans ces régions que la cuisine de cour s'est formée.

Dans la grande cuisine française, le beurre a donc d'abord été utilisé en maigre, puis en Carême. Son association avec

1. Flandrin (Jean-Louis), « Le Goût et la nécessité : sur l'usage des graisses dans les cuisines d'Europe occidentale (XIVe-XVIIIe siècle) », *Annales ESC*, mars-avril 1983, pp. 369-401.

les poissons est très forte aux XVIe, XVIIe et XVIIIe siècles. Dès le XVIIe, cependant, on voit les cuisiniers aristocratiques faire revenir divers aliments dans des mélanges de lard et de beurre : des légumes et des poissons en gras, mais aussi des viandes. Ces mélanges expliquent qu'en 1674, dans *L'Art de bien traiter*, le beurre ait été présent dans 54 % des recettes et que le lard ou le saindoux l'ait été cependant dans 52 %. Indication concordante : dans les marchés passés par les intendants des grandes maisons avec leurs pourvoyeurs, aux XVIIe et XVIIIe siècles, la graisse de bœuf, le lard, le saindoux, le beurre ordinaire et l'huile d'olive étaient généralement au même prix.

C'est aux XIXe et XXe siècles que le beurre l'emportera peu à peu sur le lard dans la grande cuisine : la cuisine au lard acquérant de plus en plus une connotation de rusticité – due sans doute au fait que les paysans, pour en avoir été trop longtemps affamés, lui restaient plus attachés que les bourgeois.

Platine

LES BONS BEURRES

« Les gens de l'Armorique – c'est-à-dire les Bretons – et [*ceux*] *de la Normandie voisine que l'on appelle basse, produisent une énorme quantité de beurre, qu'ils conservent en le salant avec libéralité, et enfoncent dans des vases de terre allongés dans lesquels on le transporte vers les autres régions de France, où il tiendra lieu d'huile dans les mets* [...] *Le meilleur est fait dans les campagnes parisiennes*[1]*. Mais au-dessus de tout est vanté celui de Vanves et des cantons voisins, et à juste titre, car il charme la gourmandise par son odeur et son goût. Les habitants de Blois font aussi du leur les plus grandes*

louanges, ainsi que de la crème du lait de Saint-Gervais[-la-Forêt] [1]. *On ne doit pas non plus négliger celui qui est fabriqué dans les montagnes du Lyonnais* [1], *car il est très suave et toujours joliment coloré.*

« Celui qui tire sur le roux est le plus estimé, tandis que la blancheur est réprouvée. Mais aucun n'est plus désagréable que celui d'Auvergne, lequel est fabriqué de ce jus séreux que rend le lait caillé. Cette liqueur, en effet, est conservée trop longtemps dans le vase, puis quand elle est assez abondante, elle est agitée violemment et se condense et s'agglomère en beurre, duquel on façonne ensuite d'énormes mottes coniques. On les emploie au second service, avec le fromage. Ceux qui sont accoutumés à sa puanteur n'en ont pas horreur, mais le mettent au-dessus de tout. » (Bruyerin Champier, *De re cibaria*, 1560.)

1. Paris et Lyon étaient alors les deux grandes villes du royaume, et Blois la principale résidence royale. C'est donc là qu'habitaient les consommateurs capables de faire la réputation d'un produit. Et ils ne trouvaient évidemment de beurre frais que dans les villages proches de leur résidence. On notera en outre que l'auteur est natif de Lyon.

« Le meilleur beurre que nous ayons est celui de Hollande : car il est jaune et fort gras [...] *On y sert le beurre à l'entrée, au milieu, et à l'issue du repas, et ne mange-t-on guères souvent les œufs à la coque que le pain ne soit couvert de beurre frais. On en fait aussi de très-bon en la basse Normandie, qui sent la violette de Mars. Pareillement celui du Mont Jura, et de la basse Bretagne est très-bon. On en fait aussi qui est fort gras en l'isle d'Islande – car le terroir y est bien plantureux – qu'on resserre en des vases de bois de trente ou quarante pieds de long.* (*Olaus*, liv. 21, ch. 4.)

« Pour le garder, on le sale ou on le cuit. Pour le saler, on doit pulvériser le sel, pétrir le beurre avec, & en faire sortir beaucoup d'eau ; en après le serrer en des pots

vernissés. Il est meilleur et plus sain, à mon avis, et même il se garde plus longtemps si on le cuit : car l'écume qu'on en lève en cuisant le purifie d'autant. On le doit donc cuire en la chaudière à petit feu, tant et jusques là qu'on y voit le fonds. Pour le rendre meilleur on y doit verser du vin blanc un verre, du sel à proportion avec un bouquet de sauge ou deux ; une poignée de sel pourra suffire. Le beurre de May frais sans saler se conserve tout l'an et sert – pour la bonté des pâturages – à beaucoup de frictions... » (*Le Thresor de santé*, 1607, pp. 353-354.)

Recettes : sauces au beurre du XVIIe siècle

• **Brochet à la sauce blanche** [1]. *Faites cuire le brochet dans un court-bouillon fait d'eau, de vinaigre et verjus, avec force sel, fines herbes, laurier, romarin, oignons, écorce de citron et d'orange* [amère]. *Laissez le brochet y refroidir, puis égouttez-le et servez-le dans un plat ovale, avec la sauce blanche que voici.*

Mettez dans une casserole du beurre frais, une cuillerée ou deux du court-bouillon, un peu de sel et de poivre blanc, des câpres, quelques tranches de citron ou d'orange [amère], *de la muscade si on l'aime et un anchois préparé, dessalé et haché menu. Remuez sans discontinuer le tout ensemble avec une cuiller de bois ou d'argent afin que la sauce se lie et devienne bien épaisse. Vous la verserez aussitôt sur votre brochet et le servirez promptement car la sauce réchauffée risque de tourner en huile, ce qui est incommode et fort dégoûtant en matière de sauces liées.* (*L'Art de bien traiter*, 1674.)

1. Pour faire cette sauce, j'ai procédé comme on fait actuellement le « beurre blanc » : en mettant d'abord dans la casserole, sur feu très doux, le court-bouillon et les autres ingrédients, puis en y ajoutant tout en tournant sans discontinuer, des morceaux d'un beurre préalablement rafraîchi.

• **Darnes de saumon à la sauce rousse.** *Faites fondre du beurre frais et, quand il sera roux, jetez dedans du persil haché menu, deux ou trois anchois préparés, un peu de court-bouillon de poisson ou d'eau de cuisson des pois verts, câpres, sel, épices, une cuillerée de verjus, moitié autant de vinaigre et quelque jus de liaison fait d'amandes pilées cuites dans du bouillon de poisson et passées* [*au chinois*]. *Faites bien consommer cette sauce, en sorte qu'elle devienne toute en liaison, et versez-la aussitôt sur vos darnes grillées pour donner à manger chaudement, car telles sauces réchauffées tournent facilement en huile.* » (*L'Art de bien traiter*, 1674.)

Chapitre 6

Le vin

Des vins et des couleurs

Il y a les buveurs de blanc, modeste cohorte qui fait un peu figure de secte ; il y a cette espèce de classe moyenne qui commande du rosé au restaurant parce qu'il plaît aux dames ou rappelle les vacances ; et puis il y a les gros bataillons des buveurs de rouge, amateurs de grands médocs, dévots du gros rouge ou fanatiques du beaujolais nouveau qui, toutes classes réunies, proclament qu'il n'est de vin que rouge, comme est rouge le sang du Christ. Je sais bien qu'il existe aussi des vins gris qui se défendent d'être des rosés ; que le vin jaune n'est pas un blanc, ne se sert pas à la même température ni dans les mêmes occasions ; et que les vins vieux tirant sur le roux sont dits « pelure d'oignon », ou tawny lorsqu'ils viennent de Porto. A bien y réfléchir, d'ailleurs, l'anisette seule est blanche et non pas le vin ; certains « blancs » sont foncés plus que des rosés – voyez les vieux sauternes ou les vieux muscats ; quant aux « rouges », il en est de clairs comme du jus de groseilles, de plus noirs que la gelée de mûres, et de violine qu'on dit « bleus ». On serait tenté de conclure qu'il y a autant de couleurs que de crus, d'années, de vignerons et de cuvées, et que toutes ces couleurs changent à mesure que le vin avance en âge. Il n'importe : dans sa pratique quotidienne, chacun de nous – aujourd'hui – admet le dogme de la vinide trinité : le vin a trois personnalités, le blanc, le rouge et le rosé.

Deux, trois, quatre couleurs

Ambigus, souvent méprisés des œnophiles, les vins rosés voient en outre leur personnalité mise en doute par les œnologues. *« Il n'est pas nécessaire de bien connaître le vin,* écrit l'un d'eux, *pour savoir qu'il en existe deux grands types, les vins rouges et les vins blancs. »* Tout vin entre dans l'une de ces deux catégories. Ainsi des rosés qui *« ressemblent davantage aux vins blancs qu'aux vins rouges puisqu'ils n'ont pas macéré avec les grappes* [1] *»*. Un autre expert, en 1928, ignorait même le rosé, appelant « vin gris » ce type intermédiaire et le faisant entrer aussi dans la catégorie des blancs [2].

Si l'on remonte le cours du temps, on voit ces représentations se transformer. Arrêtons-nous par exemple à la fin du XVIe siècle. *Le Thresor de santé ou mesnage de la vie humaine*, nous décrit non pas deux ni trois mais quatre types de vins : les blancs, les noirs, les rouges et les clairets. Chacun se distingue non seulement par sa couleur – puisque chacune a d'infinies nuances – mais par sa nature physique et ses propriétés médicinales. Il y a quatre « tempéraments » de vins, comme il y a quatre tempéraments humains, quatre humeurs dans le corps de l'homme [3] et quatre éléments constitutifs de l'univers [4]. Tout se tient, quoique des types

---

1. Jules Carles, *La chimie du vin*, coll. « Que sais-je ? », n° 908, Paris, PUF, 1966.
2. Ali Bab, *Gastronomie pratique*, Paris, Flammarion, 1928.
3. On admettait l'existence de quatre humeurs : le sang, la bile, la mélancolie, le flegme ou pituite ; la prédominance de l'une d'entre elles déterminait un tempérament sanguin, colérique, mélancolique, ou flegmatique
4. La terre, l'eau, l'air et le feu.

de vins aux types d'hommes et aux quatre éléments les correspondances soient complexes, brouillées par d'autres logiques et les données têtues de l'expérience. *« Le vin noir et fort rouge*, dit *Le Thresor de santé, est de grosse substance et terrestre,* [*il*] *appesantit la personne, cause des obstructions de foie et de rate, dégoûte, engendre des crudités en l'estomac* [...] *il est de difficile concoction, engendre un sang épais, mélancolique, lequel se distribue tardivement. Dioscoride écrit qu'il engendre aussi des flatuosités »*. Mais ce type de vin a aussi quelques vertus : *« Une fois digéré par la force de l'estomac et du travail, il donne plus ferme et copieux aliment et rend l'homme plus vigoureux à la besogne. Il a cela de bon qu'il ne blesse le cerveau par ses fumées, et même il restreint le ventre s'il est lâche. »*

Vin noir, vin blanc

« Les vins blancs », à l'opposé, *« sont de ténue substance, réjouissent les esprits, incisent les humeurs crasses, purgent les reins, dessèchent et amaigrissent, se cuisent et digèrent facilement, pénètrent soudain par tout le corps, sont de petite chaleur et nourriture, font uriner pour être apéritifs, engendrent peu de sang mais icelui subtil ; et tant plus ils sont ténus et odorants, tant plus ils engendrent de défluxions. Ils sont fort contraires aux yeux. Les rhumatiques et goutteux s'en doivent abstenir ; mais ils profitent aux passions de la vessie parce qu'ils traversent incontinent jusque-là. Ils sont aussi salubres à gens sanguins et colériques, et à ceux qui sont trop chauds. Les vins fauves et rougeâtres approchent de ces qualités. »*

Si le vin noir est *« terrestre »*, par lequel des trois autres éléments les vins blancs sont ils marqués ? Est-ce par le feu, en raison de leur fort degré d'alcool ? Mais on les dit de petite chaleur. Est-ce par l'air, puisqu'ils sont odorants ? Est-ce par l'eau ? Je crois plutôt que l'antagonisme du vin noir et du vin blanc correspond à celui de la matière et de l'esprit. L'alcool, en effet, était appelé « esprit de vin », et le blanc en possède plus que le noir, ce qui fait qu'il monte à la tête, trouble la vue et *« réjouit les esprits »*. Plein de matière, boueux, le vin noir *« appesantit la personne »*, *« cause des obstructions »*, *« engendre des crudités en l'estomac »* – c'est-à-dire qu'il y dépose des matières inassimilables qui y croupissent et embarrassent la digestion. Parce qu'il est immatériel, le vin blanc parvient au contraire à dissoudre les *« humeurs crasses »* qui embarrassent l'organisme, il a une vertu *« apéritive »* – du latin *aperire* : ouvrir une voie – et accélère donc la digestion et les excrétions. Aussi il est bon pour les colériques, dont le sang bout parce que les canaux en sont obstrués par la bile ; et il est recommandé aux sanguins comme engendrant peu de sang.

Vin rouge et vins clairets sont intermédiaires entre le noir et les blancs, et leur personnalité est un peu moins marquée. *« Le vin rouge tient le milieu entre le blanc et le noir. Galien estime qu'ils se convertit aisément en la nature du sang. Il nourrit plus que le blanc ni le clairet.*

Les vins clairets, qui sont de la couleur du rubis, sont fort louables : car ils aident à la digestion [...]. *Les médecins les ont fort en estime, parce qu'ils sont salubres et de bonne nourriture. Ils ne sont tant vaporeux que les blancs, ni si contraires au cerveau. Ils se distribuent facilement, ils émeuvent et provoquent les urines, ils sont convenables à ceux qui vivent délicatement et sont de chaude complexion. Bref, ils sont propres à la santé, même en temps d'hyver. »* D'un point de vue médical, finalement, le rouge est moins nocif que le noir, et les clairets combinent les mérites des blancs et du rouge.

Blancs aux châteaux, rouge aux chaumières.

Mais le point de vue médical n'est pas le seul à considérer. La grossièreté du noir et du rouge, la délicatesse des blancs et des clairets, sont des attributs physiques qui emportent aussi un jugement gastronomique et un statut social. Critiquant, dans son *Théâtre d'agriculture*, les vignerons qui foulent la vendange en une seule fois, directement dans la cuve, plutôt que par petits paquets dans un fouloir, Olivier de Serres notait que l'on ne pouvait ainsi *« faire que les vins grossiers, noirs ou rouges, non les délicats, blancs et clairets. »* Moins les vins demeurent dans la cuve, explique-t-il, *« plus délicats ils sont »*. Le mot « délicat », dans le langage œnologique d'aujourd'hui, peut être employé péjorativement pour désigner un vin fragile. Chez Olivier de Serres, au contraire, il n'est que favorable. Lorsqu'il parle de vins *« délicats et savoureux »*, *« excellents »*, *« exquis »*, *« précieux »*, il s'agit toujours de vins blancs ou clairets. Les blancs, parce qu'ils fermentent directement dans les tonneaux, loin du marc, *« acquièrent blancheur, force et bonté »*, tandis que les vins colorés, qui ont bouilli dans des cuves toujours mal closes, sont communément *« plus faibles »*. Notez, enfin, que *Le Thresor de santé* parle au pluriel des blancs et des clairets, catégories comprenant une infinité de crus bien individualisés que l'on fait venir de fort loin parfois : d'Espagne, de Grèce, d'Allemagne ou de Hongrie par exemple. Du noir et du rouge, au contraire, il ne parle qu'au singulier. C'est sans doute que le vin noir n'est bu que par le vigneron qui le produit, qu'il ne voyage pas, et que le vin rouge est déjà, plusieurs siècles avant sa commercialisation abusive, un « gros rouge » sans appellation.

Les vins délicats *« sont convenables à ceux qui vivent*

délicatement » ainsi que le précise *Le Thresor de santé* à propos des clairets. Les vins grossiers, pour leur part, ne profitent qu'aux gens grossiers. *« Le rouge nourrit plus que le blanc ni le clairet, et est plus propre à ceux qui vivent durement : car le travail et l'exercice assidu ôtent les incommodités que le vin rouge apporte. »* Quant au noir, que les Anciens appelaient « sang de la terre », *« il profite aux vignerons et laboureurs : car étant une fois digéré par la force de l'estomac et du travail, il donne plus ferme et copieux aliment et rend l'homme plus vigoureux à la besogne.* Olivier de Serres confirme que les noirs et les rouges constituent une *boisson propre à gens de travail,* et qu'elle est pour cela *autant affectionnément recherchée* par eux, *que les vins blancs et clairets par les gens de repos. »*

Faut-il admettre ce témoignage d'un noble sur le goût des paysans ? Ne vise-t-il pas à justifier l'égoïsme du maître qui faisait boire à ses valets des vins tournés ou d'économiques piquettes tandis qu'il se gorgeait de blancs et de clairets ? Je ne le crois pas, tant l'égoïsme nobiliaire était tranquille en ce temps. Olivier de Serres ne conseille-t-il pas à son lecteur de se pourvoir de vins de qualité inférieure pour les hôtes de passage qui seraient « de petite étoffe » afin de garder pour lui-même les vins délicats ? Or ces hôtes-là n'étaient pas des paysans, et il n'est pas question de leur prêter d'autres goûts qu'au maître de maison ! D'autre part, les vins grossiers dont il s'agit n'étaient pas faits par le seigneur dans un souci d'économie, puisque les blancs et clairets étaient plus faciles à produire. Ils étaient fabriqués par les paysans eux-mêmes, pour leur propre usage. C'est les paysans, en tout cas, qu'on accuse de faire cuver le vin « des trente et quarante jours » – au grand dam du degré – pour le rendre bien noir.

Vins paysans

Était-ce, au fond, un goût si étrange – même avant les méfaits de la chaptalisation et des coupages – que le goût pour des vins colorés, taniques et légers, de la part d'hommes que le travail au grand soleil poussait à boire plusieurs litres par jour ? J'ai connu de ces vins, il y a trente ans, dans mon village, et j'en connais encore de tels en des lieux moins atteints par la civilisation. Toujours plats, généralement âpres et acides, ils sont réellement désaltérants et ont parfois un exquis fruité, qui me les fait chérir. Excusez-moi de ne point vous découvrir leurs retraites : je crains que vos assiduités ne les corrompent. Le noir cahors, pour avoir conquis Paris, est devenu alcoolique et il en est mort. Cherchez vous-mêmes ces vins paysans ; réclamez dans les coopératives des vins de moins de 11 ° ; buvez-les sur place puisqu'ils ne peuvent voyager. Protégez-les.

Platine

LES MÉTAMORPHOSES DU CLARET

Avant 1600 le *claret* anglais, comme le clairet français, s'opposait à la fois aux vins blancs et aux vins rouges ; Cotgrave, en 1673 encore, le croit issu d'un mélange de raisins rouges et blancs. Mais cet article de son dictionnaire, rédigé en 1611, aurait dû être corrigé : avant le milieu du siècle on s'était mis à opposer clairet (ou *claret*) aux vins blancs seulement. Le *Dictionnaire de l'Académie,* en 1694, et le dictionnaire bilingue d'Abel Boyer en 1702, ne voient plus en l'un comme en l'autre qu'un vin rouge. Cela pourrait s'expliquer par le statut social des vins : en France comme en Angleterre les honnêtes gens auraient pris l'habitude d'appeler « clairet » (ou *« claret »*) les rouges qu'ils buvaient, parce que « rouge » faisait trop peuple.

Le XVIIIe siècle, bizarrement, revient au sens premier : de part et d'autre de la Manche on précise que le *claret* ou le clairet sont des vins rouge clair. C'est que de part et d'autre, semble-t-il, le mot est devenu archaïque : en France il est généralement remplacé par « paillet » ; en Angleterre il ne désigne plus que des vins français autres que le champagne. A la fin du XIXe siècle, *« claret »* ne s'emploie plus que pour le Bordeaux rouge, et la couleur *claret* est un violet rougeâtre. Voyez le dictionnaire de Murray. Entre l'ancien vin clairet et le bordeaux – souvent sombre aujourd'hui – je ne vois qu'une similitude : le bien qu'en ont dit les médecins. Comme le clairet, le bordeaux rouge fortifie l'estomac ; comme lui il ne trouble ni la tête ni les opérations de l'esprit ; et dès le XVIIIe siècle on a dit que *« c'est le vin le plus salubre de l'Europe »*. Voyez l'article VIN dans l'*Encyclopédie*. Vis-à-vis du champagne dont l'Angleterre immorale de la Restauration s'était amourachée, le Bordeaux joue au XIXe siècle le rôle hygiénique que le clairet jouait au XVIe vis-à-vis des blancs délicats mais fumeux. Est-ce l'explication ?

PAYS DE BLANCS

« Encore que les vins blancs excèdent en bonté la plupart des autres, si sont-ils néanmoins plus aisés à faire que les rouges et grossiers : parce que sans nullement cuver, directement de dessous les pieds du fouleur [...] *on les loge dans les tonneaux. Là, seuls, sans le marc, ils*

s'achèvent de faire en bouillant, d'où ils acquièrent blancheur, force et bonté, ce qu'ils ne pourraient faire étant mélangés avec le marc comme sont tous les vins colorés ; lesquels communément sont [d'autant] plus faibles que plus sont-ils chargés de couleur. C'est pourquoi, ès terroirs à vignes plus froids que chauds, les vins blancs sont le plus en usage, comme se voit en divers quartiers de ce royaume : aussi en Allemagne, Suisse, Savoie, Genève et ailleurs où le vin blanc se rend assez bon, au prix des clerets et rouges qui y sont tant petits et faibles, qu'on n'y remarque que fort peu de substance. » (Olivier de Serres, *Le Théâtre d'agriculture et mesnage des champs*, 1600, tome 1, livre III, chapitre XVIII.)

Recettes

• Hypocras

Il existait d'innombrables recettes d'hypocras. En voici deux, choisies parmi les neuf que propose *Le Thresor de santé.* L'une est simple, l'autre luxueuse.

Pour hypocras, prenez un pot[1] *ou pinte*[2] *de bon vin blanc ou clairet.*

Sucre blanc — *demi livre*[3]
Cannelle fine — *demi once*[4]
Gingembre — *une drachme*[5]

Quelques-uns y ajoutent clous de girofle. On concasse la cannelle avec deux ou trois amandes pelées, surtout en l'hypocras blanc, puis on ajoute le sucre bien pulvérisé. On passe le tout par une manche tant qu'il soit clair.

Ou :

On prend le dedans de la cannelle douce[6]	*deux drachmes*
Gingembre blanc, fleur de cannelle, de chacun	*une drachme et demie*
Clous de girofle	*deux drachmes*
Muscade	*une drachme*
Poivre long[7], *Graine de Paradis*[8]	*de chacun autant*
Spica Nardy[9]	*une drachme et demie*
Bois de douce cannelle[6]	*deux drachmes*

On en fait poudre bien subtile de laquelle on met le poids d'une drachme en un pot[1] *de bon vin avec une livre*[3] *de sucre fin. Ce fait, on coule le tout par un couloir de linge bien net. Il est délicieux.*

Attention, cependant : *L'hypocras est fort stomachal, mais qui en userait en quantité et souvent pourroit engendrer par sa chaleur et vaporation plusieurs maladies capitales, comme équinance*[10], *apoplexie, etc. On en peut parfois user au fort de l'Hyver pour aider à la digestion.*

1. En quelques endroits le pot sert de mesure et tient deux pintes de Paris... En d'autres endroits le pot ne tient qu'une pinte » (*Dictionnaire de Trévoux*, 1771). C'est évidemment ce qu'il faut comprendre ici.

2. Pinte : ancienne mesure de liquide valant à Paris 0,9313 litre.

3. La *livre* utilisée en médecine et en pharmacie dans l'Europe entière valait 367,2 grammes.

4. L'*once* était la douzième partie de cette livre, soit environ 30 g.

5. La *drachme* valait 1/96e ou 1/120e de livre, soit 3 à 3,8 g.

6. Le *« bois de douce cannelle »* n'est vraisemblablement pas le bois du cannelier, qui est dur, blanc et sans odeur, mais son écorce, ou cannelle proprement dite. Je ne sais comment en distinger *« le dedans de la canelle douce »*. Quant à la fleur de cannelle, ce pourrait être ce qu'on vend sous le nom anglais de « cassia buds ».

7. *Poivre long* : *« sorte de poivre gros et long comme le doigt d'un enfant, relevé de plusieurs petits grains, arrangés et joints les uns aux autres, de couleur grise tirant sur le rouge en dehors, et noirâtre en dedans... Il a le goût du poivre noir, mais moins âcre »* (*Dictionnaire de Trévoux*, 1771). L'Inde d'une part, Java d'autre part, en fournissent des variétés un peu différentes. Aussi piquant que le poivre rond, le poivre long a pourtant une odeur très douce qui rappelle celle de la cannelle.

8. *Graine de paradis* : autre nom de la *maniguette*, épice africaine fort appréciée en France à la fin du Moyen Age. Il s'agit de graines piquantes comme celles du poivre ordinaire, mais plus petites et ayant un autre parfum.

9. Le *Spica Nardy*, ou spic nard, est plus connu sous le nom de nard indien. C'est une sorte de racine chevelue, « *d'un goût amère, âcre, aromatique, d'une odeur agréable et qui approche de celle du souchet. Il croît en quantité dans la grande île de Java... Les habitants en font beaucoup d'usage dans leur cuisine pour assaisonner les poissons et les viandes* ». *En France,* « *il passe pour être céphalique, stomachique, et néphrétique, pour fortifier l'estomac, aider la digestion, exciter les mois et lever les obstructions... Cependant toutes les vertus qu'on lui donne sont exagérées* » *(Encyclopédie)*.

10. *Équinance* ou « squimance » ou « squimancie » : sans doute la diphtérie.

• Clairette

« *Nous appelons Clairette,* dit *Le Thrésor de santé, l'hypocras qui se fait avec du miel au lieu de sucre et avec du vin blanc au lieu du clairet ou du rouge.* » Mais d'autres auteurs la disaient au contraire faite de vin clairet. En voici une recette particulièrement riche donnée par *Le Thrésor de santé. Bon vin vieil, dix livres. Deux livres de bon miel écumé. Canelle, cinq drachmes. Spica nardy, une drachme. Clou de girofle, gingembre, macis*[1], *bois d'aloès*[2], *de chacun une once et demie. Cardamome, deux ou trois drachmes. Musc, trois drachmes ou deux. On concasse le tout, et se coule au travers d'un linge clair. Ce fait, on l'aromatise avec le musc.*

Quant au tempérament de la clairette, elle est bonne contre les froides et flegmatiques constitutions, est apéritive, donne liesse, sert aux hydropiques et graveleux.

Ces recettes riches, tant pour la clairette que pour l'hypocras, nous font toucher du doigt l'incroyable rétrécissement de notre univers gustatif et olfactif. Essayez en effet, dans la France d'aujourd'hui, de vous procurer la fleur de cannelle, le poivre long, le spic nard ou nard indien, le bois d'aloès et le musc : les herboristes et épiciers spécialistes des denrées coloniales ignorent certaines de ces épices, comme le poivre long, et ils refusent de commander celles qu'ils connaissent, parce qu'ils n'en auraient pas la vente. Or ces épices et d'autres, plus oubliées encore, ont fait l'objet d'un commerce florissant pendant le Moyen Age et jusqu'à la fin du XVIIIe siècle. Dans une ville comme Paris, alors, des centaines d'épiciers et d'apothicaires en tenaient. J'ai cependant trouvé du macis et de la cardamome à l'herboristerie du Palais-Royal, 11, rue des Petits-Champs (Paris Ier) ; et de la maniguette dans l'épicerie de Paul Corcelet au 46 de la même rue (Paris 2e). Mais je recommande surtout Izraël, 30, rue François-Miron, Paris 4e, dont la petite boutique fourmille de trésors et qui vous aidera avec compétence dans vos recherches.

1. Le macis est le tégument qui enveloppe la noix muscade.

2. Attention ! La teinture d'aloès, que l'on trouve actuellement dans le commerce, est infiniment plus concentrée. Une once et demie de ce produit rendrait la liqueur abominablement amère et constituerait d'ailleurs une dose mortelle.

Température de dégustation

J'ai des amis qui trouvent de bons vins chez leur épicier, mais ne les servent jamais sans les avoir longuement chambrés dans leur petit deux-pièces surchauffé. Pas d'exception pour les blancs, *« que le réfrigérateur tuerait »*, disent-ils sur un ton sans appel. Pour rafraîchir un sauternes, un jour de juin où le thermomètre marquait 29 degrés à l'ombre, ils n'ont rien trouvé de mieux que de le mettre sur le balcon [1] ! Ce que c'est que d'avoir des principes... Or ces principes viennent de loin, et paraissent avoir été fondés sur des raisons bien oubliées aujourd'hui.

Aussi chaud qu'on a le sang

Laurent Joubert, vers 1580, consacrait un chapitre de ses *Erreurs populaires* à discuter *« s'il faut boire aussi chaud qu'on a le sang, mesmement en esté, et s'il est mauvais de rafraischir le vin »*. Ce faisant, il attaquait des croyances non pas marginales mais largement régnantes un demi-

---

1. Ennemis des réfrigérateurs, n'oubliez pas les vieux trucs. Dans ma jeunesse on mettait l'eau à rafraîchir sur la fenêtre, mais dans une gargoulette de terre poreuse ou dans des bouteilles enveloppées de linges humides. L'évaporation procurait une fraîcheur très suffisante. Vive l'énergie solaire !

siècle plus tôt, et conformes à la diététique médiévale. Bruyerin-Champier, médecin de François Ier, témoigne en effet de l'usage de boire chaud dans toutes les classes de la société de son temps [1]. Les uns, dit-il, chauffent la liqueur en l'approchant du feu ; les autres y jettent du pain grillé tout brûlant ; le peuple y fait tremper une lame de fer rouge, les gens riches une lame d'or et les pauvres des charbons ardents. Enfin, il est des gens qui mêlent de l'eau chaude avec leur vin, parfois de l'eau presque bouillante, précise-t-il, même en été.

Or, dans la seconde moitié du siècle, les habitudes alimentaires et les principes diététiques ont changé. De conservative des tempéraments individuels qu'elle était, la diététique est devenue corrective. Au Moyen Age elle recommandait des nourritures échauffantes aux tempéraments chauds et réfrigérantes aux froids ; maintenant Joubert affirme que seuls les « vieils gens » qui sont frileux parce qu'ils ont le sang froid, ont intérêt à boire chaud en été. En revanche, *« le jeune homme qui a le sang bouillant ne serait jamais désaltéré s'il buvait aussi chaud... car la soif est un appétit de froid et humide »*. Boire frais est d'autant plus recommandable qu'il fait plus chaud. Il faut donc rafraîchir le vin en été. Mais un autre préjugé, plus vivace que le précédent, s'y opposait.

A la température du tonneau

Beaucoup de gens *« approuvent bien le boire frais tel qu'il sort de la cave ou du tonneau – et l'eau venant du puis ou*

1. Dès 1740, le *Dictionnaire de l'Académie* connaît l'expression « frapper de glace », ou simplement « frapper » : c'est, dit-il, *« rafraîchir, rendre extrêmement frais, par le moyen de la glace »*. En revanche il faut attendre le dernier quart du XIXe siècle pour trouver dans les dictionnaires le mot « chambrer » appliqué au vin. Il n'apparaît qu'en 1877, dans le *Supplément* du Littré.

de la fontaine – mais non pas que l'un ou l'autre soit rafraîchi ». En hiver, le vin est parfois si glacé *« qu'il gèle les dents, et souvent empêche de boire si longs traits qu'on voudrait bien. Toutefois vous n'oyez personne qui vulgairement réprouve cela : ains au contraire, la plupart trouve mauvais qu'en hyver on eschauffe le vin ou l'eau »*. Voilà donc, bien avant l'invention des réfrigérateurs électriques, de furieux partisans de la nature ! Mais, incohérents, ils trouvent normal qu'on rafraîchisse, en été, les fruits que le soleil a tiédis. Pourquoi pas le vin ou l'eau ? demande Joubert. *« Il y a bien*, reconnaît-il, *des artifices qui peuvent être suspects, comme de mettre dans le vin de la glace ou de la neige ; item de tremper les bouteilles dans de l'eau qui ait du salpêtre... Mais de tremper les bouteilles en eau simple, qui soit bonne à boire, quel mal y a-t-il ? »*

Le boire à la glace

Autres climats autres mœurs : les Italiens et les Espagnols de la Renaissance buvaient à la glace, comme les Grecs et les Romains de l'Antiquité. Champier qui les a vus, à Nice, envoyer chercher de la neige sur les montagnes voisines pour rafraîchir leur boisson, s'est étonné d'un tel sybaritisme chez des peuples réputés sobres. Mais avec Henri III, cette délicatesse s'introduit en France ; et elle se répand dans les milieux aristocratiques et bourgeois au cours du XVIIe siècle. Paris eut bientôt ses glacières, dont le commerce était si prospère que l'État entreprit de frapper la glace d'un impôt, tout comme le sel.

Cette révolution des mœurs a sûrement été facilitée par la transformation des principes diététiques qui s'est opérée au XVIe siècle. Mais ce n'est qu'entre 1659 et 1675 – après le triomphe du boire à la glace chez les gens du monde –

qu'ont fleuri les ouvrages médicaux le justifiant, et par courtisanerie, me semble-t-il, plutôt que par suite d'une nouvelle transformation des idées scientifiques.

Leurs thèses, cependant, ne sont pas dépourvues de logique. Alziary, dans ses *Conclusions sur le boire à la glace et à la neige* (1659), condamne l'habitude de *« boire la neige en substance »* – donc de la mettre directement dans le vin, à la manière d'Henri III et des anciens Romains – mais il autorise et recommande même qu'au temps des grandes chaleurs on rafraîchisse les bouteilles dans des seaux à glace. Ce n'est *« pas seulement agréable,* dit-il, *mais nécessaire »* d'autant que *« l'eau des puits n'est pas suffisante pour donner à la boisson le degré de froid que la nature demande »* pour contrebalancer le surplus de chaleur.

Il ajoute que ce degré dépend de la nature de la boisson : l'eau, intrinsèquement froide, ne devra pas être excessivement glacée ; en revanche, *« il est certain que le vin et l'eau-de-vie, par exemple, ne sauraient jamais nuire, quelque froid qu'ils empruntent de la glace, à cause que leur chaleur innée réprime la froideur acquise ».* D'une manière générale, *« toutes les liqueurs qui d'elles-mêmes sont chaudes peuvent être plus rafraîchies que celles qui sont froides ».* D'ailleurs, *« des étrangers, comme les Espagnols et les Italiens, qui n'abandonnent jamais la neige »* et *« boivent le vin fort froid »*, n'en sont pas incommodés parce que – au contraire des Français – ils le boivent pur. Inversement, comme ils le boivent froid, il n'y a pas de danger que ce vin pur *« ne donne au cerveau ou qu'il n'échauffe par trop »*, comme il ferait s'il était bu *« chaud ou tempéré ».* Ce n'est peut-être pas par hasard que l'ivrognerie aristocratique s'est développée en France au XVIIe siècle, en même temps que le boire à la glace. De telles idées, en tout cas, y poussaient.

Le champagne et les autres

Jusqu'à la fin du siècle, pourtant, des résistances parfois très vives se sont manifestées dans les milieux de cour contre le rafraîchissement à la glace, *« cette abominable et mortelle galanterie qui passe aujourd'hui non seulement en coutume mais presque en loi »*, ainsi que l'écrivait en 1674 le sieur R***, génial auteur de *L'Art de bien traiter.* Sans abandonner le terrain médical, il affronte aussi sur leur terrain – celui du goût – les *« incommodes voluptueux qui soutiennent que le vin de Rheims n'est jamais plus délicieux que quand on le boit à la glace, et qui veulent que cette admirable boisson puise dans une si mortelle nouveauté des charmes tout particuliers ».* Il juge, au contraire, évident *« que la glace fait... évaporer tous les esprits qui sont enfermés dans cette liqueur..., qu'elle en diminue le goût, la sève, la couleur »*, bref qu'elle *« l'affaiblit de moitié ».*

Alors que les arguments médicaux vont peu à peu tomber en désuétude au cours des siècles suivants, ces arguments œnologiques vont être repris par tous les adversaires du rafraîchissement des vins. Au XVIIe siècle, cependant, n'en soyons pas dupes : s'il s'était vraiment soucié de ne pas affaiblir le vin, le sieur R*** n'aurait pas admis qu'on le coupe d'une eau *« naturellement fraîche »* et il n'aurait pas recommandé de le boire *« au sortir de la cave »* sans distinction de couleur ni de provenance. Les *« voluptueux »* qu'il attaque semblent au contraire avoir fait ces distinctions, puisqu'ils ne prêtent qu'au champagne la propriété d'être meilleur frappé.

J'ai le sentiment que cette opinion devait plus au hasard qu'à une recherche œnologique sérieuse : c'est le champagne qu'on a bu frappé, parce que la mode du champagne a coïncidé avec celle du boire à la glace. Quoi qu'il en soit, la règle s'est maintenue jusqu'aujourd'hui de frapper ce vin, alors que pour les autres les opinions les plus diverses ont été tour à tour soutenues. *« Rien n'est plus pernicieux pour les vins que d'être frappés de glace »*, écrivait en 1825 Horace Raisson, dans son *Nouvel Almanach des gourmands. « Le champagne seul gagne à ce refroidissement. »* Il le tolère, certes, pour les *« vins d'ordinaire »* que l'on continuait à boire coupés d'eau pour se désaltérer. Quant aux vins fins, pour lesquels on avait désormais autant d'égards que pour le Saint-Sacrement, tout dépendait de leur provenance : *« Le bourgogne à la fraîcheur de la cave ; le bordeaux sur le poële ; le champagne à la glace. »* (pp. 71-72).

Remarquons qu'en ce début du XIXe siècle les gastronomes parlent de la température de dégustation sans distinguer les rouges des blancs ni les vins secs des vins moelleux ou liquoreux. Ces distinctions ne viendront que plus tard. Remarquons aussi que les règles de dégustation qui se réclament de la gastronomie et de l'œnologie ont été affirmées en forme d'ukases, avec beaucoup moins d'explications que les vieilles règles fondées sur l'ancienne médecine, et qu'elles ne sont pourtant pas plus évidentes. Mettre un bordeaux sur le pole est aujourd'hui un crime qui bannirait de votre table tout véritable ami du vin. Le chambrage lui-même, pratique plus douce et plus respectueuse de la nature, qui s'est développé à partir du dernier quart du XIXe siècle [1], est de plus en plus dénoncé. On en serait même, si j'en crois un chroniqueur bien connu, à boire les bordeaux plus frais que les bourgognes. Où va le monde !

Platine

1. *Ibid.*, p. 257.

Usages et fonctions du vin

L'histoire du vin est bien connue. Roger Dion, après la guerre, semblait en avoir déjà tout dit ; puis une pléiade de disciples ont approfondi l'étude de diverses régions viticoles ; et récemment Marcel Lachiver, spécialiste de l'ancien vignoble parisien, a donné de toutes ces recherches une passionnante synthèse[1]. On peut désormais réfléchir sur l'essor et la décadence des différents crus. Mais on ne sait toujours rien, ou presque, des changements dans l'art de boire, des usages et des fonctions du vin. C'est cela, pourtant, qui nous permettrait de comprendre les récentes transformations de sa qualité et le déclin actuel de sa consommation.

L'âge de boire

Avant de mener campagne contre les boissons alcooliques, les médecins ont loué le vin. Cependant cette boisson échauffante leur paraissait avoir des effets bénéfiques ou maléfiques selon les circonstances du boire, le tempérament, l'âge et le sexe du buveur. Laurent Joubert, médecin d'Henri III,

---

1. Marcel Lachiver, *Vins, vignes et vignerons. Histoire du vignoble français* (Fayard, septembre 1988, 714 p.).

l'interdisait aux enfants et aux jeunes gens : « *Les enfants... [s'] en doivent abstenir, parce qu'ils ont naturellement si grande chaleur & humidité qu'on ne leur peut augmenter ces qualités sans évident préjudice de leur santé. Outre ce que le vin remplit fort la tête de vapeurs : dont échauffant leur cervelle bouillante, il endommage leur esprit.* » A quel âge commencer à en boire ? « *Passés les dix-huit ans, le vin est permis en bien petite quantité* [...] : *& il le faut augmenter de peu à peu, jusques au quarantième an. Je dis de peu à peu : car autrement il trouble l'entendement, & l'étourdit ou rend furieux, provoquant la jeunesse à cholère, luxure, & toute lasciveté.* » Les adultes devaient en prendre avec mesure et en temps opportun. Pour les vieillards, en revanche, Joubert ne trouvait au vin que des avantages : « *Aux vieillards il est fort propre, & leur est comme le laict aux enfans. Même Platon (divin Philosophe) disait que Dieu l'avait donné aux hommes, pour remède contre l'âpreté de la vieillesse, médecine bien salutaire. Car il les fait rajeunir, oublier les ennuis, soucis, soupçons & chagrins, les rendant maniables en ramolissant leur rude & dure condition : tout ainsi que le feu attendrit & rend maniable le fer.* »

Ces préceptes étaient-ils partout observés ? Rien n'est moins sûr : Joubert se plaint de ce que les paysans du XVIe siècle usaient du vin à contretemps, quand ils étaient fiévreux ; et l'on sait qu'aux XIXe et XXe, dans certaines campagnes, on croyait bien faire en donnant diverses boissons alcooliques aux enfants. Bien des médecins, raisonnant à partir de principes diététiques opposés à ceux de Joubert, semblent d'ailleurs les y avoir encouragés.

Le sexe sobre

L'usage du vin variait aussi en fonction des sexes : quantité de documents attestent qu'en France, comme en Espagne et peut-être en Italie, les femmes n'en buvaient pas ou presque pas.

En 1665, par exemple, l'abbé Locatelli, voyageur bolognais, disait des Françaises : « *Quant au vin elles n'en boivent pas. Et si elles en buvaient, elles se garderaient bien de le dire, comme une chose indigne d'elles, car en France, une des plus grosses injures que l'on puisse adresser à une femme honorable consiste à lui dire que sa bouche pue le vin.* » Au XVIe siècle, déjà, un ambassadeur vénitien, Jérôme Lippomano, écrivait : « *Je crois qu'après les Italiennes et les Espagnoles, les femmes françaises sont les plus sobres de toutes. Les filles ne boivent jamais de vin. Les femmes mariées s'en servent à peine pour rougir un peu l'eau.* »

Le témoignage de Locatelli ne concernait, il est vrai, que les « *femmes honorables* » ; et Lippomano précisait : « *Je ne parle pas des femmes du peuple qui dans tous les pays du monde vivent d'une manière déréglée.* » D'ailleurs, en Allemagne, en Angleterre, et autres pays septentrionaux, les femmes buvaient comme des hommes, et avec les hommes, au grand étonnement des voyageurs français[1].

La sobriété des Françaises ou des Espagnoles ne s'expliquait pas par des prescriptions médicales, bien au contraire. A propos des jeunes gens à qui l'on peut commencer à donner du vin, Joubert écrivait en effet : « *& plus aux filles qu'aux garçons, contre l'opinion vulgaire.* » Car pour les médecins d'autrefois, la chaleur du vin aurait corrigé leur tempérament humide et froid.

Mais l'on craignait apparemment que le vin ne les échauffe plus qu'il ne convenait à leur honneur, et ne leur trouble le cerveau jusqu'à leur faire perdre la maîtrise de leur corps.

---

1. Philippe Gillet, *Par mets et par vins*, p. 46 ; et J.-L. Flandrin, « Boissons et manières de boire en Europe du XVIe au XVIIIe siècle », in Max Milner et Martine Chatelain, *L'imaginaire du vin*, pp. 309-314.

C'est ce que suggère l'anecdote rapportée par Montaigne d'une villageoise, veuve de chaste réputation, qui *« se reconnu un jour enceinte sans pouvoir comprendre comment »*. Or, sur promesse d'être pardonné, *« un sien jeune valet de labourage... déclara l'avoir trouvée, un jour de fête, ayant bien largement pris son vin, si profondément endormie près de son foyer, et si indécemment, qu'il s'en étoit pu servir sans l'éveiller »*. La différence des usages, sur ce point, entre Europe méridionale et Europe septentrionale renverrait donc peut-être à une différence d'attitude envers la femme.

Vin et distinctions sociales

Historiens et ethnologues pensent souvent qu'avant le XIXe siècle les paysans étaient trop pauvres pour boire du vin, ceux qui en produisaient vivant de la vente de leur récolte. Peut-être valable pour certaines régions et certaines époques, cette idée ne me paraît cependant pas généralisable.

Pour le Languedocien Laurent Joubert, les buveurs de vin étaient rares dans les pays septentrionaux ou montagneux, mais dans « le bon pays », c'est-à-dire là où l'on cultivait la vigne, *« le paysan a telle affection au vin, que sans luy il ne penseroit vivre. Sain & malade il en veut tousjours, mesme estant malade de fièvre ardente... »*. Ce témoignage ne vaut pas seulement pour le Languedoc du XVIe siècle. Louis Stouff a montré qu'en Provence, aux XIVe et XVe, les villageois pauvres et riches avaient des réserves de vin dans leurs caves ; vin qui était pour l'essentiel produit par eux et destiné à leur consommation [1].

---

1. Louis Stouff, *Ravitaillement et alimentation en Provence aux XIVe et XVe siècles* (Mouton, Paris, 1970, 507 p.), « Le vin », pp. 83-100 ; et « Budgets, rations, régimes alimentaires », pp. 219-250.

Selon Joubert, ce n'est que dans les régions septentrionales de l'Europe et dans les montagnes, que boire du vin était un signe de distinction sociale, ou une conduite festive qui tranchait avec les habitudes quotidiennes. Les récits de voyage des XVIe, XVIIe et XVIIIe siècles confirment d'ailleurs qu'en Angleterre, en Hollande, en Allemagne du Nord et autres pays de bière, les riches buvaient fréquemment du vin importé de l'étranger, ce par quoi ils prenaient plaisir à se distinguer du peuple.

La plus hygiénique des boissons

Cet effet de distinction, le vin ne le devait pas seulement à ce qu'il était en ces pays une boisson étrangère, puisqu'en France, en Italie, en Espagne, les élites n'ont jamais tenté, avant le XXe siècle, de se distinguer du peuple en buvant de la bière, du cidre ou des alcools de grain. Entre vin et bière, il n'y avait ni symétrie ni égalité : le vin était, dans toute l'Europe, reconnu supérieur aux autres boissons fermentées. Pour les médecins comme pour les consommateurs, il constituait la plus hygiénique des boissons – ce qui ne veut pas dire une boisson sans microbes comme on l'a parfois cru plus tard, mais la meilleure pour la santé.

Il est clair qu'il devait ce statut au prestige persistant de la culture gréco-latine, pérennisée, sur ce point, par le christianisme. Il a fallu quatre siècles de domination économique puis politique de l'Europe du Nord, pour qu'aujourd'hui l'infériorité des boissons alcooliques septentrionales commence à s'effacer.

Vins distingués, vins populaires

Dans les pays de vignoble, c'est le type du vin que l'on buvait qui distinguait les différentes classes. Là aussi il y avait des vins d'importation, comme le malvoisie et autres vins liquoreux et forts de Grèce ou d'Espagne ; mais ils ne servaient que d'apéritifs ou de digestifs. Pour se désaltérer à table, nobles et bourgeois ont longtemps bu, comme les paysans, le vin de leurs vignes. Dans chaque région, cependant, les vins destinés aux élites et les vins destinés aux travailleurs semblent avoir été fort différents.

Roger Dion a montré comment les princes et grands seigneurs, les riches abbayes et les bourgeois des villes ont créé les vignobles de qualité, tandis que pour la consommation populaire, quelle que fût la région, on n'a produit que des vins médiocres [1]. Mais les goûts changent, et il faut donc préciser par quoi les élites sociales définissaient autrefois un vin de qualité.

D'abord par la couleur, comme je l'ai déjà dit dans une autre chronique : pour les élites sociales on faisait des blancs et des clairets et pour le peuple le vin rouge ou le vin « noir ». La diversité de couleur tenait pour une part aux climats et aux sols, mais aussi aux plants, et à la vinification, donc aux goûts des consommateurs. Je rappelle à cet égard que les paysans semblent avoir aimé les vins très foncés, d'ailleurs plus difficiles à obtenir que les vins clairs. Ainsi l'on ne peut se contenter d'opposer les « bons » vins bus par les élites aux « mauvais » vins des paysans : les goûts des uns et des autres différaient, ainsi que leurs besoins physiologiques supposés.

Entre les vins distingués et vulgaires, il y avait pourtant d'autres différences. Il y avait d'abord les plants : plants nobles – comme le fromenteau d'Ile-de-France, hélas disparu – ou plants vulgaires à haut rendement, comme le gamay qui, chassé de Bourgogne au XVe siècle, s'est réfugié

---

1. Roger Dion, *Histoire de la vigne et du vin en France...* (Flammarion, 1977, 768 p.), *passim.*

en Beaujolais d'où il a depuis envahi toute la France. D'autre part les domestiques agricoles buvaient d'économiques piquettes, alors que le maître avait droit au vin de mère-goutte. Celui-ci, rappelons-le, était tiré d'un raisin foulé ou non, mais non pressé, et Nicolas de Bonnefons le considérait comme *« plus subtil », « plus délicat », « plus délicieux »*, et *« plus exquis »*[1]. Après ces vins de mère-goutte, venaient les vins issus du pressurage de la vendange, vins plus *« terrestres »*, plus *« grossiers »*, moins forts[2], et pourtant de plus longue garde, disent les textes.

Toute une hiérarchie de piquettes ou « dépenses » plus ou moins aqueuses prolongeait cette hiérarchie des vins. Nicolas de Bonnefons explique que, pour que soit bonne, il faut mettre sur le marc de la « bonne eau » en petite quantité. Mais Olivier de Serres note que l'on pouvait recommencer l'opération plusieurs fois : la « dépense » de première presse pouvant se conserver plus longtemps, était entonnée pour être bue la dernière, tandis que la dernière faite était bue la première. Sous les noms de « piquette », « dépense », etc., il existait donc des produits fort différents : certains pouvaient être aussi alcoolisés que les petits vins.

La piquette n'est pas qu'un mauvais vin : elle désaltère mieux et monte moins à la tête, lorsqu'on travaille aux champs. Ceux qui en buvaient ordinairement pouvaient même préférer son goût à celui du vin, si l'on en croit Restif de La Bretonne[3]. Pourtant nos textes anciens ne parlent de piquette que pour les domestiques agricoles et autres « gens du commun ». Et c'est par nécessité que les vignerons, au XVIIIe siècle, paraissent en avoir fait leur boisson ordinaire,

1. Nicolas de Bonnefons, *Les Délices de la campagne* (1654), p. 57.
2. Olivier de Serres, *Théâtre d'agriculture*, p. 280. Et Charles Estienne et Jean Liebault, *L'Agriculture et Maison rustique* (1572), livre VI, chapitre XIV, p. 567.
3. Restif de La Bretonne, *La Vie de mon père* (éd. Garnier, pp. 130-131).

dans les régions viticoles où le vin était essentiellement destiné au marché.

Tremper son vin

Remarquons que le bon vin peut être aussi désaltérant et aussi peu dangereux que la piquette lorsqu'on le coupe d'eau. Or, d'innombrables témoignages attestent que c'est ce que les buveurs de vin faisaient traditionnellement en France, au contraire des Allemands et autres peuples de l'Europe septentrionale. Les proportions de ce coupage variaient selon les individus, et selon les circonstances : Montaigne mêlait le plus souvent à deux tiers de vin un tiers d'eau ; mais il lui arrivait aussi de faire un mélange à parts égales.

Cette habitude était à tel point ancrée dans les mœurs françaises que lorsqu'on voulait s'enivrer, plutôt que de renoncer à couper le vin, on s'altérait en mangeant des aliments bien salés, comme le font aujourd'hui les buveurs de bière. Voyez Rabelais. L'Allemand Nemeitz, au début du XVIIIe siècle, admettait d'ailleurs une sorte d'équivalence entre la bière que les Allemands buvaient en mangeant, et le vin coupé d'eau des Français.

Les témoignages ne diffèrent un peu que par l'explication qu'ils donnent de ces habitudes contrastées. L'Allemand Paul Hetzner, qui voyagea en France en 1619, met en avant le fait que les vins français sont trop « généreux » pour être bus sans eau. Et Montaigne juge que les Allemands *« ont quasi raison »* de boire le leur pur, car *« leurs vins sont si petits que nos gentilshommes les trouvaient encore plus faibles que ceux de Gascogne fort baptisés »*. Admettons-le, puisque les gros rouges de Gascogne paraissent avoir titré entre 12° et 14°, comme nous allons le voir.

Mais si la vieille coutume de tremper son vin s'explique ainsi, pourquoi l'avons-nous abandonnée au moment où les vins devenaient plus alcoolisés ? Et est-ce toujours les plus alcoolisés que l'on coupait autrefois d'eau ?

Teneur alcoolique

Nous ne disposons pas de données précises sur le degré alcoolique des vins avant le XIXe siècle ; cependant, on examinera utilement celles que publiait le *Moniteur agricole* du 7 janvier 1865, date à laquelle la chaptalisation, quoique connue, n'était pas encore habituelle[1]. Le vin de Bagnols-sur-Cèze, dans le Gard, titrait alors 17° ; le madère et le grenache, les vins de Collioure, de Jurançon, de Malaga, de Chypre, de Saint-Georges (Hérault) et de Sauternes entre 15° et 16° entre 14° et 15°, on trouvait le rivesaltes et certains barsacs ; puis toutes sortes d'autres blancs moelleux ainsi que des gros rouges du Midi et du Sud-Ouest entre 12° et 14° ; puis les grands côtes-du-rhône et les *« Beaunes, nuits et bons vins de Bourgogne »* entre 11° et 12°. Les grands bordeaux rouges, pourtant à l'apogée de leur gloire, venaient bien loin derrière : le Tronquoy Lalande ne titrait que 9,9° ; les Saint-Estèphe, les Graves et le Kirvan-Laroze 9,7° ; le Lalagune et le Château-Latour 9,3° ; Cantenac, Giscours et Léovile 9,1° ; Haut-Brion, Destournel, et Branne 9° ; Château-Lafite et Château-Margaux 8,7°. On peut douter qu'ils aient été plus alcoolisés aux XVIIe et XVIIIe siècles, d'autant que 1864 a été une grande année en Bordelais. Plus légers encore, il y avait les vins du Cher, entre 7,6° et 8,7° ; ceux de *« Châtillon près Paris »* à 7,5° ; ceux de Verrière (Seine-

1. Maurial (Ludovic), *L'art de boire, connaître et acheter le vin...* (Paris 1865, 211 p.), pp. 192-194.

et-Oise) à 6,2° ; enfin *« beaucoup de petits vins dans divers départements qui ne rendent que 5 pour 100 d'alcool »*.

Nemeitz, dans son *Instruction fidèle pour les voyageurs de condition* (1727), affirmait que si les Parisiens coupaient d'eau le vin d'Orléans qu'ils buvaient ordinairement, c'est qu'il était trop *mauvais* pour être consommé pur, les cabaretiers ayant l'habitude de le mélanger à de médiocres vins de pays. Il étayait cette affirmation en remarquant que l'on buvait purs les *bons* vins de Bourgogne ou de Champagne servis au milieu ou à la fin du repas.

Irrecevable comme explication d'une coutume pluriséculaire et nationale, son témoignage est intéressant cependant en ce que d'une part il atteste que la distinction entre « vins fins » et « vins d'ordinaire », bien établie au début du XIXe siècle, commençait à se mettre en place au début du XVIIIe ; et d'autre part en ce qu'il montre l'insuffisance de l'explication fournie par Montaigne et Heutzner. En effet, le bourgogne que l'on buvait sans eau n'était vraisemblablement pas moins fort que le vin d'Orléans mêlé à des vins d'Ile-de-France.

Alcoolisation

Depuis quand les Français ont-ils bu sans eau certains vins ? Pour ce qui concerne le champagne, *L'Art de bien traiter* (1674) proteste contre l'habitude nouvelle – qu'il juge antigastronomique et mortifère – de le boire *« à la glace »* ; mais il ne voit aucun inconvénient à le couper d'eau fraîche. Pourtant, à cette époque, c'est sans eau et dans des petits verres que l'on buvait les liquoreux et forts « vins d'Espagne », ainsi qu'en témoigne Locatelli. Et dès le Moyen Age, on buvait purs les généreux malvoisies, « vins de Grèce », clairettes et hypocras, servis en début ou en fin de repas.

Du Moyen Age à la fin du XVIIe siècle, les Français ont donc connu deux types de vins : les vins indigènes qu'on buvait coupés d'eau – aux repas ou entre les repas – pour se désaltérer ; et des vins forts, naturellement ou artificiellement liquoreux et épicés, qui servaient d'apéritifs et surtout de digestifs.

Les eaux-de-vie et liqueurs alcoolisées s'étant répandues à partir du XVIIe siècle ont de plus en plus pris la place de ces derniers. En même temps des vins indigènes comme le champagne et le bourgogne ont commencé à se distinguer de vins plus ordinaires qui seuls sont encore bus avec de l'eau. Au début du XIXe, si l'on en croit Grimod de La Reynière, ces *« vins d'ordinaire »*, dans les grands repas, ne sont plus présentés qu'au premier service. Les meilleurs vins de Bordeaux, des Côtes-du-Rhône et de Bourgogne sont traités en *« vins d'entremets »* – offerts, malgré leur nom, dès le second service, avec les rôtis – tandis que l'Arbois est parfois cité avec le champagne comme vin de dessert.

Aujourd'hui, par le moyen de la chaptalisation, tous les vins sont devenus forts. Confondant degré alcoolique et qualité, tous se prennent pour des malvoisies et prétendent être bus sans eau. Cette hausse générale du degré alcoolique de notre boisson est évidemment préjudiciable à la santé et elle appelait une réaction, ouvrant ainsi la voie aux boissons industrielles sans alcool.

Latins et peuples germaniques

La lutte anti-alcoolique a été particulièrement sévère aux USA et dans les pays de l'Europe non méditerranéenne. Mais dans ces pays on usait traditionnellement des boissons alcoolisées d'une manière assez différente de celle des peuples latins. *« Boire à la française »*, au dire de Montaigne, c'était boire *« à deux repas et modérément, en crainte de sa santé »*, autrement dit pour se désaltérer en mangeant, et en mêlant de l'eau à son vin. Les Espagnols passaient dans toute l'Europe pour des modèles de sobriété ; et les Italiens, même s'ils ne trempaient généralement pas leur vin, buvaient eux aussi pendant le repas, et avec modération.

Les Allemands en usaient tout autrement. *« Après le repas ils remettent sur la table des verres pleins, et y font deux ou trois services de plusieurs choses qui émeuvent l'altération »*, note Montaigne dans son *Journal de voyage*. Ils buvaient alors très abondamment, un vin auquel ils ne mêlaient jamais d'eau ; et s'il faut en croire Montaigne, ils se souciaient plus de l'avaler que de le goûter. Les excès auxquels ils se livraient dans ces beuveries ont frappé tous les voyageurs français des XVIe, XVIIe et XVIIIe siècles, tandis que les voyageurs allemands, de leur côté, s'étonnaient de l'éloignement des Français pour les longs banquets et les provocations à boire. La manière de boire à l'allemande était en revanche aussi celle des Polonais, des Anglais et autres peuples nordiques. En Pologne, raconte le sieur de Beauplan, *« on boit très peu en mangeant, et si l'on boit, c'est seulement de la bière [...] Après manger la bière cède la place aux meilleurs et plus nobles crus de vin, lequel quoiqu'il soit blanc, rougit les visages, et élève les frais du banquet. Car on boit des quantités énormes, [...] Quand quelqu'un a bu à la santé de son ami, il lui passe le même verre rempli de nouveau à ras bord pour qu'il lui retourne la politesse. Cela ne leur demande pas beaucoup d'effort, ils le font sans aide des serviteurs, car la table est chargée de flacons d'argent et de coupes de verre qu'on vide et qu'on remplit à un rythme rapide et continu. [...] Après quatre ou cinq heures de ce noble et fatigant travail, certains convives s'endorment sur place, les autres disparaissent pour se débarrasser du trop-plein de liquide, mais ils rentrent vite plus capables pour continuer ce divertissement... ».*

Dans les pays méditerranéens, on usait du vin comme d'une boisson désaltérante et hygiénique, tandis que les peuples germaniques et slaves en usaient donc comme d'une drogue festive, pour s'enivrer ensemble et manifester sa virilité.

Fonctions du vin

Usages différents, et fonctions différentes du vin. Mais chez les uns et les autres le vin avait autrefois des fonctions disparues aujourd'hui ou en déclin.

Pendant des siècles il a été considéré comme la boisson la plus saine ; comme aidant en outre à digérer les aliments qu'il accompagnait – voyez dans une précédente chronique ce qui concerne le melon – ; et enfin comme un remède contre la vieillesse et autres maladies. De ces fonctions hygiénique et thérapeutique du vin, très importantes pour nos ancêtres, il ne reste plus grand-chose aujourd'hui : tout au contraire notre époque considère plutôt le vin comme un poison, et beaucoup de gens s'en sont détournés par souci de leur santé.

Ceux qui continuent à en boire n'y mêlent qu'exceptionnellement de l'eau, et boivent d'ordinaire d'autres boissons pour se désaltérer. Dans cette fonction, les autres boissons fermentées, comme la bière ou le cidre, semblent avoir mieux résisté, vraisemblablement parce qu'elles contiennent en moyenne moins d'alcool.

Réputé autrefois *« excellent aliment »*, le vin ne l'est plus aujourd'hui. Non seulement parce qu'aux yeux du public son image de poison oblitère sa fonction nutritive ; mais parce que, dans nos sociétés suralimentées, les calories qu'il apporte constituent une raison supplémentaire de s'en détourner.

Sa fonction festive, il ne la garde qu'en partie, concurrencé qu'il est par les apéritifs industriels. Et même s'il est nettement plus alcoolisé qu'autrefois il paraît bien moins efficace que les alcools comme drogue enivrante.

Boire à la française, selon Montaigne, c'était non seulement boire *« à deux repas et modérément, en crainte de sa santé »*, mais c'était aussi boire délicatement, en gourmet. En cela on peut dire que la fonction gastronomique du vin est ancienne. Mais il me semble qu'elle s'est beaucoup renforcée et qu'elle tend aujourd'hui à supplanter toutes les autres.

C'est en son nom qu'on a peu à peu cessé de mettre de l'eau dans son vin ; c'est en son nom que l'on chaptalise dans la plupart des régions d'Europe ; et les vins en crise sont les vins ordinaires, non pas les vins dits « fins ».

Lorsqu'on prétend faire un bon repas, il semble nécessaire de l'accompagner d'un bon vin – même à ceux qui apprécient peu le vin et le connaissent mal. Le marchand de vin y gagne un rôle de conseiller qui lui permet de résister à la concurrence des grandes surfaces.

Enfin, l'art de marier les vins avec les plats est un art nouveau, qui me paraît avoir bouleversé l'ordre de présentation des mets depuis le début du siècle – même si à beaucoup d'égards c'est un art encore dans l'enfance.

Dans les vieux pays viticoles, en définitive, la plupart des anciennes fonctions du vin ont disparu ou sont vouées à disparaître, à l'exception de la fonction gastronomique, qui s'est renforcée. Mais cette fonction suffira-t-elle dans l'avenir à maintenir l'usage du vin à son niveau ancien ?

Platine

Chapitre 7

Le service de table

L'ancien service à la française

Il ne suffit pas d'acheter des produits frais, de bonne qualité, et de les cuisiner avec art : encore faut-il, pour qu'un repas soit réussi, que les mets et les vins qui y seront servis ne se fassent point de tort les uns les autres. Vous souhaitez, par exemple, offrir à vos invités un foie gras qui vous permettra de placer un de vos grands sauternes, et, par ailleurs, un homard à l'américaine dont les épices vont exalter le bouquet d'un robuste hermitage blanc. Mais comment les convives apprécieront-ils la délicatesse du foie gras, si vous le servez en entremets, après que les palais auront subi l'agression de l'américaine ? Et si vous le servez en entrée, l'hermitage risque de paraître exécrable après le château-yquem.

De tels problèmes, aujourd'hui, altèrent l'humeur et la santé de plus d'un gastronome. Or ce sont des problèmes nouveaux, caractéristiques de l'état présent de la gastronomie française. Pour qu'ils se posent, il fallait, d'une part, que l'on se soucie de l'accord des vins avec les mets – j'y reviendrai dans une prochaine chronique – et, d'autre part, que fût adopté le « service à la russe », où chaque plat, l'un après l'autre, est présenté successivement à chacun des convives.

Un fastueux tableau

Dans l'ancien « service à la française » – qui a régné jusque vers 1880 – l'amphitryon ne pouvait prendre en charge l'état des palais, car chaque convive composait lui-même son menu, à partir des plats divers dont on avait simultanément couvert la table. Le repas d'aujourd'hui est une aventure collective qui se déploie dans le temps sous la responsabilité exclusive du maître de maison, tandis que le banquet d'autrefois, juxtaposition d'aventures individuelles, se déployait dans l'espace, pour le plaisir des yeux, comme un fastueux tableau.

Il est vrai que la table était d'ordinaire servie et desservie à plusieurs reprises. On apportait d'abord les potages et les entrées ; puis les rôts et les salades, parfois accompagnés des entremets qui, d'autres fois, constituaient le troisième service ; enfin le dessert – ou « fruit » – était un dernier service obligé, bien que les menus des XVIIe et XVIIIe siècles ne le mentionnent jamais. Cependant, l'unité du tableau était conservée par une disposition des plats identique d'un service à l'autre. Voyez, par exemple, les plans de table que proposait, en 1742, *Le Nouveau Cuisinier royal et bourgeois*[1] : chacun d'entre eux vaut pour tout un repas. La continuité du repas était en outre sauvegardée par la manière dont un service était « relevé » par le suivant : *« En ôtant un Plat de dessus la Table,* [*le maître d'hôtel*] *en remettra un autre, afin de ne pas approcher plusieurs fois de suite les personnes qui sont à Table, crainte de les incommoder. »* Ce n'est qu'entre l'entremets et le dessert qu'une césure était

1. Cet ouvrage attribué à Massialot est assez différent du *Cuisinier royal et bourgeois* que cet auteur avait publié pour la première fois en 1691.

marquée : on devait faire table nette *« avant que de poser le premier Plat de Fruit »*.

Plus importante était la question de la disposition des plats sur la table : *« Rien n'est plus désagréable que de voir un service embrouillé, confus ou mal rangé ; cela diminue le service de moitié. »* Aussi l'auteur prescrit-il au maître d'hôtel de dresser un beau plan de table, chaque fois que son seigneur décidera de donner un festin. Pendant le déroulement même du repas, il devra faire sur une table de cuisine une répétition ultime de chaque service avant de le faire apporter aux convives. Et il devait parvenir ainsi à un équilibre, à une symétrie qui égalaient l'art d'un Vatel à ceux d'un Le Nôtre ou d'un Mansart.

La réussite esthétique, cependant, n'était pas le seul objectif du maître d'hôtel lorsqu'il dressait son plan de table. *« Vous observerez,* lui dit-on, *qu'il y ait un tel ordre que chacun puisse prendre ce qui conviendra à son appétit, et que ceux qui servent ne soient contraints en rien, et n'incommodent personne en servant ou desservant, qui est une chose fort désagréable et qui néanmoins n'arrive que trop souvent. »*

Ostentation ou gourmandise

On ne doute pas que cela soit arrivé, en effet, lorsqu'on étudie de près les tables les plus larges dont l'auteur nous propose le plan. Celle de trente-cinq à quarante couverts, par exemple, a quinze pieds de long et autant de large – soit près de cinq mètres – et il y a un bon mètre cinquante du bord de la table au bord des plats les plus près du centre. Quel convive – ou quel domestique – pouvait donc atteindre ces plats, sans avoir une pelle de boulanger ou s'allonger sur la table ? Il aurait d'ailleurs fallu déplacer au moins deux plats intermédiaires. Mais où les mettre, puisqu'il ne restait à la surface de la table aucun espace libre ? Dans un tel cas, il est évident que les prescriptions de l'auteur étaient inapplicables. Et l'on se demande même si ce beau plan de table est autre chose qu'une rêverie.

Revenons sur terre. On a souvent accusé le service à la française de sacrifier la gourmandise à l'ostentation, parce que personne ne pouvait venir à bout de tels amas de victuailles, que leur masse décourageait même l'appétit des convives, et que tous ces plats offerts simultanément refroidissaient souvent avant qu'on ait eu le loisir d'y goûter. Or, la plupart de ces reproches me paraissent mal fondés.

D'abord parce que les plats ne restaient pas sur la table plus longtemps qu'aujourd'hui : *« Il ne faut laisser trop longtemps les Maîtres à chaque service, de peur qu'ils ne s'ennuyent »*, écrivait Massialot. *« On ne les laissera qu'un quart d'heure ou qu'un quart d'heure et demi* [...] *suivant au surplus la coutume du Maître. »* Et les gourmands de l'époque se plaignaient plutôt de la rapidité des services que de leur longueur. D'ailleurs, lorsqu'il y avait autant de plats que de convives, chacun pouvait se servir aussitôt que le plat arrivait sur table, alors que, quand chacun doit goûter du même plat, les derniers servis risquent fort de manger froid.

On doit savoir que les classiques critiquaient eux-mêmes les gaspillages ostentatoires qu'ils imputaient aux festins des générations précédentes, et qu'ils vantaient dans les pratiques de leur temps *« le choix exquis des viandes, la finesse de leur assaisonnement, la politesse et la propreté de leur service, leur quantité proportionnée au nombre des gens »*. C'est ce qu'on lit par exemple dans *L'Art de bien traiter*, publié en 1674.

S'il n'est pas douteux qu'on remportait à la cuisine plus de la moitié de ce qui en était sorti, ces bonnes nourritures n'étaient pas pour autant gaspillées : après qu'il aura servi son Fruit, explique Massialot, le maître d'hôtel *« ira à la cuisine remarquer ce qu'il a desservi, voir s'il n'y a rien qui puisse se servir une seconde fois, et ordonnera le reste pour toutes les Tables d'Officiers, Demoiselles et autres »*. Ceux-ci, on le voit, faisaient déjà table à part mais on ne les jugeait pas encore indignes de manger des viandes délicates cuisinées pour le maître et ses hôtes. Pour la consommation des mets comme pour leur préparation, le service à la française impliquait une domesticité nombreuse. Et cela suffirait à justifier son abandon au XXe siècle.

La fin d'un libéralisme

Il reste à expliquer pourquoi, sinon par ostentation, on se croyait obligé de présenter tant de mets différents à chaque service. Car c'est par là – plus que par l'abondance de la nourriture et le nombre des plats dans lesquels on la disposait – que l'ancien service à la française s'oppose surtout à notre service à la russe. Les convives du XVIIe siècle – faute peut-être d'avoir été, dans leur enfance, dressés à tout aimer – auraient-ils été particulièrement phobiques ? C'est ce que suggère *L'Art de bien traiter* : *« Il se rencontre souvent des gens qui rebutent et qui condamnent quantité de bonnes choses au goût desquelles ils n'ont jamais pu s'accoutumer* [...] *aussi a-t-on juste raison de présenter toujours de plus d'une sorte. »* Quant à Massialot, il explique les choses d'une manière qui fait plus d'honneur et aux invités et à l'amphitryon : *« Vous aurez attention* [...] *à la qualité des viandes pour bien les ordonner, afin d'éviter le voisinage de deux plats d'une même façon, sans en intermédier un d'une autre sorte ; car autrement la chose seroit de mauvaise grâce, et pourroit contraindre le goût de quelques-uns de la Table chacun n'aimant pas la même chose. »*

Par la diversité des plats offerts à chaque service, l'ancien service à la française exprimait ainsi une courtoisie à l'égard des convives qui ne se retrouve pas dans le service actuel. Au libéralisme du temps de Louis XIV, s'est substitué l'autoritarisme du maître – ou de la maîtresse – de maison ; à l'initiative des invités la passivité : au respect des différences la tendance à l'uniformité.

Platine

Documents

Table de six à huit couverts, servie à un grand plat, deux moyens et quatre petits [1]

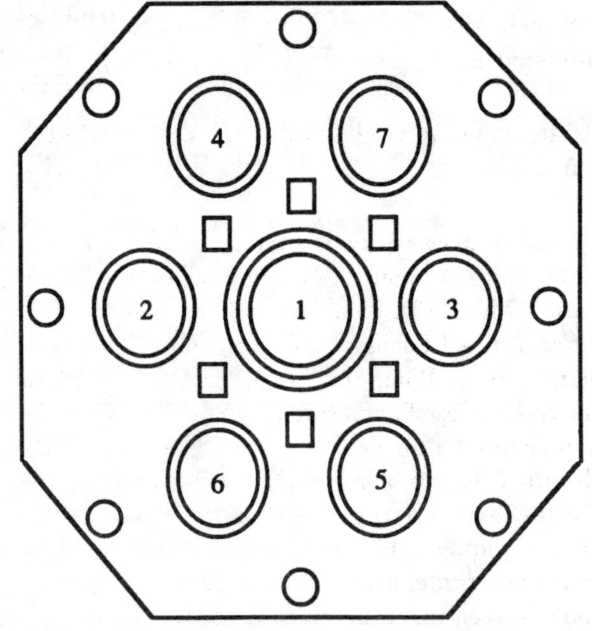

• *Premier service pour un dîner* : Une pièce de bœuf garnie de petits patez et d'hatteletes de ris de veau, et une essence de jambon dessus (1). Deux potages : un d'une bisque de pigeons (2) ; un autre d'un chapon gras aux laitues et aux pointes d'asperges (3). Quatre entrées : deux poulets gras à l'angloise à la broche, et une essence de jambon dessus (4) ; des filets mignons aux laitues (5) ; un pâté chaud de lapereaux (6) ; deux petits oisons aux pointes d'asperges (7).

• *Second service* : Trois plats de rôt : un de deux campines [poulardes] (1) ; un de deux levreaux (2) ; un autre de huit pigeons (3). Deux salades (4 et 5) ; deux sausses (6 et 7).

• *Troisième service* : Pour le plat du milieu, un jambon cuit à la broche (1). Pour les deux bouts, une tourte de crème (2) et un plat de petits choux (3). Quatre moyens entremets : un pain au jambon (4) ; des ris de veau piquez à la broche et un jus dessous (5) ; un ragoût de mousserons (6) ; des asperges au jus (7).

Table de vingt à vingt-cinq couverts, servie à vingt-sept à soupé [1].

• [*Premier service*]. Pour plat du milieu, une Machine (1). Pour les deux bouts : un quartier de Veau de rivière (2) ; un Aloyau (3). Pour les contre bouts, deux oils : un au choux, à l'Espagnole (4) ; un au naturel (5). Pour les flancs, deux Potages : un de croûtes au Blanc (6) ; un de croûtes au Parmesan (7). Pour les quatre coins, deux terrines : une de Perdreaux aux choux (8) ; une d'Ailerons à la purée verte (9). Deux Pâtez chauds : un de Cailles, avec un ragoût de Mousserons (10) ; un de Poulardes piquées de Jambon aux Truffes vertes (11). Pour les quatre contre coins, quatre Potages : un de Pigeons de volière, en bisque au clair (12) ; un de Cailles au coulis de Pistache garni de cul d'Artichaux (13) ; un de Sarcelles aux Lentilles (14) ; un de Poulets au Coulis à la Reine (15). Quatre moyennes Entrées aux quatre coins des grands plats des bouts : un de Perdreaux aux fines herbes (16) ; un de Faisans aux Écrevisses (17) ; un de Poularde aux Olives (18) ; un de Dindon gras aux Oignons (19). Huit Hors-d'œuvre ; deux dans chaque bout, et deux dans chaque flanc : un de Tourterelles aux Truffes (20) ; un de Poulets au Jambon (21) ; un de Pigeons aux Tortues (22) ; un de filets de Poulardes au blanc (23) ; un de filets de Canard au jus d'Orange (24) ; un de Marinade de Poulets gras (25) ; un de Pigeons au Basilic (26) ; un de Perdreaux à la sausse à la Carpe (27).

• *Second service* : Relevez les deux grosses Entrées : une d'un Pâté de Jambon (2) ; une d'un Balon (3). Relevez les deux Oils de deux plats de Rôt : un de Poules de Coq (4) ; un de Dindons gras (5). Relevez les deux Potages des flancs de deux plats de Rôt : un de Poulets aux œufs (6) ; un de petites Campines (7). Relevez les quatre moyennes Entrées des quatre coins de la Machine de quatre Colliers : un d'une Tourte de Fruit (8) ; un de Boucons frits (9) ; un de Cannelas (10) ; un de Beignets (11). Relevez les quatre Potages des contre coins de quatre plats de Rôt : un de Perdreaux (12) ; un de Faisans (13) ; un de Cailles (14) ; un de Lapereaux (15). Relevez les quatre moyennes Entrées d'à côté des grands plats des bouts : deux de Truffes (16 et 17) ; deux d'Écrevisses (18 et 19). Relevez les huits Hors-d'œuvre de quatre Salades et de quatre assiettes d'Oranges ou de Citrons et de deux Sausses (20 à 27).

Un moment après, relevez les quatre Salades et les quatre assiettes d'Oranges ou de Citrons, de huit plats d'Entremets chauds : un de Ragoût de Truffes vertes (20) ; un Pain au Jambon (21) ; un de Champignons farcis, avec une essence de Jambon dessus (22) ; un d'Artichaux à l'estoufade, avec un coulis clair par-dessus

(23) ; un de Ramequins (24) ; un de Ris de veau frits (25) ; un d'œufs à la Crême (26) ; un de montans de Cardes au jus, ou des montans de Laitue Romaine (27).

1. C'est moi qui, pour aider le lecteur à repérer la position de chaque mets, les ai numérotés dans les menus et sur les plans de table qui les accompagnent.

La logique du rôt

Si loin que l'on remonte dans le temps, les grands repas comprennent des rôts. Il peut n'y en avoir qu'un, comme il arrive souvent aujourd'hui, ou plusieurs, présentés en un même service, ou même plusieurs services de rôt successifs, par exemple dans certains banquets du Moyen Age, de la Renaissance ou du XVIIe siècle. L'important est que les rôts ont toujours été présents dans les grands repas, et qu'ils en ont toujours formé la partie centrale. Les autres mets ont pu changer de place entre le XVe et le XXe siècle ; eux, encadrés de ces mets divers et variables, ont toujours été au centre du menu, à la place d'honneur, comme il convient à l'essentiel. Cette relative stabilité m'engage à commencer par eux l'analyse des anciens repas.

Qu'est-ce qu'un rôt ? Aujourd'hui, l'on répondrait que c'est une belle pièce de viande cuite à la chaleur sèche, c'est-à-dire à la broche, sur le gril, dans la cheminée ou la rôtissoire, ou même au four. Les dictionnaires du XVIIIe siècle le définissent seulement comme une viande rôtie à la broche – dans la cheminée puisque les rôtissoires n'existaient pas encore. Mais toute viande ainsi cuite n'était pas présentée au second service « pour un plat de rôt » : beaucoup apparaissaient dès le premier, comme « entrées de broche », « grosses entrées », ou entrées simples. Voyez *La Cuisinière bourgeoise*, best-seller des livres de cuisine de ce temps. En quoi donc ces entrées de broche différaient-elles des rôts véritables ?

Bardes de lard et feuilles de vigne

Parmi les viandes dont il est explicitement dit que l'on faisait des rôts, on trouve toutes celles qui étaient réputées délicates : beaucoup de volailles, de gibiers à plumes, de jeunes bêtes à poil comme les levreaux, les lapereaux, le marcassin, l'agneau. Dans les mêmes espèces, les vieilles bêtes étaient servies en entrée parce que leur chair était trop dure pour être mise à la broche. Cela est clair. Mais d'autres viandes étaient cuites à la broche, dont on ne nous dit pas explicitement qu'elles constituaient des plats de rôt : les gros gibiers que l'on devait préalablement mariner, et, d'autre part, les meilleurs morceaux des bêtes de boucherie. Ainsi le *« rôt de bif de mouton »* qui se mettait *« entier à la broche, piqué de petit lard »* et qu'on servait *« dans son jus, pour pièce de milieu »* ; ou le gigot, *« qui fait partie du rôt de bif et se prépare de la même façon »* ; ou l'épaule de veau, *« qui se sert ordinairement cuite à la broche, dans son jus ou une poivrade liée »* ; ou les petits jambons mis à la broche et servis chauds ; ou encore le cochon de lait, qu'il fallait *« manger sortant de la broche »*, de peur que sa peau ne ramollisse et ne perde son goût.

Toutes ces belles pièces rôties étaient-elles présentées en « plat de rôt », et ne le précise-t-on pas parce que cela allait sans dire ? On est porté à en douter lorsqu'on voit l'aloyau de bœuf, *« que l'on met communément... cuire à la broche »* et qui *« se sert dans son jus »*, être désigné comme une *« grosse entrée »*, de même que la longe de veau mise en broche enveloppée de papier gras, ou le carré de mouton rôti qu'on servait accompagné d'une sauce à l'échalote. Quant au foie de veau, cuit *« à la broche piqué de petit lard »* et servi sur *« une sauce au petit maître »*, il ne constituait qu'un hors-d'œuvre. Serait-ce que les abats et même ce qu'on appelait, avec une nuance péjorative, semble-t-il, *« les grosses viandes »* étaient trop vulgaires pour constituer des plats de rôt ? Tous les dictionnaires attestent pourtant qu'à côté des *« petits rôts ou menus rôts »* qu'étaient la volaille et le gibier il y avait « le gros rôt », c'est-à-dire *« la grosse viande rôtie, comme aloyau, quartiers de veau et de mouton, etc. »*.

La plupart des menus rôts étaient piqués ou bardés de lard. D'autres, comme les pigeons de volière, les cailles et les bécasses étaient, pendant la saison, enveloppés de feuilles de vigne. Cela ne les empêchait pas d'être des rôts. En revanche, dès qu'une viande était piquée d'autre chose que de lard, elle devenait une entrée. Ainsi le gigot à la génoise, piqué de céleri, d'estragon, de cornichons, de lard et de quelques anchois ; ou l'épaule de mouton à la roussie, qu'on lardait de deux poignées de persil avant de la mettre en broche.

Le goût de la bête

Les bardes de lard ou les feuilles de vigne n'empêchaient pas les rôts d'être finalement *« cuits de belle couleur »*. En revanche, lorsque la même viande devait être servie pour entrée de broche, on la bardait de lard et d'un papier pour la préserver du hâle. Ainsi des poulets gras, auxquels on se réfère pour la cuisson de toutes les autres volailles : *« Faites-les cuire à la broche enveloppés de lard et de papier : ne les mettez point à feu trop ardent de peur qu'ils ne colorent, parce que les poulets en entrée de broche doivent se servir blancs. »* De même les dindonneaux, les poulardes, les pigeons, les faisans, les sarcelles, les perdreaux, les bécasses, les cailles, les grives et les pluviers. Dans tous ces cas l'enveloppement de papier distinguait l'entrée de broche du rôt.

Moins rôties que les rôts, et pour cela moins goûteuses, les entrées de broche trouvaient généralement un supplément de goût dans des farces, des sauces, des ragoûts : *« Quand vos poulets sont cuits, dressez-les sur le plat que vous devez servir, et mettez avec telle sauce ou ragoût que vous jugerez à propos. »* Les sauces étaient généralement versées sur la viande rôtie, qui n'était pas recuite avec elles. Quant aux ragoûts, ils étaient simplement disposés autour.

Il faut remarquer qu'un rôt n'était jamais farci. Toute viande farcie rôtie et servie chaude était une entrée, même lorsque cette farce était fort modeste et changeait fort peu le goût de la bête. Les pluviers, lorsqu'on voulait en faire un rôt, étaient, comme les bécasses, embrochés sans être vidés. *« Si vous voulez les servir pour entrée de broche, faites une farce de ce qu'ils ont dans le corps, comme il est expliqué à l'article des bécasses »*, c'est-à-dire en éliminant le gésier, en hachant le reste des entrailles et en les mêlant à *« du lard râpé ou un morceau de beurre, persil, ciboule hachés, un peu de sel »*. D'un autre côté, aucune farce n'était peut-être suffisante pour distinguer une entrée de broche d'un rôt, puisqu'une bête farcie était toujours servie avec une sauce ou un ragoût. Une même substance intervenait souvent dans la farce et la sauce – ou le ragoût – : ainsi les marrons dans l'oie farcie à la broche, grosse entrée dont nous avons fait un rôt de Noël.

Les jours maigres – plus d'une centaine par an – on remplaçait la chair par du poisson, et la structure du repas restait inchangée. Cependant les rôts maigres ne se différenciaient pas des entrées par les mêmes caractères que les rôts gras.

Paradoxalement, les rares poissons rôtis à la broche, comme l'esturgeon ou les grosses anguilles, étaient servis en entrées, avec des sauces. De même tous ceux que l'on passait sur le gril : le saumon en tranches, l'alose, le bar, le surmulet, le maquereau, la vive, le rouget, la sardine, le hareng, la truite, etc. Entrées encore, les quelques-uns que l'on cuisait au four avec un ragoût.

Simplicité aristocratique

Les poissons qu'on voulait servir pour plats de rôt[1] – tous ne s'y prêtaient pas, non plus que toutes les viandes – devaient être frits, ou cuits au court-bouillon. Mais ces deux procédés de cuisson ne caractérisent qu'imparfaitement les rôts maigres. La raie marinée frite est une entrée en raison de la marinade où elle a séjourné. La limande, la sole, le carrelet et la plie constituent des rôts lorsqu'ils sont farinés, jetés dans une friture bien chaude, cuits de belle couleur et servis à sec, dans une serviette. Mais lorsque après les avoir retirés de la friture on verse dessus une sauce aux câpres et aux anchois, c'est une entrée. De même le merlan. Les anchois dessalés, trempés dans une pâte et frits, se servent, eux, en entremets. Et les cuisses de grenouilles frites de la même manière ne sont qu'un hors-d'œuvre.

Les beaux poissons devaient, pour devenir des rôts maigres, ne pas être écaillés avant d'être mis au court-bouillon, puis ils devaient être servis à sec, sur une serviette, garnis seu-

1. Dans l'« ancien service à la française », un grand repas comportait quatre services, ou ensemble de plats servis simultanément sur la table. Le second service, en général, comportait les rôts et les salades. Cf. pp. 279 ss., « L'ancien service à la française ».

lement de persil vert. Ainsi du saumon : *« Si vous le servez pour un plat de rôt, vous ne l'écaillerez point ; quand il sera cuit, mettez-le à sec, sur une serviette, avec du persil vert autour. Si c'est pour une entrée, il faut l'écailler »* et le servir avec une sauce. De même l'alose, le brochet, la carpe. Pour le turbot, la barbue, le bar, la truite saumonée, il n'est pas question des écailles : c'est le service à sec sur une serviette et la garniture de persil qui caractérisent le rôt, alors que la sauce dénonce l'entrée.

Les rôts gras et maigres se caractérisent par des procédés de cuisson différents – opposés, même, à première vue – mais adaptés à la nature de l'animal : les oiseaux, qui vivent dans l'air, étaient cuits dans leur élément, l'air chaud, et les poissons de même, dans le leur, l'élément liquide.

En outre les uns comme les autres n'admettaient farce, ni sauce, ni accompagnement de ragoût. Ni les uns ni les autres ne devaient être marinés, ni piqués d'autre chose que de lard – ou d'anguille, qui constitue une sorte de lard maigre. Bref, ils devaient être préparés et servis simplement, d'une manière aussi naturelle, aussi dépouillée que possible. Pourquoi ?

Pour les viandes, la simple cuisson à la broche passe, et depuis longtemps, pour une technique primitive de cuisine : au Vᵉ siècle av. J.-C. déjà, les Grecs la tenaient pour telle ; aux XVIIᵉ et XVIIIᵉ siècles, on se représentait les repas médiévaux comme de barbares amoncellements de viandes rôties.

D'autre part le rôti a été, de toute antiquité, une nourriture de fête. Dans l'Antiquité, les bêtes sacrifiées aux dieux – ou au moins, nécessairement, certaines parties d'entre elles – étaient rôties, parce qu'ils aimaient le grésillement de leur graisse sur la flamme et prenaient plaisir à humer la fumée qui en montait jusqu'à eux. Dans la France des XVIIᵉ et XVIIIᵉ siècles, longtemps après la désacralisation chrétienne de la vie et des agapes réelles, on opposait encore à la viande bouillie – nourriture quotidienne et roturière – le rôti aristocratique et cérémonieux.

Naturel, archaïque et cérémonieux, tel est le rôt, en maigre comme en gras. Tel se veut-il du moins au XVIIIe siècle. Il n'en a peut-être pas toujours été ainsi.

Platine

Sur un menu de Denis[1]

« Un grand dîner », écrivait Grimod de La Reynière, *« se compose ordinairement de quatre services. Le premier comprend les potages, les hors-d'œuvre, les relevés et les entrées ; le second les rôtis et les salades ; le troisième les pâtés froids et les entremets de toute nature ; le quatrième enfin le dessert, et sous ce nom sont compris les fruits crus, les compotes, les biscuits, les macarons, les fromages, toutes les espèces de bonbons et de pièces de petit four qu'il est d'usage de faire paroître dans un repas, les confitures et les glaces*[2]. *»* Pour épargner les pâtés froids – fort dispendieux – qui devaient tenir le milieu de la table au troisième service, beaucoup de maîtres de maison, même pour de grands dîners, faisaient apporter les entremets en même temps que les rôts et les salades. Grimod de La Reynière, en combattant cette pratique, témoigne du même coup de son existence ; et nous savons d'ailleurs que du XVIIe au XIXe siècle les dîners en trois et quatre services ont coexisté. Mais dans une présentation comme dans l'autre on trouvait

1. Denis (10, rue Gustave-Flaubert, 75017 Paris) était réputé pour être le restaurant le plus cher de Paris. Pas assez, cependant, puisque malgré sa qualité il a dû fermer ses portes en 1977.

2. *Almanach des gourmands*, troisième année, 1805, p. 17.

à peu près les mêmes éléments constitutifs du repas, et dans la même succession.

L'ordre des mets

Si dans les repas en trois services les entremets *« languissent pendant qu'on dépèce le rôt, et sont froids lorsqu'il est mangé »*, c'est apparemment qu'ils étaient mangés après lui, comme dans les repas en quatre services. On peut donc dire que durant ces trois siècles les grands dîners ont eu une structure stable que j'appellerai « classique ». Particulièrement adaptée au service à la française [1], elle lui a néanmoins survécu : ces dernières années encore, Denis, restaurateur des princes de notre temps, proposait au début de son livre de cuisine [2], un *« menu type de base en trois services »*, où l'on retrouve tous les éléments énumérés par La Reynière, ou presque tous (cf. pp. 296-299 « Menu en trois services »), mais où le mot « service » a pris un sens ambigu, puisque les plats de chaque service ne sont plus présentés simultanément.

En lisant ce menu type, le mangeur français du XXe siècle finissant sera peut-être surpris, voire choqué de trouver après le « rôt chaud » un « rôt froid » qui prend la suite des pâtés froids et daubes froides de l'ancien entremets. Cet archaïsme garde cependant des avantages. En particulier, il a permis à Denis de répondre, mieux que tous nos autres chefs et gastronomes contemporains, à la redoutable question de ce qu'on doit boire sur le foie gras. *« Il faut distinguer* écrit-il, *si le foie gras est offert au déjeuner, au dîner ou au souper. Dans le premier et le troisième cas, il est servi géné-*

---

1. Cf. pp. 279 ss., « L'ancien service à la française », p. 90.
2. *La cuisine de Denis*, Paris, Laffont, 1975.

ralement en premier et, par conséquent, il n'est pas bon de l'accompagner d'un vin doux, à moins de boire celui-ci pendant tout le repas, ce que peu de gens sont capables de supporter. Il est donc préférable de le servir accompagné du vin unique du déjeuner qui sera, dans ce cas, soit un vin blanc sec corsé, soit un vin rouge, léger de préférence (un bordeaux vieux du Haut-Médoc, ou un volnay léger), soit un champagne. Il en va autrement pour le dîner. Dans ce cas le foie gras se sert en dernier, avant les entremets sucrés : vous l'accompagnerez par conséquent d'un vin doux, soit que vous offriez le même avec les entremets, soit que vous le fassiez suivre d'un vin plus corsé de même nature. » C'est la sagesse même. Mais combien de fausses solutions ai-je vu prôner sur ce sujet, parce que, coupé de toute tradition, on n'imaginait pas pouvoir servir un foie gras froid autrement qu'en entrée de table.

Révolutions silencieuses

Plus généralement, à l'exception de quelques rares cuisiniers et gastronomes archaïsants, nous avons tendance en cette fin du XXe siècle à prendre tous les pâtés froids, toutes les terrines, toutes les viandes en gelée et autres chairs cuites refroidies pour des hors-d'œuvre, alors que nos ancêtres les servaient systématiquement à l'entremets. De même les crustacés, qu'ils servaient froids à la même place, nous les confondons plus ou moins avec les huîtres et autres fruits de mer, les tenant aussi pour des hors-d'œuvre lorsqu'ils sont froids ou des entrées lorsqu'ils sont chauds. C'est d'ailleurs devenu un principe de faire passer les poissons ou autres productions des eaux avant les viandes, alors que nos pères leur demandaient volontiers de « dégraisser la bouche », tout comme aux légumes et aux sucreries des troisième et quatrième services. Comment ne pas mettre ces tendances actuelles en rapport avec l'habitude de boire les vins blancs secs avant les rouges, tandis que l'usage inverse était préconisé par les livres anciens et les proverbes populaires :

> *« Blanc sur rouge*
> *Rien ne bouge*
> *Rouge sur blanc*
> *Tout fout le camp. »*

Et l'*Almanach des gourmands* confirme : *« Si l'on sert du Vin d'Entremets de diverses espèces, ainsi que cela se pratique dans les grands repas, il est d'usage de commencer toujours par le rouge... Lorsqu'on aura épuisé les vins rouges, on pourra passer aux blancs ; et alors, si c'est dans les qualités de Bordeaux, on aura le choix entre ceux de Grave, de Barsac, de Ségur et de Médoc ; s'il s'agit de la Bourgogne, on donnera la préférence aux Vins de Beaune et Chablis ; et si l'on veut parcourir les côtes du Rhône, on aura à choisir entre le Vin de S. Perey et celui de l'Hermitage*[1]. *»*

Autre tendance, qui s'infiltre depuis deux décennies jusque dans les repas les plus huppés : servir les viandes garnies de légumes, ou associées à des plats de légumes, au lieu de présenter ceux-ci en entremets salés, après les rôts et les salades, comme on le fait encore dans quelques vieux restaurants de province. Quant aux entremets sucrés – les seuls pourtant à conserver le nom d'entremets – nous les confondons volontiers avec « les » desserts.

Archaïsme illusoire

Ainsi, tous les éléments constitutifs du troisième service d'antan – pâtés froids, jambon, ou viandes en gelée ; crus-

1. *Almanach des gourmands*, t. IV (1806), pp. 34-36.

tacés, légumes, entremets sucrés – ont été rattachés au premier, au second ou au dernier. Et il n'y aurait aujourd'hui plus rien entre « la » salade et le dessert, si nous n'avions chassé de celui-ci les fromages. D'une part leur odeur forte nous est devenue insupportable au moment où l'on déguste les fruits, crèmes, pâtisseries et autres sucreries. D'autre part ils vont généralement mieux avec le vin rouge qu'on a sur le rôti qu'avec les vins de dessert – du moins le dit-on. On aurait pu, certes, les servir en hors-d'œuvre – au moins certains d'entre eux comme les chèvres qui vont si bien avec les blancs – ou maintenir au dessert ceux qui vont avec le sauternes, comme le roquefort ou le munster au cumin. Mais par facilité et pour éviter de faire éclater le concept de fromages, on s'est contenté de les faire glisser en bloc juste en amont du dessert, et l'on admet qu'ils s'accordent tous avec les rouges.

A ces tendances nouvelles, Denis doit sacrifier tout comme un autre, et cela témoigne de leur force. Voyez, en effet, comment il a choisi de remplir le cadre archaïsant de son menu type (cf. p. 299, « un exemple très précis »). Au début, des amuse-gueule qui n'y étaient pas prévus. Puis, après les potages, une salade de queues d'écrevisses dont je doute que nos ancêtres aient jamais fait un « relevé », ni même sans doute une entrée. Or ce choix n'est pas accidentel : dans l'un des trois « menus simplifiés » que Denis propose à la page suivante de son livre, on trouve après le potage des quenelles de homard, et dans un autre une salade de langouste. Ce recours systématique à des aliments présentés autrefois en entremets a évidemment pour fin de permettre la dégustation d'un grand bourgogne blanc – ici le Corton-Charlemagne – avant la série ininterrompue des rouges.

Au second service, remarquez qu'en nombre les entremets salés l'emportent de beaucoup sur les entremets sucrés, alors que les gastronomes du XIXe siècle établissaient entre les uns et les autres un scrupuleux équilibre. En outre, le premier des légumes – la purée Rachel – est typographiquement rapprochée de la rognonnade de veau, ce qui suggère qu'elle lui est réellement associée. Les deux autres – truffes en serviette et pommes Anna – vraisemblablement servis l'un après l'autre, et indépendamment de toute viande, me paraissent avoir pour fonction de faire oublier le rôti avant l'apparition du chaud-froid d'ortolans. Enfin, si l'île flottante est servie en entremets sucré, rien ne la sépare des sucreries du dessert, d'où l'on a éliminé tout fromage, sous prétexte qu'il n'est *« pas convenable »* dans un grand dîner. Bref, sous l'habit ancien, conservé par coquetterie, que de nouveau !

Platine

MENU TYPE DE BASE EN TROIS SERVICES

Premier service
Un consommé clair ou potage lié
Un relevé d'entrée
Une grande entrée
Un sorbet

Deuxième service
Un rôt chaud
Un rôt froid
Entremets salés (légume)
Entremets sucrés

Troisième service
Pâtisserie
Confiserie Fruits

UN EXEMPLE TRÈS PRÉCIS

Menu	Vins
Amuse-gueule	Champagne cuvée Denis
Consommé Célestine	"
ou Velouté de tomate froid	"
Salade de queues d'écrevisses	Corton-Charlemagne 1966
Suprême de volaille de Bresse	Château Brane-Cantenac 1953
en sauce au céleri	"

Sorbet au citron

Menu	Vins
Rognonnade de veau	Château-Latour 1945
Purée Rachel	"
Truffes en serviette	"
Pommes Anna	"
Chaud-froid d'ortolan au chambertin	Chambertin-clos de Bèze 1949
Ile flottante	Château-Yquem 1953
Petits fours frais glacés	Porto vintage 1917
Fruits déguisés	"
Chocolats	"

Café
Calvados 1865
Grande champagne 1894
Bas Armagnac 1913

Postface

En me forçant à signer de mon nom cette chronique de Platine, Odile Jacob m'oblige à avouer au lecteur un dédoublement de la personnalité que je voulais garder secret.

Entre Platine et moi les relations sont certes étroites. Nous avons longtemps travaillé ensemble, avons beaucoup de dettes l'un envers l'autre – ainsi qu'envers nombre d'autres chercheurs – et ce que nous écrivons l'un et l'autre pourrait être facilement confondu. Mais il ne doit pas l'être. N'en déplaise à mon éditeur, Platine n'est pas tout à fait Jean-Louis Flandrin.

Platine et moi

Platine m'a précédé dans l'exploration de mon actuel domaine de recherche, l'histoire du goût et des pratiques alimentaires. C'est sous son influence que je m'y suis intéressé ; il a été mon initiateur.

Il était passionné de gastronomie, et s'interrogeait sur les goûts de nos ancêtres. J'avais une pratique d'historien ; j'avais vu passer des documents qui pouvaient nourrir sa réflexion ; j'ai pu souvent lui dire où trouver ce qu'il cherchait ; et j'avais aussi des étudiants enthousiastes, prêts à se lancer sur les pistes de recherche qu'il ouvrait. Pendant des années, donc – entre 1978 et 1983 –, nous avons travaillé en association, lui écrivant ses chroniques mensuelles de gastronomie historique, mes étudiants de l'université Paris VIII-Vincennes et moi collaborant à ses recherches et à ses expérimentations culinaires. Tous ensemble constituions cette informelle « Académie Platine » qu'il a évoquée dans l'une de ses chroniques. Puis le temps nous a dispersés ; chacun s'est trouvé accaparé par d'autres activités. Ceux d'entre nous qui continuent à s'occuper de l'histoire du goût alimentaire exploitent maintenant eux-mêmes leurs résultats, et publient sous leur nom.

Cette manière de travailler explique que Platine et moi ayons souvent argumenté à partir des mêmes faits. Mais ces données communes, nous ne les exploitons pas dans la même perspective. Platine est journaliste, je suis universitaire. Je traite d'histoire ; Platine de gastronomie. De gastronomie, c'est-à-dire du plaisir de manger et de boire, et des problèmes qui se posent aux gourmands d'aujourd'hui : choix des aliments, façon de les cuisiner, art de les servir, de les ordonner au cours du repas, et de marier les mets avec les vins.

En quoi ces problèmes quotidiens sont-ils concernés par l'histoire ? Qu'est-ce que Platine va chercher dans le passé ? Un peu de lumières sur le pourquoi de nos pratiques et de nos goûts.

La subjectivité du bon

Les gastronomes parlent du bon comme d'une catégorie objective, indépendante du goût des mangeurs ; de même que les critiques d'art, pendant longtemps, ont parlé du beau. Dans le domaine gastronomique comme dans le domaine esthétique, pensent-ils, quantité de gens ont mauvais goût, mais cela ne saurait en rien affecter le système de valeurs, que reconnaissent d'ailleurs les « gens de goût ». Au début du XIXe siècle, il est vrai, la philosophie sensualiste ayant pris le pas sur l'idéalisme à la mode au XVIIe, Brillat-Savarin fait dépendre le bon d'une physiologie du goût. Mais celle-ci – dont le gastronome, « le Professeur », a pour fonction de révéler les effets au profane – est la même chez tous les hommes, et le bon n'en est donc pas moins universel qu'avant. Rien, dans les écrits gastronomiques postérieurs, n'est venu mettre en question la croyance en son objectivité.

Pour Platine et pour moi, au contraire, le bon est affaire de goût, et la physiologie seule est incapable de rendre compte de celui-ci, façonné qu'il est par la culture originale de chaque peuple, de chaque époque, et l'éducation de chaque individu. Des aliments que l'on place aujourd'hui au sommet de la hiérarchie des délices ont été tenus longtemps sur les degrés inférieurs. Ainsi du caviar, connu en Provence depuis le XVIe siècle mais qui restait encore pratiquement inconnu des Français au XVIIIe : en 1741, l'auteur du *Dictionnaire de commerce* écrit qu'on commençait *« à le rechercher dans le Royaume & qu'il n'étoit pas méprisé sur les meilleures tables »*. Inversement, des aliments méprisés aujourd'hui ont longtemps excité les gourmands : par exemple la chair du paon, qu'on tenait pour imputrescible ; ou la maniguette d'Afrique, que, sous le nom de « graine de paradis », les Français du XVe siècle préféraient au poivre ; ou encore les câpres et les anchois, fort distingués aux XVIIe et XVIIIe.

Gastronomie historique

Certains aliments sont parfois restés au sommet de l'échelle pendant des millénaires. Mais une étude attentive montre souvent que sous le même nom ce sont en fait des produits différents que nos ancêtres appréciaient, et pour des raisons qui n'étaient pas les nôtres. Sous le nom de « foie gras », les Romains se délectaient de foie de porc ; et les gourmands des XVIIe et XVIIIe siècles de foies de chapon ou de pigeon, tandis qu'ils méprisaient celui de l'oie, réputé grossier et indigeste. Quant à la truffe des « tables délicieuses » de l'Antiquité et de la Renaissance, ce n'était pas le diamant noir de la gastronomie périgourdine, mais un produit insipide venu d'ailleurs, renommé essentiellement pour la vertu aphrodisiaque qu'on lui prêtait. Ces faux semblants de continuité démontrent mieux encore l'historicité du bon que les variations évoquées précédemment.

Il en est de même au niveau des associations de saveurs ou des règles de présentation des mets et des boissons. L'association de l'ail et du persil, dans la cuisine française, va tellement de soi qu'elle paraît un don de Comus. Il semble pourtant qu'elle avait autrefois une fonction bien oubliée aujourd'hui, le persil étant censé éviter les relents d'ail au mangeur et à son entourage. Autre exemple : si l'on mange le melon en hors-d'œuvre, ce n'est pas qu'il soit un légume comme on le croit parfois, mais parce que l'ancienne médecine recommandait de consommer les fruits crus en début de repas, et que le melon était réputé le plus dangereux d'entre eux. Si on l'assaisonne encore parfois de sel et de poivre – à la française – ou si on le sert avec des tranches de jambon cru à la manière italienne, il s'agit là d'anciennes associations qu'on croyait nécessaires pour corriger sa « froideur » et sa « putrescibilité ». Ce n'est pas pour la plaisante opposition des saveurs que ces associations se sont établies et perdurent depuis si longtemps : c'est parce qu'imposées par les anciennes croyances diététiques elles sont devenues traditionnelles, et qu'y étant habitués nous les trouvons attrayantes.

Les choses sont moins claires pour ce qui concerne la température à laquelle on présente les diverses sortes de vin. Est-ce parce que cela fait ressortir leurs mérites respectifs, que l'on rafraîchit la plupart des blancs et que l'on chambre la plupart des rouges ? Platine se demande si nos règles en ce domaine n'auraient rien à voir avec : 1°) l'ancienne idée que le vin rouge se transforme immédiatement en notre sang, et que, pour ne pas créer de traumatisme, il doit être bu à la température du corps ; 2°) le fait que l'habitude de boire le vin à la glace a été adoptée par les élites sociales françaises à un moment où seuls les blancs et les rosés étaient distingués, et où le vin de Champagne devenait à la mode ; 3°) que les vins du Bordelais se sont imposés tard et comme des vins de régime ; d'où peut-être le dicton gastronomique rapporté par Horace Raisson, au début du XIXe siècle : « Le champagne à la glace, le bordeaux sur le poêle... » Plus tard, on aurait élargi ces règles à d'autres vins : le champagne aurait servi de modèle à tous les vins blancs et le bordeaux aux vins rouges. En même temps on les modérait, les vins blancs étant rafraîchis mais non glacés et les vins rouges discrètement chambrés plutôt que chauffés à 37° C.

Discours historique, discours gastronomique

Le goût est donc façonné par l'histoire, et le bon est une catégorie éminemment subjective que l'historien doit prendre pour telle. Il peut objectivement étudier ce qu'a été celui de diverses époques, relever les variations de l'attrait pour les différents mets et les différentes saveurs ; chercher quels rapports les goûts d'un peuple, d'une époque, d'un groupe social ont entretenus avec les autres caractéristiques de sa culture et avec ses fondements matériels ; il peut parfois interroger son propre goût pour prendre mieux conscience de la transformation historique des sensibilités ; mais il ne saurait tenir le bon pour une catégorie objective.

Le chroniqueur gastronomique, lui, ne peut évidemment en prendre son parti si facilement : toute littérature gastronomique part d'une certaine idée du bon, dont elle fait une valeur intangible. Platine, en cela, ne se distingue pas de ses confrères. Simplement, il est plus conscient que d'autres que le bon auquel il se réfère n'a pas toujours été tenu pour tel ; il ne fait donc pas mystère de la subjectivité de son propos. Inutile de la lui reprocher puisque toute valorisation, en ce domaine, en comporte forcément une part.

Inutile, aussi, de m'objecter – lorsque moi, l'historien, j'analyse le système de valeurs d'une époque ou d'un groupe social – « qu'en fait » telle pratique condamnée par les cuisiniers de cette époque ou de ce groupe est bonne, ou même meilleure que la pratique contraire, qu'ils préconisent. Cela m'apprend seulement que l'objecteur a un autre système de valeurs, contradictoire à celui que j'analyse, du moins sur ce point particulier. Son système de valeurs n'est d'ailleurs pas forcément caractéristique de notre temps ; en particulier lorsque ce n'est pas le mien.

J'avoue avoir du mal à comprendre que, confondant les genres, tant de nos amis nous fassent, à Platine ou à moi, ces objections opposées. Moi je n'ai pas à prendre parti sur le bon et le mauvais. Lui n'a pas à cacher ses partis pris gourmands.

Si je reprochais quelque chose à Platine, ce serait plutôt d'être si frappé par les faits historiques inattendus que nous découvrons, qu'il en oublie parfois sa fonction de chroniqueur gastronomique pour écrire à la manière d'un historien ; comme je pourrais le faire moi-même.

De son côté il trouve un peu facile la répartition des

tâches que je viens d'esquisser, et un peu lâche mon subjectivisme systématique. Il n'y a pas que culture, traditions historiques et subjectivité dans le goût et les hiérarchies que les gastronomes établissent. Je l'admets, mais j'ai trop à faire dans la ligne de recherche que j'ai choisie pour être tenté d'en explorer d'autres. En outre elle ouvre des perspectives d'avenir trop fascinantes.

La diététique et le goût

En particulier pour la santé dans la société de demain. L'histoire, on l'a vu, témoigne que les pratiques et les goûts traditionnels doivent beaucoup aux principes de l'ancienne hygiène alimentaire. Elle suggère aussi que les transformations des pratiques culinaires – et donc du goût alimentaire – au XVIIe siècle, puis au XXe, ont un rapport avec la transformation des idées diététiques. Pour la médecine hippocratique et galénique, la digestion des aliments s'analysait en termes de chaud et de froid, de sec et d'humide, et l'utilisation systématique des épices dans la cuisine médiévale semble répondre à ces préoccupations. Lorsqu'au XVIIe siècle les discours sur la digestion ont commencé à se référer à la chimie plutôt qu'à ces anciens principes, les Français – cuisiniers et mangeurs – se sont très sensiblement détournés des épices.

Autre exemple, les cuissons. Plus elles étaient longues, plus les anciens diététiciens croyaient les aliments digestes. De fait les cuisiniers, jusqu'à la fin du XVIe siècle, soumettaient les aliments à des cuissons longues et multipliées. Au XVIIe ils ont pris leur autonomie par rapport aux diététiciens, et recommandent parfois des cuissons courtes : pour les viandes rôties par exemple – en particulier les canards sauvages qu'ils recommandaient de manger « sanguinolents »

– mais aussi pour certains légumes, comme les asperges qui devaient rester croquantes. Au XXe siècle l'analyse sérielle des recettes de cuisine montre que les cuissons – depuis plus longtemps, et plus progressivement qu'on ne le croit d'ordinaire – ont été systématiquement raccourcies. Et cela va tout à fait dans le sens du culte des vitamines qui caractérise notre diététique.

Si le goût est totalement malléable, si rien dans la physiologie humaine ne le bride, alors celui de nos descendants pourrait être parfaitement adapté aux principes diététiques – du moins de la diététique qui aura cours dans leur enfance, car c'est à ce moment surtout qu'il se forme – et les maladies de la nutrition pourraient être prévenues avec beaucoup moins d'efforts qu'aujourd'hui.

C'est à cette adaptation de la gourmandise aux principes de la diététique qu'ont travaillé certains maîtres de la *nouvelle cuisine*, en particulier Michel Guérard. Mais il y a des résistances, parce qu'à l'âge où l'on est en mesure de se payer leurs restaurants le goût n'est plus aussi malléable que dans l'enfance : même si l'on apprécie cette cuisine légère, on n'est cependant pas totalement converti ; la nostalgie des grosses nourritures d'antan reste embusquée au fond de nous ; elle nous fait rechuter à la première occasion.

Qualité

Pour les générations futures, il vaut donc la peine d'explorer jusqu'au bout la voie du culturalisme gastronomique. Mais Platine attaque ce qu'il nomme les excès de mon subjectivisme : à partir de son expérience de gourmand ; et parce qu'une totale malléabilité du goût aurait des conséquences qu'il ne peut accepter.

Né au début des années 30 de ce siècle, il n'a pas oublié certains délices aujourd'hui disparus : fruits souvent moins beaux mais tellement plus savoureux et plus variés qu'aujourd'hui ; lard et saucisses des porcs élevés à l'ancienne ; pain d'autrefois... Ces disparitions dues aux transformations de l'agriculture, du commerce et de l'industrie alimentaires – et plus généralement à la logique de l'évolution économique et sociale – il en souffre comme nombre de ses contemporains, et il ne s'y résigne pas. Devant l'ignorance des générations qui ne les ont pas connus, et les certitudes de ceux qui, dans la marche de l'Histoire, ne voient que « progrès » – au sens que les XIXe et XXe siècles ont donné à ce mot – il veut témoigner. D'abord, tout simplement, pour établir la vérité.

Mais aussi parce que l'avenir n'est pas écrit une fois pour toutes ; qu'il dépend de la volonté des hommes. Et que, dans ce domaine de la qualité des produits, la décadence n'est pas irrémédiable. L'histoire récente en témoigne : voyez, dit Platine, les poulets du commerce, qui dans les années 60 étaient devenus tous immangeables, et dont la qualité a été partiellement rétablie ; et voyez les pommes, plus variées et meilleures aujourd'hui que dans les années 70. Il apparaît que, dans une certaine mesure, les agriculteurs et les industriels de l'alimentaire peuvent sacrifier aux goûts des clients, diversifier leurs productions et en améliorer la qualité. Encore faut-il que les clients le réclament.

Objectivité

Mettre en avant la qualité des produits, c'est prendre parti pour une certaine objectivité du bon. Dans la logique d'un subjectivisme absolu on devrait chercher à satisfaire son goût personnel et celui des gens qui ont le même ; mais il serait égoïste de vouloir éduquer celui des autres consommateurs pour accentuer la pression sur les producteurs. Pour leur bien il faudrait au contraire leur souhaiter d'avoir aussi vite que possible le goût déformé – je veux dire formé – par l'agriculture scientifique et les industries alimentaires. Vous dites qu'ils risquent d'en mourir ? Ce n'est pas prouvé. Et il est d'ailleurs vraisemblable que les aliments ne seront pas plus sapides une fois débarrassés de tous les poisons que dénoncent les ligues de consommateurs. Elles ne luttent pas, comme Platine, pour la résurrection de toutes les saveurs du paradis perdu.

J'ironise pour cacher mon embarras. Je ne nie pas la possibilité d'une certaine objectivité de la qualité, mais je ne puis la prendre en considération parce que je n'ai pas actuellement les moyens de la circonscrire. Platine, lui, ne se laisse pas corrompre par ma dialectique. L'explication du bon par la nostalgie des saveurs de l'enfance est pertinente, dit-il, lorsqu'il s'agit de plats cuisinés ou plus généralement d'associations de saveurs : par exemple celles du pain de seigle – ou du pain aux cinq céréales –, du bon beurre et de la gelée de groseilles-framboises. Mais les explications psychologiques ne valent rien lorsqu'il s'agit de la qualité des produits. Là le bon ou le mauvais sont des faits objectifs, que chacun peut vérifier. Qui contestera la supériorité d'une pêche juteuse, sucrée et parfumée sur les pêches de chambres froides, pâteuses et insipides ? Celle de figues bien mûres, sur les figues immatures et sans goût qu'on trouve chez les commerçants parisiens ? De telles supériorités sont évidentes ! Objectives ! De même pour les tomates, ou le lard d'autrefois, comparés à ceux que l'on trouve aujourd'hui sur le marché. De la part de ceux qui les ont connus, ne pas l'avouer, ne pas le proclamer, est une lâcheté inadmissible.

Exagérer le caractère objectif du concept de qualité serait en effet une simple erreur, sans conséquences. Ce qui serait criminel, pour l'avenir du monde, c'est de ne pas défendre la qualité ; de ne rien faire pour la rétablir.

Table des matières

CET OUVRAGE A ÉTÉ TRANSCODÉ
ET ACHEVÉ D'IMPRIMER SUR ROTO-PAGE
PAR L'IMPRIMERIE FLOCH À MAYENNE
EN FÉVRIER 1992

N° d'impression : 31825.
N° d'édition : 7381-0159-1.
Dépôt légal : février 1992.
Imprimé en France